WAAROM VROUWEN CHOCOLA
LEKKERDER VINDEN DAN SEKS

Jena Pincott

WAAROM VROUWEN CHOCOLA LEKKERDER VINDEN DAN SEKS

RAINBOW ZILVER

Rainbow Zilver® worden uitgegeven door Muntinga Pockets,
onderdeel van Uitgeverij Maarten Muntinga bv, Amsterdam

www.zilverpockets.nl

Een uitgave in samenwerking met De Boekerij bv, Amsterdam

www.boekerij.nl

Oorspronkelijke titel: *Do Gentlemen Really Prefer Blondes?*

Omslagontwerp: Mariska Cock
Foto voorzijde omslag: Heather Hryciw / Corbis
Druk: Bercker, Kevelaer
Uitgave in Rainbow Zilver maart 2011
Derde druk januari 2012

ISBN 978 90 417 6317 4 NUR 314

Inhoud

Inleiding

Op een avond in de herfst, toen het buiten al bitter koud was en we weer begonnen op te zien tegen de eenzame feestdagen, besloot mijn vriendin Rita te gaan speeddaten. Rita is een mooie en vrolijke vrouw, en ze kon de uitdaging wel aan om in een uur tijd meer mannen te ontmoeten dan de meeste vrouwen in een jaar doen. Eerst overwoog ze even om een sessie met een bepaald thema te kiezen: 'Theaterliefhebbers', 'Fit en Gezond' of 'Op z'n hondjes'. Die laatste bleek speciaal voor hondenbezitters te zijn. 'Ik ga een echtgenoot zoeken,' zei ze toen ik sceptisch mijn wenkbrauwen optrok. Ze koos voor een sessie voor geslaagde dertigers, en ging in haar eentje omdat haar vriendinnen het vertikten met haar mee te gaan. De volgende dag was Rita openhartig en enthousiast. Ze lag op haar rug met haar hand achter haar hoofd giechelend naar het plafond te staren. Ze had in een soort koortsachtige haast twintig mannen ontmoet, zei ze. In drie minuten tijd had ze zich van elke date een indruk moeten zien te vormen, dan ging de bel en kwam de volgende. Eén kerel overtrof alle anderen. Het klikte *geweldig* tussen hen. 'Je toekomstige echtgenoot?' vroeg ik, onder de indruk.

Rita zegt dat ze op zoek is naar een man die trouw, degelijk, ontwikkeld, spiritueel en ambitieus is en kinderen wil. Dat zegt de rationele kant van Rita. Maar in het vuur van het moment vergeet ze haar goede bedoelingen. Rita rolde met haar ogen bij de serieuze sukkels die zich voor het speeddaten hadden opgedoft. In plaats daarvan bleek haar fantastische man, de enige tegen wie ze ja had gezegd, een welbespraakte hulk te zijn die op dat moment bij een vriend inwoonde bij wie hij op de bank sliep. Drie minuten lang staarde hij haar intens aan en stelde vragen als: 'Mijn lieve schat, waarom werk je niet als model?' Misschien was het niet echt iemand om mee te trouwen, maar ze was smoorverliefd.

Na deze ervaring van Rita stond ik er niet van te kijken dat uit elk onderzoek naar speeddaten blijkt dat de voorkeur die mannen en vrouwen zeggen te hebben, niets te maken heeft met de eigenschappen van de mensen die ze uitkiezen. We vertrouwen vaak meer op ons instinct of onze driften dan op ons verstand. De helft van alle vrouwen die speeddaten zegt al binnen *drie seconden* te weten of ze ja tegen een man gaan zeggen of niet. Mannen zijn ook verrassend efficiënt en vinden het uiterlijk van een vrouw zeer belangrijk. Tegen de tijd dat de bel gaat, hebben alle deelnemers hun beslissing al genomen.

Wat gebeurt er dus precies in die drie seconden of drie minuten? Welk deel van Rita – of jou – bepaalt wat sexy is? Niet het rationele brein. Als het om aantrekkingskracht gaat, schakelt het bewustzijn naar een lagere versnelling. Het instinct gaat in de overdrive. Je zintuigen nemen de boel over. Onbewust neem je de klankkleur van de stem van de ander in je op, zijn gespierde schouders, zware wenkbrauwen, krachtige kaak en vrolijke blik. *Ziet er goed uit, klinkt goed, ruikt goed, gedraagt zich goed.* Misschien voel je langzaam een gloeiende blos op je wangen komen. Je merkt dat je zijn kant op leunt. Het lijkt wel of je lichaam bepaalt wat er gebeurt: je ogen, oren, neus, hormonen of iets diep achter in je hersenen.

Voortdurend, maar vooral in je liefdesleven, neem je beslissingen buiten je bewustzijn om, en mensen reageren op jou op een manier en om redenen waarvan ze zich niet bewust zijn. Er zijn dagen waarop je merkt dat je meer tot flirten geneigd bent dan anders. Vanochtend heb je misschien in een opwelling besloten om je sexyer te kleden. Je huid is zachter en je gelaatstrekken zijn meer symmetrisch. Mannen lijken zich tot je aangetrokken te voelen. Je merkt dat je meer loskomt als je met verwaande, dominante mannen praat, ook al zijn ze in de regel niet je type. Wat is er aan de hand? (Zie pagina 114.)

Het blijkt dat veel diepe en subtiele invloeden er de oorzaak van zijn dat je je tot bepaalde mensen aangetrokken voelt, en zij tot jou. Of juist niet! Neem bijvoorbeeld lichaamsgeur. Hoe komt het dat je de geur van sommige mannen wel lekker vindt maar van andere niet? Voor veel vrouwen is de natuurlijke geur van een man een doorslaggevende factor. In feite inspireerde de enorme invloed van lichaamsgeur me tot het schrijven van dit boek. Ik had ooit verkering met een man wiens geur ik vreselijk vond, ook al douchte hij vaak, en dat was een van de belangrijkste redenen waarom ik een eind aan de relatie maakte. Later ontmoette ik een man wiens geur ik heerlijk vond, en ik trouwde met hem (ook om zijn andere geweldige eigenschappen). Toen ik erachter kwam dat er een biologische verklaring is voor mijn kieskeurige neus, was mijn nieuwsgierigheid gewekt. (Zie pagina 40.)

Voor veel vreemde, onbegrijpelijke dingen die in je liefdesleven plaatsvinden, bijvoorbeeld waarom je met sommige minnaars eerder een orgasme krijgt dan met andere, waarom seks je een bevredigend gevoel geeft en waarom je je door met een man te knuffelen iets meer verbonden en vertrouwd met hem voelt, ook al wil je dat eigenlijk niet, is een wetenschappelijke verklaring. Er is een reden waarom mannen denken dat je op ze valt terwijl dat niet zo is, waarom mensen knapper lijken als je opgewonden bent of wanneer je diep in hun ogen kijkt, waarom je smaak qua mannen verandert als je aan de pil gaat, waarom je libido in de herfst groter wordt, en waarom je zo dwaas doet als je verliefd bent.

Natuurlijk worden mannen ook aangespoord door driften en instincten. Er is een reden waarom ze anders op pornografie reageren dan vrouwen, waarom ze warrig worden bij de aanblik van prachtige vrouwen en waarom ze zich zo verliefd gedragen als ze je een tijdje niet gezien hebben. Misschien vraag je je ook wel af waarom zo veel mannen helemaal weg zijn van volle borsten, een zandloperfiguur en lange benen. En wat is er nu zo bijzonder aan blond haar?

In *Waarom vrouwen chocola lekkerder vinden dan seks* onderzoeken we de verborgen kant van liefde, seks en aantrekkingskracht. De bijna honderd vragen in dit boek werden opgeroepen door mijn bijna onverzadigbare nieuwsgierigheid naar wetenschap, sexappeal en het onbewuste. *Wat voor dingen gebeuren er allemaal waar niemand over praat omdat we ons er nauwelijks van bewust zijn dat ze gebeuren?* Om antwoord op al deze vragen te vinden bestudeerde ik honderden door collega's besproken onderzoeken in diverse disciplines, onder andere biologie, evolutionaire psychologie, antropologie, neurowetenschappen en endocrinologie. Ik vond het boeiend.

Als schrijver met een wetenschappelijke achtergrond, maar geen specialist, wierp ik mijn netten ver uit en ik kwam allerlei onderwerpen tegen, van lichaamstaal tot biseksualiteit, hormonen tot feromonen en 'sexy genen' tot modellen die iemands 'partnerwaarde' aangaven. Dit boek, dat op deze onderzoeken en gesprekken met veel onderzoekers is gebaseerd, brengt zo veel mogelijk wetenschappelijk onderzoek over aantrekkingskracht en de gevolgen ervan, over liefde en seks (niet per se in die volgorde) onder de aandacht. Sommige uitkomsten die in dit boek worden beschreven, zijn al langer bekend, andere zijn vrij nieuw en controversieel. Hoewel geen enkel onderzoek het mysterie van de liefde en aantrekkingskracht oplost, lichten ze allemaal een tipje van de sluier op. Samen geven ze een overzicht van het 'grote geheel'. (Wetenschappers geloven niet dat ons liefdesleven gereduceerd kan worden tot wetenschap, maar wel dat we die kunnen gebruiken om onszelf beter te begrijpen.)

Eén thema dat in al dit gestoei met onderzoeken naar voren komt, is dat iedereen onbewust een voorkeur heeft voor bepaalde eigenschappen, en veel van wat we verlangen vindt zijn oorsprong in diepgewortelde evolutionaire vooroordelen. We hebben ons op deze manier ontwikkeld. Evolutionair biologen onderzoeken de omstandigheden waarin onze voorouders leefden en het paargedrag van andere dieren, en bieden een interessante insteek: of je nu wel of geen kinderen wílt, je hebt een instinct dat zegt dat je voor jong leven wilt zorgen en dat instinct is van invloed op je seksleven. In grote lijnen komt alles neer op het biologische basisgegeven dat een vrouw in een tijdsbestek van een jaar met tig mannen naar bed kan gaan, maar slechts één zwangerschap zou kunnen uitdragen, terwijl een man met tig vrouwen naar bed kan gaan en tigmaal tig kinderen zou kunnen krijgen. Mannen hebben zich zo ontwikkeld dat ze de voorkeur geven aan vruchtbare vrouwen, dus ze richten zich op eigenschappen die op jeugdigheid en schoonheid wijzen, vooral bij korte relaties. Voor vrouwen ligt het iets ingewikkelder.

Een zwangerschap heeft voor ons veel meer gevolgen en dus zijn we kieskeuriger wat betreft onze sekspartners. Door de eeuwen heen hebben we een voorkeur ontwikkeld voor mannen met eigenschappen die op goede genen wijzen (mannelijkheid en sociale of fysieke dominantie) en die aangeven dat ze een goede vader zouden zijn (koesterend en verzorgend), alhoewel we, afhankelijk van onze omstandigheden, niet altijd even nauw kijken. Het is een feit dat de beslissingen die we in ons liefdesleven (en seksleven) nemen, worden beïnvloed door onze cultuur en onze persoonlijke ervaring. De verborgen kracht van driften en instincten oefent echter ook onverwacht invloed uit.

Er zijn zo veel vragen. Waarom voelt mijn vriendin Rita zich aangetrokken tot breedgeschouderde mannen met een grote mond, en waarom voelen die mannen zich tot haar aangetrokken? Hoe komen mannen in je bed, of in je hart, en jij in dat van hen? En hoe komt het dat je van liefde en seks zo licht in je hoofd wordt als je de juiste partner hebt? Bij het schrijven van dit boek vond ik het prachtig om te ontdekken dat zo veel onderzoekers op zo veel verschillende terreinen met onderwerpen bezig zijn die te maken hebben met ons liefdesleven, variërend van hoe we ruiken en waarom we de liefde bedrijven tot hoe we verliefd blijven. (Dit is een boek om door te bladeren, dus lees de vragen door en kijk waar je belangstelling naar uitgaat.) Dankzij deze ontdekkingen krijgen we meer inzicht in de menselijke natuur. En bovendien is het gewoon heel leuk om erover te lezen. Zoals de natuurkundige Richard Feynman, Nobelprijswinnaar, het uitdrukte: 'Wetenschap lijkt veel op seks. Soms levert het iets nuttigs op, maar dat is niet de enige reden waarom we het doen.'

DEEL I

LICHAMEN

1

Eerst het gezicht

Wie beminde ooit, die niet op de eerste blik beminde?
– Christopher Marlowe, *Hero en Leander*

Waarom lijken mensen aantrekkelijker als we ze diep in de ogen kijken?

Vele jaren geleden zette de gedragspsycholoog Arthur Aron mannelijke en vrouwelijke studenten bij elkaar in een kamer en vroeg ze elkaar vertrouwelijke details uit hun leven te vertellen: de meest gênante momenten die ze hadden meegemaakt, wat ze zouden doen als hun ouders zouden overlijden enzovoort. Toen vormde hij paren, man en vrouw, en gaf hun de opdracht elkaar vier minuten lang diep in de ogen te kijken. Ze mochten niet praten, niet glimlachen, alleen maar staren. Diep staren, als geliefden. Later vroeg Aron de studenten wat ze van hun partner vonden. Zeer aantrekkelijk, zeiden de meesten. Zo aantrekkelijk dat twee studenten die op de dag van het experiment volslagen vreemden voor elkaar waren geweest een halfjaar later trouwden. Het mag dan misschien zo zijn dat je je hart voor elkaar openstelt door elkaar vertrouwelijkheden te vertellen, je bereikt het blijkbaar door de ogen.

Als je rechtstreeks in de ogen van je geliefde kijkt, is het alsof je in vuur kijkt. Zoals Nietzsche zei: 'Als je lang in de afgrond kijkt, dan kijkt de afgrond ook in jou.' Dankzij een adrenalineshot gaan je handen zweten, ga je oppervlakkig ademen, voelt je huid warm aan en verwijden je pupillen zich. Je amygdala, het deel van de hersenen dat emoties verwerkt, bruist van de activiteit. Tegelijkertijd produceer je dopamine, een positieve neurotransmitter die in verband wordt gebracht met hartstocht en verslaving, en oxytocine, een hormoon dat te maken heeft met het vormen van een hechte band. Elkaar diep in de ogen kijken is zo intens dat er nog maar één manier is om het te versterken: dring diep door in de ogen van je partner tijdens langzame, ritmische seks, zoals beschreven in de *Kamasutra* (dit kun je beter niet met een vreemde doen).

De interessantste theorie over elkaar diep in de ogen kijken is dat de handeling alleen al een gevoel van liefde kan versterken of zelfs opwekken. Meestal denken we dat ons gezicht weerspiegelt wat er in ons hoofd omgaat, maar bij sommige mensen wordt de uitdrukking op hun gezicht ook echt een gevoel. Psychologen noemen dit 'gezichtsfeedback' en Darwin was een van de eersten die hierin geloofden.

De hypothese van de gezichtsfeedback werd bevestigd door experimenten aan de Clark Universiteit en de Universiteit van Alaska. Op de eerste universiteit staarden meer dan zeventig mannen en vrouwen die elkaar niet kenden elkaar twee minuten lang stil in de ogen, zonder dat ze wisten waar het voor was. Deelnemers die van tevoren waren getest en van wie was gebleken dat ze met emoties reageerden op hun eigen gezichtsuitdrukkingen, vertelden dat ze beduidend meer hartstochtelijke liefde voelden voor de vreemde die ze hadden aangestaard. (Het staren moet wederzijds zijn en niet bedreigend.) Op de Universiteit van Alaska hadden oogstaarders die hoog scoorden bij een psychologische standaardtest die bekendstaat als de *romantic beliefs scale* dezelfde ervaring. Mannen en vrouwen die sterk geloofden in kreten als 'de enige echte liefde', 'liefde op het eerste gezicht', en 'liefde overwint alles' voelden na het staren duidelijk romantische liefde in zich opwellen.

Volgens de hypothese van de gezichtsfeedback kan het zijn dat je tedere gevoelens hebt voor iemand nadat je hem of haar lang en diep in de ogen hebt gekeken, omdat je je gedraagt als iemand die verliefd is. Als iemand je teder in de ogen van een ander zou zien staren, zou hij denken dat je verliefd was. Je bent je bewust van de gezichtsspieren die de uitdrukking vormen die iedereen ziet, en die internaliseer je.

Het beloningscircuit in je hersenen wordt gestimuleerd en je *voelt* je zoals je je *gedraagt*. Geen wonder dat professionele acteurs die moeten spelen dat ze verliefd zijn tijdens de opnames vaak ook echt verliefd worden. Causale gezichtsfeedback werkt natuurlijk alleen als je je bewust bent van en reageert op de signalen die je eigen lichaam geeft. Dat is niet bij iedereen het geval; misschien heb je de ervaring van een eerdere emotionele verbintenis nodig of ben je sterk romantisch ingesteld.

Als je romantisch bent, dan wordt iemand aantrekkelijker voor je als je hem of haar in de ogen staart, en misschien helpt het wel om verliefd te worden. Maar is het *echte* liefde? Dat valt nog te bezien.

Probeer eens te staren

Een goede vriendin vroeg me een keer om samen met haar naar een 'transformationele' cursus te gaan. Naast allerlei aanraakoefeningen moesten we een vreemde twee minuten lang in de ogen staren. Dat was vreselijk moeilijk, net zo vreemd als je in het openbaar uitkleden. Maar het werkte. Het is nu meer dan tien jaar geleden, maar ik herinner me nog dat onverwachte gevoel van genegenheid dat in me opborrelde toen ik in de ogen van die vreemde staarde.

Waarom probeer je niet eens langer oogcontact met iemand te hebben? Doe het met iemand van wie je houdt, of probeer het tijdens een afspraakje, als je dat durft. Maak tijdens het praten oogcontact en houd die blik net iets langer vast dan je normaal zou doen. Wend je blik tijdens het praten af en kijk de ander aan, en zorg dat je steeds langer oogcontact maakt. Er is moed voor nodig om de blik van de ander vast te houden, maar als je het type bent dat gelooft dat de ogen naar het hart leiden, dan is dit je kans.

Waarom houden mannen meer van grote pupillen?

In *Kinsey*, een filmbiografie over de provocerende twintigste-eeuwse seksonderzoeker Alfred Kinsey, wordt een moment nagespeeld uit een van zijn beroemde lezingen over het menselijk lichaam. Kinsey richt zich tot een preutse jonge vrouw en vraagt: 'Welk orgaan in het menselijk lichaam kan honderd keer zo groot worden?' Ze wordt vuurrood. 'Ik zou het echt niet weten,' antwoordt ze. Kinsey trekt zijn wenkbrauwen omhoog. 'Ik heb het over de iris van je oog,' zegt hij berispend, en hij merkt op dat de jongedame wel eens teleurgesteld zou kunnen worden als ze bleef denken wat ze dacht.

De iris en de pupil op zich blijken erotisch te zijn. De iris is het gekleurde deel van het oog rond de pupil, en de pupil is de zwarte opening in de oogbol. De spieren van de iris kunnen de pupil groter en kleiner maken, variërend van minder dan 1 millimeter tot bijna 10 millimeter doorsnee. De pupil is onbetwistbaar het opvallendste en meest betoverende deel van het gezicht. Een wijde pupil maakt iemands blik krachtiger. Die grote zwarte gaten 'zuigen' je naar binnen, of je het leuk vindt of niet.

Iedereen weet dat pupillen in het donker groter worden, maar er zit meer achter. In de jaren zestig van de vorige eeuw ontdekte de psycholoog Eckhard Hess dat pupillen zich ook verwijden als mensen zich opgewonden voelen of emotioneel zijn. De pupillen van vrouwen werden groter bij de aanblik van plaatjes van kinderen of naakte mannen, en de pupillen van mannen bij de aanblik van naakte vrouwen. Het is een reflexbeweging van het sympathische zenuwstelsel.

De grootte van de pupillen wordt ook onbewust waargenomen. Toen Hess aan een aantal mannen vroeg om te kiezen tussen twee foto's van een vrouw die op de grootte van haar pupillen na identiek waren, gaf de overgrote meerderheid de voorkeur aan de versie met de grotere pupillen. Toen gevraagd werd of ze konden uitleggen waarom ze de vrouw op die foto aantrekkelijker vonden, haalden ze hun schouders op en zeiden ze dat ze gewoon knapper en vrouwelijker leek. Niemand zag bewust het verschil in haar pupillen.

Evolutionair gezien houden mannen meer van grote, wijde pupillen, omdat die een teken zijn van opwinding en ontvankelijkheid. Wanneer je pupillen zich verwijden als je met een man praat (en je niet dronken of stoned bent), is dat een teken dat je je tot hem aangetrokken voelt. Je pupillen verwijden zich het meest rond de ovulatie, de vruchtbare fase van de menstruatiecyclus, en als je nog vrij jong bent. Naarmate je ouder wordt, kunnen je pupillen zich niet meer zo verwijden als in je jeugd en puberteit. Grote pupillen duiden op jeugd, vruchtbaarheid en ontvankelijkheid – prachtige dingen om te zien voor mannen, ook al zijn ze zich daar niet van bewust.

Vrouwen zijn minder enthousiast over mannen met grote pupillen. Uit een onderzoek aan de York Universiteit in Canada bleek dat vrouwen meer houden van mannen met middelgrote pupillen. Mannen zien verwijding van de pupillen als een veelbelovend teken van opwinding, maar vrouwen staan er vaak wantrouwend tegenover. Een opgewonden, wild uit zijn ogen kijkende vent zou je misschien wel eens tot seks kunnen dwingen, of misschien is hij vreselijk dominerend of heeft hij de situatie niet helemaal in de hand. (De weinige vrouwen die de voorkeur gaven aan mannen met grote pupillen, hielden ook meer van 'stoute jongens'.) Als de pupillen van een man te groot zijn, kan het zijn dat die van een vrouw kleiner worden.

Wat maakt een gezicht knap?

Je loopt op straat en ziet iemand voorbijkomen die zo adembenemend mooi is dat iedereen – man, vrouw, hetero, homo, toerist, tachtigjarige, kleuter – omkijkt en 'O!' roept. Wat heeft dat gezicht? Wat voor magisch iets hebben knappe mensen dat de meesten van ons niet hebben? Zelfs dichters worstelen om de juiste woorden te vinden. Emily Dickinson zei eenvoudigweg: 'Schoonheid wordt niet veroorzaakt. Ze is.'

Dichters schrijven er buitengewoon enthousiast over, wetenschappers proberen het te analyseren: biologen, neurowetenschappers, psychologen en antropologen proberen allemaal te bepalen wat een gezicht knap maakt. In het algemeen richten ze zich op drie criteria: de mate van overeenkomst met het gemiddelde (hoe sterk komen de grootte en vorm van de gelaatstrekken overeen met het gemiddelde), de symmetrie (hoe sterk komen de twee helften van het gezicht met elkaar overeen), en het seksueel dimorfisme (hoe vrouwelijk of mannelijk lijkt het gezicht). We hebben het hier alleen over de vorm en de trekken van het gezicht, niet over leeftijd, uitdrukking of teint.

Misschien vind je het eerste criterium, de mate van overeenkomst met het gemiddelde, vreemd. Is gemiddeld per definitie niet gewoon gemiddeld? Maar de meesten van ons hebben geen gemiddelde gelaatstrekken. Vergeleken met het gemiddelde staan je ogen misschien verder uit elkaar, of misschien juist dichter bij elkaar, zijn je wenkbrauwen ongelijk, of is je neus scherp. Als er van een hele reeks gezichten een 'gemiddelde' wordt gemaakt om met de computer een compositietekening te maken, wordt die compositietekening aantrekkelijker gevonden dan welk van de gezichten waaruit deze is opgebouwd ook. Hoe meer gezichten ervoor zijn gebruikt, hoe mooier het resultaat.

Het mengen van verschillende rassen helpt ook. De psycholoog Gillian Rhodes liet Aziaten (Japanners) en Kaukasiërs de aantrekkelijkheid van mannelijke en vrouwelijke gezichten beoordelen. Deelnemers van beide culturen vonden de compositietekeningen van Europees-Aziatische gezichten er gezonder uitzien en veel aantrekkelijker dan die van geheel blanke of geheel Aziatische gezichten. Als extra controle deed Rhodes nog een onderzoek met gezichten van bestaande mensen van Europees-Aziatische afkomst, dus niet met compositietekeningen, en hij kwam tot dezelfde conclusie. Men vond de biraciale gezichten aantrekkelijker. Misschien is dat de reden waarom er zo veel modellen uit Brazilië komen, waar veel mensen biraciaal of multiraciaal zijn.

Hoe komt het dat we ons tot het gemiddelde aangetrokken voelen? Er zijn verschillende theorieën. Om te beginnen vinden we iets wat vertrouwd is aantrekkelijk. We leren patronen herkennen in de gezichten die we zien, en stellen onze waarnemingen zo af dat ze met deze bekende patronen overeenkomen. Doordat we het gemiddelde nemen van alle gezichten die we hebben gezien, is het logisch dat we ons meer vertrouwd voelen met gemiddelde verhoudingen dan met opvallende gelaatstrekken, zoals een aardappelneus, ogen die ver uit elkaar staan, een onderbeet of hamsterwangen. (Als je echter bent opgegroeid tussen mensen met opvallende gelaatstrekken, vind jij ze waarschijnlijk aantrekkelijker dan iemand die ergens anders is opgegroeid.) Opvallende en onaantrekkelijke gelaatstrekken kunnen een duidelijk teken zijn van ongewenste recessieve genen. Als je portretten bekijkt van de uit inteelt voortgekomen Habsburgers kun je zien dat leden van het Huis, dat zo belangrijk was in de geschiedenis van Europa, in zo hoge mate hetzelfde DNA hadden dat hun uiterlijk en gezondheid eronder leden. Het blijkt uit hun vooruitstekende onderlippen, misvormde neuzen en onderkaken als centenbakken. De onderkaak van de arme Karel II was zo misvormd dat hij niet kon kauwen.

Zelfs een kleuter zou misschien zijn neus ophalen voor de Habsburgers, zo blijkt uit onderzoeken die erop wijzen dat we zelf weinig invloed hebben op de 'schoonheidsdetectoren' in onze hersenen. Het is opmerkelijk dat baby's die nog niet veel mensen hebben gezien, dezelfde voorkeur voor bepaalde gezichten hebben als volwassenen. Baby's van amper een dag oud die tegelijkertijd mooie en onaantrekkelijke gezichten te zien krijgen, staren consequent langer naar de mooie gezichten dan naar de onaantrekkelijke. Het neurale mechanisme dat baby's in staat stelt om mooi van niet-mooi te onderscheiden is onbekend, maar men is het er algemeen over eens dat het bestaat. Mensen van verschillende culturen zijn het er over het algemeen ook over eens welke gezichten sexy zijn en welke niet.

Schoonheid wordt niet in gelijke mate geschapen, zoals je kunt verwachten. Er bestaat schoonheid en er bestaat *adembenemende* schoonheid. De opvallendste gezichten komen dicht in de buurt van het gemiddelde, maar hebben bepaalde optimale 'kneepjes'. De evolutionair psycholoog David Perrett toonde dit aan door een compositietekening te nemen van een aantrekkelijk vrouwengezicht en haar gelaatstrekken selectief te veranderen. Zo gaf hij haar hogere jukbeenderen en grotere ogen, en verkleinde hij de afstand tussen de mond en de kin, en tussen de neus en de mond. Deze aangepaste compositietekening versloeg in de schoonheidswedstrijd de aantrekkelijke compositietekening van gemiddelde gezichten, zoals supermodellen de gewone modellen aftroeven die in een catalogus te vinden zijn. Het blijkt dat atypische gelaatstrekken iemands schoonheid kunnen vergroten, maar alleen op de juiste plaats op het juiste gezicht.

Symmetrie, het tweede schoonheidscriterium, kan het evenwicht maken of breken. De actrice Gwyneth Paltrow heeft bijvoorbeeld een mooi, maar enigszins atypisch gezicht. Haar mond is breder dan gemiddeld, evenals de afstand tussen haar ogen. Bij iemand anders zouden deze opvallende trekken misschien niet ongelooflijk mooi zijn, maar het gezicht van Gwyneth is toevallig volmaakt symmetrisch. Datzelfde geldt voor sexy personen als Denzel Washington, Kate Moss, Christy Turlington en Cindy Crawford (minus de moedervlek).

Niet alle mooie gezichten zijn symmetrisch en niet alle symmetrische gezichten zijn mooi, maar symmetrie speelt wel vaak een rol bij aantrekkingskracht. Net als de mate van overeenkomst met het gemiddelde wijst symmetrie op een stabiele ontwikkeling. Als je van jongs af aan symmetrische gelaatstrekken hebt – ondanks het risico op ziekte, genetische mutaties, honger, vervuiling en parasieten –, is de kans groter dat je fit en gezond bent en je lichaam weerstand biedt tegen infecties. Onderzoekers van de Universiteit van New Mexico maten de lengte van de kin, kaak, de breedte van de lippen, breedte van de ogen en de lengte van meer dan vierhonderd mannen en vrouwen om de symmetrie van hun gezicht te bepalen. Toen ze de resultaten vergeleken met de gezondheidstoestand van iedere deelnemer, ontdekten ze dat mensen met de meest symmetrische gelaatstrekken gezonder waren (dat wil zeggen, ze hadden minder vaak een infectie aan de luchtwegen, en als ze die hadden, dan was die van kortere duur, en ze hadden minder vaak antibiotica nodig).

Mannelijkheid en vrouwelijkheid (seksueel dimorfisme) is het derde criterium voor aantrekkelijkheid. Bij mannen zorgt het hormoon testosteron voor een uitstekende kaaklijn en jukbeenderen, dikkere wenkbrauwranden, een grotere neus, kleinere ogen, dunnere lippen, gezichtshaar en een betrekkelijk lange onderste helft van het gezicht. Vrouwen voelen zich aangetrokken tot een ruig, mannelijk gezicht omdat dat wijst op een sterk immuunsysteem en mogelijk ook een hoge vruchtbaarheid en sociale status. Het is opvallend dat het oestrogeengehalte bij een vrouw van invloed is op de mate waarin ze zich aangetrokken voelt tot een mannelijk gezicht. Hoe hoger het oestrogeengehalte bij een vrouw, hoe meer ze wordt aangetrokken door kenmerken die op mannelijkheid wijzen. (Zie pagina 115.) Oestrogeen bepaalt ook de schoonheid van een vrouwelijk gezicht. Het zorgt voor vollere lippen, een vollere huid, een kleinere en puntiger kin, kleinere neus, rondere jukbeenderen, wenkbrauwen hoog boven de ogen en een onderste gezichtshelft die smaller is dan de bovenste helft.

De antropoloog Donald Symons, die in de jaren zeventig van de vorige eeuw als eerste opperde dat gemiddelde gezichten mooie gezichten zijn, zei dat we allemaal 'hulpmiddelen' in ons hoofd hebben waarmee we schoonheid waarnemen. En hij bleek gelijk te hebben. In ons hoofd berekenen we de mate van overeenkomst met het gemiddelde, de symmetrie en het seksueel dimorfisme met hetzelfde gemak als waarmee Newton getallen berekende. Maar vergeet niet: deze drie regels staan alleen voor fysieke aantrekkelijkheid in het algemeen. Onderzoekers hebben niet de schoonheid in iemands ogen of de pracht van een uitdrukking kunnen meten. Voor die hogere waarheid hebben we nog steeds de dichtkunst nodig.

Schoonheid is waarheid, waarheid schoonheid.

– Keats

Test de symmetrie van je gezicht

Tenzij je een model bent of er als een model uitziet, is de kans groot dat je op z'n minst ietwat asymmetrisch bent. Maak je niet druk, de meesten van ons hebben een gezicht waar iets mee is: een weerbarstige wenkbrauw die hoger zit dan de andere, of een scheve glimlach. Als je over Adobe Photoshop beschikt, kun je snel een symmetrische versie van je gezicht maken.

1. Open een paspoortachtige foto van jezelf.
2. Selecteer met behulp van het Rechthoekig selectiekader de rechter- of linkerhelft van je gezicht.

3. Klik met de rechtermuisknop op het geselecteerde gedeelte en kies Laag via kopiëren in de menubalk. Hiermee kopieer je de selectie.
4. Ga in de menubalk naar Afbeelding > Roteren > Selectie horizontaal draaien. Hierdoor ontstaat een spiegelbeeld van de gekopieerde selectie.
5. Versleep de selectie met het gereedschap Verplaatsen totdat je een heel gezicht hebt. Voilà: een volmaakt symmetrische versie van jezelf.
6. Doe hetzelfde met de andere helft van je gezicht.

Je verbaast je er misschien over dat anderen de twee rechterhelften van je gezicht aantrekkelijker vinden en meer op jou vinden lijken dan de twee linkerhelften. Dat komt doordat de rechterkant van je gezicht een sterkere indruk achterlaat in de ogen van degenen die naar je kijken. Als je recht tegenover iemand staat, kijkt het linkeroog van die persoon direct naar de rechterkant van jouw gezicht. Het linkeroog wordt aangestuurd door de rechterhelft van de grote hersenen, die gezichten en emoties sneller verwerkt dan de linkerhelft van de grote hersenen, die het rechteroog aanstuurt. Uit sommige onderzoeken is ook gebleken dat de twee helften van je gezicht verschillende delen van je persoonlijkheid laten zien, en dat de rechterkant van het gezicht krachtiger is, terwijl de linkerkant stemmingsgevoeliger en expressiever is. (Zie pagina 163.)

❖

Hoe lang hebben we nodig om te bepalen of iemand sexy is?

Om erachter te komen hoe snel we kunnen zeggen of iemand sexy is of niet, bedachten de neurowetenschappers Ingrid Olson en Christy Marshuetz een slim experiment. Ze lieten mannen en vrouwen een aantal uitgesproken knappe en uitgesproken lelijke gezichten zien die ze moesten beoordelen. De truc was dat de gezichten slechts dertien milliseconden op het scherm verschenen; ze flitsten zo snel voorbij dat de geïrriteerde deelnemers zwoeren dat ze niets hadden gezien. Toen ze echter werden gedwongen een oordeel te geven over de gezichten waarvan ze dachten dat ze die niet hadden gezien, waren ze akelig nauwkeurig. Zonder te weten waarom gaven ze knappe gezichten beduidend hogere cijfers dan onaantrekkelijke gezichten.

We kunnen hieruit afleiden dat schoonheid onbewust wordt waargenomen. De deelnemers hadden niet veel tijd om na te denken over hoe sexy iemand was: ze beseften niet eens dát ze een gezicht zagen. De eerste indruk van iemands uiterlijk heeft in belangrijke mate minder te maken met keuze, cultuur en ontwikkelde smaak, en meer met iets universeels dat dieper zit. We lijken iemands aantrekkelijkheid al net zo automatisch en objectief te beoordelen als zijn of haar identiteit, geslacht, leeftijd en gelaatsuitdrukking.

Als je een aantrekkelijk gezicht ziet, worden de beloningsgebieden in je hersenen, die bekendstaan als de nucleus accumbens en de orbitofrontale cortex, gestimuleerd, evenals de amygdala, die gelaatsuitdrukkingen vastlegt. We beschikken ook over een speciaal corticaal netwerk (het fusiforme gezichtsgebied), dat iemands gezicht in één oogopslag kan verwerken: de omtrek, vorm en kenmerken zoals de ogen, neus en lippen. Er is samenwerking nodig tussen deze en andere gebieden van de hersenen, waaronder de temporale en occipitale kwabben (respectievelijk de zijkant en achterkant van het hoofd) van de rechterhelft van de grote hersenen, om een complete indruk te krijgen van het uiterlijk van een persoon. Sommige delen van je hersenen kunnen een gezicht in dertien milliseconden vastleggen, maar er kunnen wel tweehonderd milliseconden voorbijgaan voordat andere delen het gezicht verwerken en er een waarneming op het scherm van je bewustzijn verschijnt.

Niettemin ben je sneller dan je denkt.

Overweeg ook eens liefde op het tweede gezicht

Je mag je dan misschien wel binnen enkele milliseconden instinctief tot een aantrekkelijk gezicht aangetrokken voelen, dat wil nog niet zeggen dat waarnemingen later niet kunnen veranderen. Afhankelijk van je persoonlijke ervaringen met een persoon kan schoonheid lelijk worden en kan lelijk mooi worden.

Het bewijs hiervoor is te vinden in een studie die werd uitgevoerd door Kevin Kniffin, antropoloog aan de Universiteit van Wisconsin-Madison, en David Sloan Wilson, evolutionair bioloog aan de Binghamton Universiteit. Ze ontdekten dat mensen bij wie de kans groter is dat ze aardig gevonden en gerespecteerd worden, knapper worden gevonden door mensen die hen kennen dan door vreemden. Mensen die niet aardig worden gevonden, lopen meer kans minder aantrekkelijk te worden gevonden door de mensen die hen kennen. Toen mensen elkaars uiterlijk moesten beoordelen voor- en nadat ze elkaar persoonlijk hadden leren kennen, scoorden degenen die oorspronkelijk als alledaags waren beoordeeld maanden later aanzienlijk hoger als men ze heel aardig vond (bereidwillig, betrouwbaar, moedig, hardwerkend, vriendelijk enzovoort). Het tegenovergestelde gebeurde met diegenen die niet aardig werden gevonden. Kennelijk mengen we aardig vinden/respect hebben met fysieke aantrekkingskracht als we onze waarnemingen bijstellen. Dat betekent dat wanneer je op zoek bent naar een langdurige relatie die op meer dan pure sexappeal is gebaseerd, je jezelf (en hem) misschien de kans moet geven om verliefd te worden op het tweede gezicht.

Voel je je meer aangetrokken tot mensen die op je lijken?

Om deze lastige vraag te kunnen beantwoorden, fotografeerde Lisa DeBruine, psycholoog bij het Laboratorium voor Gezichtsonderzoek van de Universiteit van Aberdeen, de gezichten van honderdvijftig jonge heteroseksuele mannen en vrouwen. Toen deed ze iets heel vernuftigs met die foto's: met behulp van grafische computersoftware mengde ze de gelaatstrekken van iedere deelnemer met die van een compositiefoto van iemand van de andere sekse. In wezen maakte ze een mannelijke versie van iedere vrouw en een vrouwelijke versie van iedere man. De gelijkenis was waarneembaar, maar geen van de deelnemers was zich bewust van wat er met de foto's was gedaan.

Vervolgens liet DeBruine iedere deelnemer negen compositiefoto's zien, inclusief de foto die op hem of haar leek, legde de foto's twee aan twee in zesendertig verschillende combinaties voor hen neer en stelde drie vragen: (1) Welk gezicht lijkt het betrouwbaarst? (2) Welk is het aantrekkelijkst voor een langdurige relatie (huwelijk of iets soortgelijks)? (3) Welk is het aantrekkelijkst voor een korte relatie (een verhouding of een onenightstand)?

Het bleek dat de mannen en vrouwen de gezichten die op henzelf leken het betrouwbaarst vonden. Ja, zeiden de meesten van hen, ze zouden bij dat gezicht een langdurige relatie zoals een huwelijk overwegen. Maar toen ze het moesten beoordelen voor een korte, hevige affaire, bleef er niets van over. Dat op een vreemde manier vertrouwde gezicht was goed voor een huwelijk, maar niet geschikt als het om lust ging.

Het onderzoek van DeBruine wijst erop dat aantrekkingskracht sterk afhangt van waar je naar op zoek bent: een sexy scharrel of een lief voor het leven? Als het om een korte, hevige affaire gaat, voel je je waarschijnlijk niet fysiek aangetrokken tot gezichten die op dat van jezelf lijken; onbewust geef je de voorkeur aan genetische diversiteit of aan het exemplaar van de andere sekse dat er het best uitziet. Als het om een langdurige relatie gaat, kan het zijn dat je naar iemand verlangt die er vertrouwd uitziet, of in elk geval iemand van wie je meer verdraagt. Dat komt doordat je ook op zoek bent naar andere eigenschappen, zoals vertrouwen, dezelfde waarden en interesses als jij, en misschien iemand die je wat betreft persoonlijkheid een beetje aan jezelf doet denken. De ideale partner is voor ieder van ons een unieke mix van steun en sexappeal. Jammer dat we niet ons eigen exemplaar van vlees en bloed kunnen samenstellen!

❖

Kiezen vrouwen een echtgenoot die op hun vader lijkt?

De voorkeur voor een partner die lijkt op een van onze ouders, vooral die van de andere sekse, wordt *seksuele inprenting* genoemd. Bij dieren is dit heel gewoon. Mannelijke zebravinkjes worden helemaal wild van vrouwtjes met dezelfde tekening als hun moeder. Geiten die door een schaap zijn grootgebracht paren liever met schapen, en schapen die door een geit zijn grootgebracht, paren liever met geiten. Geen paniek, niemand geilt op pa of ma, maar het is aangetoond dat seksuele inprenting ook bij mensen zijn sporen achterlaat, vooral als het om langdurige relaties gaat.

Onderzoeken naar seksuele inprenting hebben een vaag verband aangetoond tussen het uiterlijk van iemands ouders en zijn of haar huwelijkspartner. Uit een onderzoek van de Universiteit van Texas in Austin bleek dat kinderen uit een biraciaal huwelijk eerder zouden trouwen met iemand van hetzelfde ras als de ouder van de andere sekse dan van de eigen sekse. Bij een ander onderzoek ontdekte men dat de partner van een vrouw vaak dezelfde kleur ogen heeft als haar vader. Bij mannen zijn de haarkleur en kleur van de ogen van zijn moeder de beste voorspellers van de haarkleur en kleur ogen van zijn partner. (De kans dat een man met een brunette met donkere ogen trouwt is groter als zijn moeder dat ook is.) Er is echter minder bewijsmateriaal voor een oedipuscomplex onder mannen dan voor het omgekeerde: een elektracomplex onder vrouwen.

Antropologen van de Durham Universiteit in Engeland en de Universiteit van Wroclaw in Polen ontdekten dat vrouwen die een positieve relatie hadden met hun vader, zich eerder aangetrokken voelden tot mannen met een gezicht dat leek op dat van hun vader. De onderzoekers lieten negenenveertig vrouwen foto's bekijken van vijftien mannen, van wie ze moesten aangeven hoe aantrekkelijk ze die vonden voor een korte en voor een langdurige relatie. Bovendien maten ze vijftien verhoudingen op de foto's van de vaders van de vrouwen – waaronder die tussen de hoogte en de breedte van het gezicht, tussen de hoogte van de wenkbrauwen en de lengte van het gezicht – en ontdekten dat de vrouwen zich voor langdurige relaties meer aangetrokken voelden tot mannen met dezelfde gezichtsverhoudingen als hun vader. Als een vrouw een echt vaderskind is, of was, zal ze eerder op zoek gaan naar een man die op hem lijkt. Vrouwen die niet goed konden opschieten met hun vader, of die zonder hun vader waren opgegroeid, hadden geen voorkeur.

Om aan te tonen dat vrouwen niet noodzakelijkerwijs een voorkeur hebben voor mannen die op zichzelf lijken, bestudeerde een Hongaars team getrouwde vrouwen en hun adoptievaders. Ze ontdekten een gelijkenis tussen de foto's van de vader van de vrouwen en hun echtgenoot. De foto's van de adoptievaders waren genomen op het moment dat de vrouwen tussen de twee en acht jaar oud waren, de leeftijd waarop seksuele inprenting plaatsvindt. En ook hier bleek: hoe hechter de band tussen dochter en vader, hoe eerder ze een man zou kiezen die op hem leek toen hij jonger was.

De neiging van vrouwen om een man te trouwen die op hun vader lijkt, als die tenminste lief is, is een van de vele aanwijzingen dat vrouwen bij langdurige relaties de voorkeur geven aan het vertrouwde en positieve. Seksuele inprenting kan een neveneffect zijn van de manier waarop we van onze ouders leren, of een algemene voorkeur voor wat we zien als kenmerkend voor de andere sekse. Misschien nemen we wat betreft ons huwelijk een voorbeeld aan dat van onze moeder, of besluiten we onbewust dat, aangezien onze vader een goede ouder is, een man die op hem lijkt dat ook wel zal zijn. Het is ook mogelijk dat we de persoonlijkheidskenmerken van de ouder van de andere sekse in verband brengen met fysieke kenmerken (dat we bijvoorbeeld vaders dikke wenkbrauwen en krachtige kaken zien als een teken van dominantie) en onbewust naar deze eigenschappen op zoek gaan in een ander belangrijk iemand. Maar, voor het geval dat je freudiaanse fantasie op hol slaat, vergeet niet dat aantrekkingskracht zich beperkt tot globale gelijkenissen.

❖

Kun je puur en alleen aan het gezicht van een man zien of hij het in zich heeft een goede vader te worden?

Ja, de kans is groot dat je met één oogopslag kunt zien of een man kindvriendelijk is. Een onderzoeksteam van de Universiteit van Californië in Santa Barbara, onder leiding van de psycholoog James Roney, nam foto's van negenendertig heteroseksuele mannen tussen de achttien en drieëndertig jaar, testte hun speeksel op testosteron en schatte hun belangstelling voor kinderen in. Vervolgens moesten dertig vrouwen de mannen aan de hand van foto's van hun gezichten beoordelen op eigenschappen als fysieke aantrekkingskracht en mannelijkheid, liefde voor kinderen en geschiktheid voor een korte of langdurige relatie.

Bijna zeventig procent van de vrouwen kon akelig precies aangeven wie van de mannen een goede vader zou kunnen worden, en dat puur en alleen op basis van een foto. Hoe ze dat konden? Misschien was het iets van een glimlach op het gezicht van sommige van de mannen, ook al hadden ze instructies gekregen dat hun uitdrukking neutraal moest zijn. Het kan ook zijn dat de vrouwen onbewust iets vriendelijks, zachts, aardigs, en nou ja... vaderlijks in hun gezicht hadden bespeurd. Dat waren de mannen van wie de vrouwen zeiden dat ze er een langdurige relatie mee zouden willen. Het soort mannen dat trouwt.

De vrouwen werd ook gevraagd de mannelijkheid van de mannen te beoordelen. Opnieuw wisten ze opvallend nauwkeurig te vertellen welke mannen het hoogste testosterongehalte hadden. Een krachtige kaaklijn (een brede onderste helft van het gezicht) en gezichtsbeharing waren de twee grote verraders. Mannen met een hoog testosterongehalte waren in de ogen van de vrouwen het meest sexy en het aantrekkelijkst voor een korte, hevige affaire of onenightstand. Het was ook minder waarschijnlijk dat ze kindvriendelijk waren. Maar eerlijk gezegd klopte dat niet altijd. Sommige mannen die er mannelijk uitzagen, bleken vaderlijke neigingen te hebben, en dat werd door de vrouwen in het onderzoek ook goed gezien. Jawel, dames: er zijn mannen die heel mannelijk én kindvriendelijk zijn. Ze zijn misschien niet de norm, maar ze zijn er wel.

Evolutionair gezien is het begrijpelijk dat vrouwen zo goed kunnen zien welke mannen geschikt zijn als papa. Mama's hebben baat bij een partner die in hun kinderen investeert en meehelpt met de opvoeding. Zoals het gezegde luidt: iedere man kan een vader zijn, maar alleen een speciaal iemand kan een papa zijn.

Voel je je meer aangetrokken tot oudere gezichten als je oudere ouders hebt?

Als je ouders jou kregen toen ze ouder dan dertig waren, kijk je al je hele leven tegen gezichten aan die misschien een tikje geplooid, een beetje gerimpeld zijn. Je vader en moeder waren misschien iets ouder dan de ouders van je vrienden en vriendinnen, net als je ooms en tantes en familievrienden. Je bent vertrouwd met gezichten die ouder worden. En wat vertrouwd is, is misschien ook beter te verdragen (en zelfs aantrekkelijk).

Bij een onderzoek van de Universiteit van St. Andrews in Schotland kregen meer dan tachtig mannen en vrouwen van in de twintig compositietekeningen te zien van mannen- en vrouwengezichten. Sommige van die gezichten waren speciaal bewerkt zodat ze rimpels, lijnen, wallen, een grove huid en andere tekenen van veroudering vertoonden. De onderzoekers, de evolutionair psycholoog David Perrett en zijn collega's, vroegen de deelnemers te beoordelen hoe aantrekkelijk ze elk gezicht vonden voor een korte of langdurige relatie. Ze vroegen de deelnemers ook de leeftijd van hun ouders op te schrijven.

In het algemeen waren de vrouwen milder in hun beoordelingen, vooral als ze de ouder wordende gezichten bekeken in het licht van een langdurige relatie. Vanuit evolutionair oogpunt is dit begrijpelijk: als het om trouwen gaat, hechten vrouwen vaak meer belang aan kameraadschap en status dan aan pure sexappeal, dus geven ze vaak de voorkeur aan oudere mannen. De leeftijden van hun vader en moeder speelden echter een belangrijke rol bij hoe tolerant de vrouwen waren. Vrouwen met jongere ouders gaven de ouder wordende gezichten een lagere score dan vrouwen met oudere ouders, en ze zouden ook niet gauw een korte, hevige affaire met ze aangaan.

De beoordelingen van de mannen hingen ook af van de context. Voor korte relaties gaven ze een lage score aan gezichten die er ouder uitzagen. Dat is geen verrassing: mannen geven de voorkeur aan vrouwen die er jong uitzien en die nog lang vruchtbaar zijn, en over het algemeen trouwen ze met vrouwen die jonger zijn. Wat wel interessant is, is dat als de moeder van een man bij zijn geboorte ouder was dan dertig, hij minder zwaar tilde aan tekenen van ouderdom als het ging om een langdurige relatie. Alleen de leeftijd van zijn moeder, niet die van zijn vader, was van invloed op het wel of niet accepteren van vrouwengezichten die er ouder uitzagen. (Als je erachter wilt komen hoe een man kijkt naar een ouder wordend gezicht, kun je hem dus het best vragen hoe oud zijn moeder was toen hij werd geboren.) Verder onderzoek zal moeten aantonen of mannen met een oudere moeder ook vaker met een oudere vrouw trouwen. Het is aangetoond dat vrouwen met een oudere vader ook vaker met een oudere man trouwen.

Psychologen denken dat deze voorkeuren te maken hebben met seksuele inprenting, de voorkeur voor een partner die lijkt op je ouderfiguren, vooral die van de andere sekse. Je ouders zijn vertrouwd voor je, en misschien hecht je in een langdurige relatie meer waarde aan vertrouwdheid dan aan sexappeal. Mannen en vrouwen met oudere ouders zouden ouder wordende gezichten in verband kunnen brengen met eigenschappen die ze hebben leren waarderen: volwassenheid, betrouwbaarheid, eerlijkheid, deskundigheid enzovoort. Hun ouders zouden trots zijn dat ze dergelijke prioriteiten stellen.

Waarom houden blauwogige mannen meer van blauwogige vrouwen?

Bruno Laeng, psycholoog aan de Universiteit van Tromsø in Noorwegen, vroeg bijna vierhonderd mannen en vrouwen naar de kleur van de ogen van hun partner. Slechts één subgroep had een duidelijke voorkeur: mannen met blauwe ogen. Bijna zeventig procent van de blauwogige mannen had een blauwogige vriendin, terwijl het mannen en vrouwen met elke andere kleur ogen, inclusief blauwogige vrouwen, helemaal niets kon schelen wat voor kleur ogen hun geliefde had. Bij een tweede experiment veranderden Laeng en zijn collega's op foto's van vrouwen de kleur van hun ogen en lieten ze mannen twee versies zien: een met blauwe ogen en een met de natuurlijke oogkleur van de vrouwen. Opnieuw hadden alleen mannen met blauwe ogen een sterke voorkeur voor de blauwogige versie.

Volgens Laeng zijn blauwogige mannen niet voor niks kieskeurig. Het kan zijn dat ze de ziel van de vrouw zien als ze in haar ogen staren, maar ze kijken ook naar haar genen. Blauwe ogen zijn recessief, wat inhoudt dat ogen alleen blauw worden bij afwezigheid van dominante, bruinogige genvarianten, en daardoor komen ze minder vaak voor dan andere oogkleuren. Als een stel allebei blauwe ogen heeft, heeft hun kind ook blauwe ogen. Het is bijna onmogelijk dat twee ouders met blauwe ogen een kind met bruine ogen krijgen, maar als de vrouw de man bedriegt en zwanger raakt van een kerel met een andere oogkleur, is het veel minder waarschijnlijk dat het blauwe ogen heeft. Als je het zo bekijkt, zijn blauwe ogen een eenvoudige en voorspelbare vaderschapstest (of een manier om trouw te testen).

Nu is het niet zo dat iedere man met blauwe ogen die je ontmoet naar je ogen kijkt en bewust nadenkt over zijn eventuele toekomstige kinderen. Volgens de onderzoekers is het een onbewuste voorkeur, en het is niet duidelijk hoe de mannen het te weten komen of intuïtief aanvoelen, maar ze maken zich terecht druk over ontrouw. Ongeveer drie tot vier procent – in sommige onderzoeken wordt zelfs gesproken over tien procent – van alle baby's die in de VS en Europa worden geboren heeft een vader van wie wordt verondersteld dat hij de biologische vader is, maar dat niet is.

Deze strategie is natuurlijk niet helemaal waterdicht. Als een vrouw met blauwe ogen een verhouding heeft met een andere man met blauwe ogen, is haar blauwogige echtgenoot zijn voordeel kwijt. Bovendien worden Kaukasische baby's vaak geboren met een neutrale (vaak blauwgrijze) kleur ogen; na ongeveer een jaar worden de ogen donkerder. Misschien beschermt de natuur peuters op deze manier tegen wantrouwige vaders. Komt de blauwogige man echter achter de waarheid, dan zou het heel goed kunnen dat hij een rood waas voor ogen krijgt.

2
Volg je neus

O neus van mij met je krachtige rug en diepe holtes!
Is er niets wat je niet ruikt...?
Moet je alles proeven?
Moet je alles weten?
Moet je je overal mee bemoeien?
– William Carlos Williams, 'Geur'

Wat zijn feromonen en komen ze voor bij mensen?

Feromonen zijn chemische signalen die, als ze in de lucht terechtkomen, bepaalde gedragingen bij andere leden van dezelfde soort teweegbrengen. Territoriale feromonen in de plas van een hond zeggen: 'Deze plek is van mij!' Andere honden snuffelen eraan en maken dat ze wegkomen. Alarmferomonen in de afscheiding van bladluizen zeggen: 'We worden aangevallen!', en andere bladluizen gaan in de verdediging. Seksferomonen zeggen: 'Ik heb er zin in!', of: 'Zorg dat je er klaar voor bent!', en bij het minste vleugje bonken dieren er al op los. Feromonen zijn de afrodisiaca van de natuur en Moeder Natuur is er scheutig mee. Bijen gebruiken ze, vogels gebruiken ze. Net als vlooien, chimpansees en kangoeroes. Waarom wij dan niet?

De discussie die over menselijke feromonen aan de gang is gaat niet zozeer over de vraag of ze bestaan als wel over wat ze *doen*. Chemische signalen zijn volstrekt aanvaardbaar in het eenvoudige, blotebillenseksleven van apen en varkens, maar bij mensen ligt het anders. Seksualiteit bij mensen is subtiel (nou ja, soms), wat het oordeel ingewikkeld maakt. Maar er hangt verandering in de lucht.

We weten dat zoogdieren feromonen waarnemen met hun vomeronasaal orgaan (VNO), twee receptoren achter in het neustussenschot tussen de neus en de mond. Pas onlangs hebben wetenschappers echt bewijs gevonden dat volwassen mensen een VNO hebben. Sceptici wijzen erop dat we geen bewijs hebben dat ons VNO nog verbonden is met onze hersenen; de verbinding kan verloren zijn gegaan of verzwakt zijn toen onze soort zich ontwikkelde. Ook al is ons VNO niet meer wat het geweest is, het is gelukkig niet de enige weg waarlangs feromonen onze hersenen kunnen bereiken. Er is steeds meer bewijs dat mensen en andere dieren feromonen op dezelfde manier kunnen verwerken als andere geuren, namelijk via de reukcellen. Feromonen wekken mogelijk onze geslachtsdrift op via de geurzenuwen die de neus met de hypothalamus verbinden, het gebied in de hersenen dat ervoor zorgt dat er geslachtshormonen vrijkomen en dat erotische gevoelens en zintuiglijke gewaarwordingen voedt. Het is opmerkelijk dat mensen die hun reukzin zijn kwijtgeraakt, vaak ook zeggen dat ze hun libido kwijt zijn.

Feromonen kunnen in lichaamssappen zitten: in zweet, speeksel, sperma, vaginale vloeistoffen, moedermelk en bloed. Je ademt ze in zoals je een parfum inademt, of door zoenen. Als je je aanbidder niet lekker vindt ruiken, zul je zien dat je hem dumpt, hoe knap, verrukkelijk of succesvol hij ook is. De geur van mannenzweet kan je ook gelukkiger of opgewondener maken en ervoor zorgen dat je je beter kunt concentreren. Feromonen kunnen je zelfs helpen bij het kiezen van een partner en de kans vergroten dat je zwanger wordt. (Waarover later meer.) De effecten van feromonen zijn subtiel, maar het bewijs ervoor is echt en neemt alleen maar toe.

De psychobioloog Charles Wysocki vergelijkt feromonen met de actieve ingrediënten in traditionele geneeskrachtige theesoorten: ze zijn moeilijk tot een pure vorm te herleiden, ook al zweren mensen bij de effecten ervan. Onderzoekers denken dat een belangrijke bron van menselijke feromonen het MHC (*major histocompatibility complex*) van het immuunsysteem is. Of je je tot de lichaamsgeur van een man aangetrokken voelt of er juist door wordt afgestoten kan sterk afhangen van jullie respectieve immuunsystemen. Andere mogelijke feromonen zijn derivaten van testosteron, zoals androstadiënon en androstenon, die in zweet zitten. Vrouwelijke feromonen kunnen verband houden met de hormonen oestrogeen of progesteron en zitten in zweet en vaginale vloeistoffen.

Chemische signalen kunnen ons liefdesleven beïnvloeden, maar dat geldt ook voor een bijna oneindig aantal andere dingen die ons de ene of de andere kant op slepen. Het is maar goed dat het zo complex is. Dat is het enige wat ons seksleven onderscheidt van puur ademhalen en erop los neuken.

Waarom vind je sommige mannen lekkerder ruiken dan andere?

Geef het maar toe: ooit vond je de geur van je minnaar zo lekker dat je, als hij weg was, je neus in zijn vuile shirt duwde om de lucht op te snuiven (we hebben het hier alleen over de natuurlijke lichaamsgeur, niet over eau de toilette of andere geurtjes). Je hebt minstens één keer besloten het bed niet te verschonen zodat je je nog een nacht kon wentelen in zijn heerlijke geur. Als dat klopt, is dat een goed teken. De natuurlijke geur van een man heeft waarschijnlijk iets te maken met de reden waarom je bij hem wilt zijn.

Ruiken aan T-shirts is ook in een laboratorium gebeurd, met overeenkomstige resultaten. Vrouwen ruiken aan T-shirts die een paar dagen achter elkaar zijn gedragen door mannen die ze niet kennen. Vervolgens geven ze aan welke (betrekkelijk) lekker ruiken. De mannen mogen geen deodorant of eau de toilette op hebben, geparfumeerde zeep gebruiken, iets eten waar knoflook, komijn of kerrie in zit, roken, seks hebben of alcohol drinken. De geur van hun zweet is zo zuiver en onaangetast mogelijk.

Na een aantal onderzoeken met T-shirts met een geurtje verschijnt er een patroon. Vrouwen geven de voorkeur aan de geur van mannen wier MHC (*major histocompatibility complex*) het meest afwijkt van hun eigen

Houd de feromonenspray uit de buurt

'Wek met een feromonenconcentraat de primitieve, dierlijke geslachtsdrift van je geliefde op!' Dit soort overdreven kreten over feromonen worden alleen gestaafd door onderzoeken die in opdracht van het bedrijfsleven zijn uitgevoerd, niet door objectief wetenschappelijk onderzoek. De waarheid dient gezegd: er is geen concreet bewijs dat mannen of vrouwen op wat voor feromoon dan ook reageren op de manier waarop eenzame zielen hopen. Het probleem is dat feromonen niet zo eenvoudig zijn, mensen trouwens ook niet. Het valt niet te voorspellen hoe mensen op feromonen reageren. En niet alle feromonen zijn voor iedereen even aantrekkelijk; sommige zijn alleen sexy omdat ze duidelijk maken dat genen goed bij elkaar passen, wat van mens tot mens verschilt. Bovendien is er geen enkel bewijs dat de commerciële sprays natuurlijke, menselijke producten bevatten. Sommige bevatten dierlijke urine. Als je de 'primitieve, dierlijke geslachtsdrift' van je spetter wil proberen op te wekken, kun je de paardenpies misschien beter laten staan en in plaats daarvan een goede fles wijn kopen.

MHC. Het MHC is een groep immuunsysteem-genen die verantwoordelijk is voor het waarnemen en herkennen van bacteriën en virussen die het lichaam binnendringen. Je erft ze van beide ouders. De diversiteit van MHC-varianten bij de menselijke bevolking is er de oorzaak van dat mensen in verschillende mate immuun zijn voor diverse bacillen, van een gewone verkoudheid tot plagen, van gewone griepjes tot de dodelijke variant. Terwijl iemand die een orgaantransplantatie moet ondergaan een donor nodig heeft met zo veel mogelijk dezelfde MHC-varianten, voelen vrouwen zich aangetrokken tot mannen met slechts een paar dezelfde. Vrouwen zijn trouwens niet de enigen die liever een partner hebben met zo veel mogelijk andere MHC's: ook muizen, vogels, vissen en veel andere dieren geven daar de voorkeur aan.

Net als bij de meeste andere aspecten van aantrekkingkracht heeft je voorkeur te maken met voortplanting en het overleven van onze soort.

Als je kinderen hebt van een man wiens MHC-varianten grotendeels anders zijn dan die van jou, kunnen je kinderen een gevarieerder MHC en een sterker immuunsysteem erven die een groter aantal bacteriën en virussen kunnen herkennen en vernietigen. Als je partner MHC-genen heeft die erg op die van jou lijken, zijn je kinderen mogelijk niet zo gezond.

Je vraagt je misschien af hoe je MHC kunt ruiken in het zweet (of speeksel) van een man. Onderzoekers denken dat MHC-genen de genetische code bepalen van specifieke eiwitten die in de bloedstroom circuleren. Deze eiwitten verbinden zich met geurstoffen in een concentratie die afhankelijk is van iemands unieke MHC. De geurstoffen worden op hun beurt afgescheiden door zweetklieren onder de oksels en rond de geslachtsorganen. Als je met je lief knuffelt, snuif je die geurstoffen mogelijk direct op, samen met andere geurtjes in zijn zweet. De vele microben in zweetklieren breken ook de aan MHC verwante eiwitten af en de lichaamsgeur die zo ontstaat, is in elk geval gedeeltelijk een bacterieel bijverschijnsel. De onwelriekende, muskusachtige geur van mannenzweet wordt niet veroorzaakt door MHC maar door androstenon, een derivaat van testosteron en ook een mogelijk feromoon. (Zie pagina 47.)

Maak je geen zorgen als mannen net zo hun neus ophalen voor jouw MHC als jij voor dat van hen. Vrouwen zijn veel gevoeliger voor aan MHC verwante geuren dan mannen. Ongeveer zestig procent van de vrouwen kan haar eigen geur herkennen, tegenover minder dan zes procent van de mannen. Een onaantrekkelijke geur kan voor veel vrouwen een reden zijn om een man op afstand te houden, terwijl veel mannen zich er niet eens van bewust zijn.

Evolutionair gezien is het begrijpelijk dat vrouwen beter zijn dan mannen in het waarnemen van de MHC-geuren van een potentiële partner. Vrouwen steken van oudsher meer tijd en energie in het ouderschap en lopen ook meer risico's bij een zwangerschap, dus we zijn kieskeuriger (en gevoeliger) dan mannen. Omdat we zo veel in onze kinderen investeren, hebben we ons zo ontwikkeld dat we op basis van de meest subtiele aanwijzingen kunnen beoordelen of een man gezond is en of hij wat genen betreft goed bij ons past. Een lichaamsgeur die op een genetisch verkeerde combinatie wijst, kan als een alarmsignaal werken: je lichaam vertelt je dat hij biologisch gezien niet de goede man voor je is. (Het maakt niet uit of je ook werkelijk kinderen wilt of niet, zo zitten we nu eenmaal in elkaar.)

Snuffel dus maar raak! Duw je neus in de haren, hals, borst, oksels en navel van je geliefde, en laat de chemicaliën naar je hersenen stromen. En gebruik dan je gezond verstand.

Stop met de pil als je op zoek bent naar een echtgenoot

Er gebeurt iets vreemds als vrouwen die hormonale anticonceptie (de pil of de prikpil) gebruiken, de geuren van T-shirts van mannen moeten beoordelen. In tegenstelling tot vrouwen die niet aan de pil zijn, geven ze vaak de voorkeur aan mannen van wie het MHC *gelijk* is aan dat van henzelf. En wat al even verontrustend is, is dat de pil de 'sexy signalen' – subtiele veranderingen in je uiterlijk en gedrag – die mannen aantrekken, vermindert. Dat komt doordat hormonen zoals oestrogeen en testosteron, die tijdens de ovulatie normaal gesproken overuren maken, lam worden gelegd als je hormonale anticonceptie gebruikt. (Zie pagina 113.) Onderzoekers weten niet zeker hoe het komt dat vrouwen die de pil slikken een voorkeur krijgen voor mannen met gelijke MHC-genen, maar het is duidelijk dat het iets te maken heeft met het feit dat er geen hormonale veranderingen plaatsvinden. Vrouwen die de pil slikken ovuleren niet.

Hoe handig orale anticonceptiemiddelen ook zijn, ze kunnen je biologische instinct ernstig in gevaar brengen. Stel je eens voor dat je met een man trouwt, met de pil stopt en dan ineens vindt dat hij je niet meer opwindt. Als je iemand ontmoet als je aan de pil bent, is het misschien beter daar meteen mee te stoppen, zodat je zeker weet of je je nog steeds tot hem aangetrokken voelt voordat je je aan hem bindt.

Waarom is de kans groot dat je een man bedriegt als je niet van zijn geur houdt?

Er bestaat geen 'ontrouw-gen' dat je in de gespierde armen van een minnaar drijft. Het is verbazingwekkend genoeg wel bewezen dat we, als we de genen van een stel vergelijken om te bepalen in hoeverre ze gelijk zijn, kunnen *voorspellen* of de vrouw haar partner ontrouw zal zijn. De genen zijn het MHC (*major histocompatibility complex*), dat te maken heeft met de immuunfunctie en van invloed is op de productie van lichaamsgeuren. Zoals we nu weten, geven vrouwen de voorkeur aan de geuren van mannen wier MHC-varianten grotendeels afwijken van die van henzelf. Dat betekent dat als je de natuurlijke lichaamsgeur van je partner niet lekker vindt, jullie genetisch gezien mogelijk te veel op elkaar lijken. Op die manier vertelt je lichaam je dat je een man moet zoeken die genetisch gezien zo veel mogelijk *verschillend* is.

De evolutionair psycholoog Steven Gangestad, de promotieonderzoeker Christine Garver-Apgar en hun collega's van de Universiteit van New Mexico wilden het verband tussen MHC en ontrouw onderzoeken en stelden daarom vijftig stellen die al lang bij elkaar waren een aantal vragen over hun relatie. Hoe sterk voelden ze zich tot hun partner aangetrokken? Hoe bevredigend was hun seksleven? Hoeveel fantaseerden ze over andere minnaars? Hadden ze wel eens een verhouding met iemand anders gehad? Wanneer en hoe vaak?

Er verscheen een schokkend patroon. Het gemiddelde stel heeft twintig procent van hun MHC-varianten gemeen, maar bij sommige stellen is dat meer. Hoe meer MHC-varianten van een vrouw overeenkwamen met die van haar man:

* hoe minder ze zich seksueel tot hem aangetrokken voelde
* hoe meer ze zijn seksuele avances afhield
* hoe meer ze over andere mannen fantaseerde
* hoe minder opgewonden ze zich voelde als ze seks met hem had.

Noem het slechte chemie.

We hoeven er niet van staan te kijken dat sommige vrouwen troost vonden in de armen van andere mannen. En als ze dan seks hadden met hun partner met hetzelfde MHC, zeiden ze minder vaak een orgasme te hebben dan met hun minnaar. Als een vrouw een verhouding heeft en orgasmen heeft bij haar minnaar in plaats van bij haar partner, is de kans dat ze van haar minnaar in verwachting raakt het grootst. (Op pagina 188 kun je lezen waarom.)

Het is bekend dat er bepaalde medische risico's zijn als je een baby krijgt van een man wiens MHC-genen te veel op die van jou lijken. Als je zwanger bent van een homozygote baby (een nakomeling die van beide ouders dezelfde genvarianten erft), is de kans op een miskraam groter. En ook al verloopt de zwangerschap verder goed, je baby zal doorgaans zwak zijn en/of ondergewicht hebben. Heterozygote baby's (nakomelingen die van beide ouders verschillende genvarianten erven) hebben een sterker immuunsysteem dat weerstand kan bieden tegen een groter aantal verschillende parasieten en hepatitisvirussen. Bovendien ziet je heterozygote kindje er beter uit en heeft het een betere huid, zoals blijkt uit onderzoeken waarbij de fysieke aantrekkingskracht van mensen met diverse MHC-varianten werd vergeleken met die van mensen met dezelfde MHC-varianten.

Is de kans dat je vreemd zult gaan dus groter als je je neus volgt? Vanuit een zuiver evolutionair oogpunt: ja. Onze oermoeders hadden misschien het liefst de genen van een lekkere kerel van buiten hun groep voor hun kinderen (verschillend MHC), maar waren zich ook bewust van de veiligheid en zekerheid van verwanten (hetzelfde MHC). Dat heen-en-weergeslinger zien we terug in onderzoeken die erop wijzen dat vrouwen zich, als het puur om seks gaat, voelen aangetrokken tot de lichaamsgeur van een lekkere buitenstaander, maar dat ze voor een langdurige relatie de voorkeur geven aan de gelaatstrekken van een man die genetisch gezien wat dichter bij hen in de buurt komt. Misschien was het voor de oervrouw een goede strategie om zo af en toe een affaire te hebben met een buitenstaander, of in elk geval een man binnen haar gemeenschap te zoeken die wat MHC betreft zo veel mogelijk van haar verschilde. Dat laatste doen de Hutteriten, een sociaal geïsoleerde religieuze gemeenschap in het Midwesten van de VS. Toen de genetica Carole Ober DNA-monsters nam van Hutteritenstellen, ontdekte ze dat vrouwen binnen de grenzen van hun gesloten gemeenschap onbewust een partner zoeken met MHC-genen die zo veel mogelijk afwijken van die van henzelf.

Veel mannen die je ontmoet, vooral als je in een gebied woont met voldoende diversiteit, kun je waarschijnlijk zonder problemen kiezen: ze zijn allemaal niet te veel hetzelfde en niet te afwijkend. Maar wat doe je als je verliefd bent geworden op een vent met een lichaamsgeur waar je niet tegen kunt? Dat moet je helemaal zelf weten. Je kunt je neus volgen of je kunt je hart volgen. Sommige vrouwen hebben duidelijk beide gedaan.

Test de compatibiliteit van jullie MHC

Er is in elk geval al één datingbureau dat alleenstaanden zo goed mogelijk probeert te koppelen door hun MHC-compatibiliteit te testen. Zegt dat iets over de toekomst? Stel je eens voor dat je bij de drogist een MHC-compatibiliteitstest kon halen, zoals je ook een zwangerschapstest kunt kopen. Dat zou een heel nieuw tijdperk inluiden van 'genetische horoscopen' die vertellen met wie je het best kunt trouwen. Maar alle gekheid op een stokje: als huwelijksadviseurs en sekstherapeuten de MHC-compatibiliteit van hun cliënten zouden testen, zouden ze wel eens een nieuwe kijk op relaties kunnen ontwikkelen. Of we er nu blij mee moeten zijn of niet, de MHC-compatibiliteit wordt over het algemeen niet getest, hoewel het mogelijk is om in een laboratorium te vergelijken hoeveel MHC-varianten jij en je geliefde gemeen hebben. Daarvoor hoeven alleen maar wat cellen van de binnenkant van je mond geschraapt te worden. Als dat te veel moeite is, zou je kunnen proberen je partner over te halen zich een paar dagen niet te douchen en geen gekruid voedsel te eten. Als hij een doordringende geur begint te verspreiden, doe je je eigen test met het gedragen T-shirt.

❖

Hoe komt het dat je vrolijk wordt van de geur van mannenzweet?

Wat hebben een herenkleedkamer en jouw seksleven gemeen? Het antwoord is: de geur van androstenol, een derivaat van testosteron dat bij mannen in de zaadballen wordt aangemaakt en voorkomt in hun zweet, huid, sperma en bloed. (Het zit ook in truffels en daarom gaan wilde zwijnen daarnaar op zoek.) Veel mensen vinden androstenol, androstadiënon en de verwante steroïde androstenon sterk naar muskus ruiken. Anderen vinden dat ze amper ruiken, en een veel kleiner percentage vindt dat ze naar zoete vanille ruiken. Hoe je ze ervaart, hangt af van welke variant geurreceptor-gen je hebt. (Verwar deze chemicaliën niet met de chemicaliën die verband houden met de MHC-genen van het immuunsysteem.)

Het verrassende van androstadiënon is dat het de lichaamschemie van vrouwen blijkt te veranderen. Bij een onderzoek van de Universiteit van Californië in Berkeley lieten de neurowetenschapper Claire Wyart en haar collega's bijna vijftig vrouwen twintig snufjes synthetisch androstadiënon nemen terwijl ze naar filmclips zaten te kijken. Tijdens een andere sessie op een andere dag lieten ze dezelfde vrouwen naar een film kijken en twintig snufjes gist nemen. De uitkomst van de twee sessies was duidelijk verschillend. Na het snuiven van de gist gebeurde er niets bijzonders. Na het snuiven van het androstadiënon zeiden de vrouwen echter dat ze zich seksueel meer opgewonden voelden en meer positieve gevoelens ervaarden. Opvallend genoeg vertoonden de hormoontests van de vrouwen ook een hoger cortisolgehalte, wat te maken heeft met opwinding, een beter geheugen en meer aandacht. Binnen een kwartier na het eerste snufje androstadiënon was het cortisolgehalte bij de vrouwen aanzienlijk hoger dan daarvoor of na het ruiken van gist; verder ging hun bloeddruk omhoog en versnelden hun hartslag en ademhaling. Het effect van het hormoon was tot een uur na het experiment bij de vrouwen merkbaar.

Er zijn steeds meer aanwijzingen dat de invloed van androstadiënon op ons lichaam subtiel, maar aanzienlijk is. Bij een onderzoek van de Universiteit van Pennsylvania ontdekte men dat vrouwen zich meer ontspannen voelen na het inademen van extracten van mannelijk okselzweet. Onderzoekers van de Universiteit van Chicago kwamen tot de conclusie dat een piepklein snufje aan het hormoon al voldoende is om het verlangen en humeur bij vrouwen enorm op te krikken. Een PET-scan liet een verhoogde activiteit zien in hersengebieden die verband houden met zicht, emoties en aandacht bij het uitvoeren van een visuele taak. Uit een onderzoek dat in Berkeley werd uitgevoerd bleek dat de stemming van vrouwen verbeterde als ze tijdens het kijken naar filmclips androstadiënon opsnoven. Ze raakten meer opgewonden toen ze naar een erotische film keken, en bleven betrekkelijk vrolijk na het zien van een droevige film, terwijl de stemming bij mannen somberder werd. (Mannelijk zweet heeft geen positieve uitwerking op heteroseksuele mannen.) De stof had ook tot gevolg dat de vrouwen zich negatieve gebeurtenissen in de droevige film niet goed meer konden herinneren.

Het interessantst van alles is dat vrouwen de geur van androstenon (een verwante stof) het lekkerst vinden tijdens de vruchtbare fase van hun menstruatiecyclus. Het hormoon heeft mogelijk vooral een subtiele invloed op vrouwen die ovuleren: het beurt ons op en maakt zo de weg vrij voor seks en zwangerschap. Vlak voor je ovulatie kan de aanblik van een lekkere kerel met een hoog androstenongehalte (testosteron) de eisprong zelfs eerder doen plaatsvinden. Uit een onderzoek bleek dat vrouwen die werden blootgesteld aan mannelijk zweet, merkten dat hun lichaam meer van het luteïniserend hormoon (LH) produceerde. Hoe meer LH je lichaam afscheidt, hoe eerder je ovuleert. Je minnaar vergroot misschien onbewust zijn kansen om je zwanger te maken door je eierstokken zover te krijgen dat ze een eicel produceren.

In elk geval is de kans groot dat hij een knappe papa is. Volgens een onderzoek van de Universiteit van New Mexico vinden vrouwen het zweet van een symmetrische man lekkerder ruiken dan dat van een ongeproportioneerde kerel. Androstadiënon en zijn neefjes zijn derivaten van testosteron, dus biologisch gezien is het logisch dat de zweetluchtjes die vrouwen lekkerder vinden, afkomstig zijn van lekkere, stoere kerels.

Je vraagt je misschien af hoe duidelijk deze effecten in het echte leven nu eigenlijk zijn. Het antwoord is dat je er waarschijnlijk niets van merkt. Het androstadiënon in mannelijk zweet kan je zintuigen dan misschien wel stimuleren en je genoeg opvrolijken om zin te krijgen in seks, het is niet de potentiestoot die de steroïde bij andere dieren teweegbrengt. Als een zeug de androstenongeur van een mannetjesvarken in haar neus krijgt, leeft ze direct op en gaat ze wiegelend met de pootjes uit elkaar staan, haar achterste omhoog, klaar om te paren. Bij mensen lijken deze stoffen niet zozeer een gemoedstoestand te *creëren* als wel *intenser* te maken. Bij het kijken naar een film worden vrolijke reacties eenvoudigweg vrolijker, sexy gedachten worden sexyer. Of als je vlak bij een man bent, maar niet bij een vrouw (als je hetero bent), kan je stemming veranderen en word je gevoeliger voor wat er om je heen gebeurt of voel je een siddering van wellust. Androstadiënon kan voor je seksleven doen wat cafeïne voor je geestelijke activiteiten doet: je stemming intenser maken en je zintuigen verscherpen. Maar alleen in de juiste context.

Onderzoekers weten dat de gevoeligheid voor androstadiënon bij iedereen genetisch bepaald is: sommigen van ons zijn hypergevoelig voor concentraties ervan in zweet, en anderen lijken het niet eens op te merken. In het dagelijkse leven kunnen de effecten nog ingewikkelder worden door andere signalen, zoals de compatibiliteit van het MHC van een man, zijn eetgewoontes en lichaamshygiëne.

Een vriendin van me vertrouwde me toe dat als ze naar de sportschool gaat, ze altijd op zoek gaat naar een knappe, zweterige man en dan naast hem aan de slag gaat. Ze zegt dat ze de doordringende geur stiekem lekker vindt. Toen ik haar vroeg wat dat dan voor uitwerking op haar heeft, haalde ze haar schouders op. 'Ik noem het gewoon het hoogtepunt van mijn training.'

Sluit je aan bij een subcultuur

Als je nieuwsgierig bent naar experimenten met feromonen, zoek dan via Google naar bloggers die zich uit liefhebberij bezighouden met synthetisch androstadiënon en andere derivaten van testosteron. Je zult een enthousiaste subcultuur ontdekken die vooral bestaat uit sullige gozers die zelf allerlei experimentjes uitvoeren, waarbij ze op methodische wijze mixen en matchen om het juiste feromonengeurtje te vinden dat vrouwen opwindt of ze vriendelijker maakt. (Veel feromoonachtige chemische stoffen zijn online verkrijgbaar.) Het is allemaal erg interessant en grappig, ook al is het nu niet bepaald wetenschappelijk. Je komt succesverhalen tegen van kerels die zweren dat mooie vrouwen langer naar hen staren en aardiger tegen hen doen. En dan zijn er de teleurstellingen, zoals het verhaal van een man die verbitterd klaagde dat vrouwen in de metro wel een gesprek aanknoopten met andere mannen maar niet met hem, terwijl hij nou net de verspreider was van het feromoon waardoor vrouwen zo aardig werden. Maar wie weet?

❖

Heeft de lichaamsgeur van vrouwen enig effect op mannen?

Misschien. We weten dat lichaamsgeuren kunnen wijzen op goede genen en genetische compatibiliteit, en dat vrouwen er veel gevoeliger voor zijn dan mannen. Maar hier kijk je misschien van op: niet alle mannen zijn gevoelloos.

Bij een experiment van de Universiteit van Texas in Austin gaven de evolutionair psychologen Devendra Singh en Matthew Bronstad negentien vrouwelijke vrijwilligers elk twee T-shirts. Het ene T-shirt droegen ze drie achtereenvolgende nachten tijdens hun ovulatie, de fase tijdens de cyclus waarin de kans op zwangerschap het grootst is; het andere droegen ze drie nachten achter elkaar tijdens een fase waarin ze niet vruchtbaar waren. Vervolgens vroegen de onderzoekers tweeënvijftig mannen aan elk paar T-shirts te ruiken en aan te geven welk van de twee ze het lekkerst vonden ruiken.

Zonder te weten waarom vond de meerderheid van de mannen de T-shirts die de vrouwen tijdens hun vruchtbare periode hadden gedragen aanzienlijk prettiger ruiken dan de T-shirts die ze tijdens de onvruchtbare periode van de menstruatiecyclus hadden gedragen. Zelfs nadat de T-shirts een week lang in een ruimte op kamertemperatuur hadden gelegen, vonden de mannen de lichaamsgeuren van de vruchtbare periode het lekkerst ruiken. De mannen waren zich er natuurlijk niet van *bewust* dat de geuren die ze het lekkerst vonden ruiken te maken hadden met de vruchtbaarheid van vrouwen. (De resultaten zijn echter alleen van betekenis als onderzoekers de geur van een en dezelfde vrouw op verschillende momenten in haar cyclus met elkaar vergelijken, en niet de geur van een groep vrouwen die in hun vruchtbare periode zijn met die van een andere groep die dat niet is. Soortgelijke onderzoeken in Tsjechië en Finland hadden hetzelfde resultaat.)

Zweet is niet de enige lichaamsgeur die kan verklappen of je in je vruchtbare periode zit of niet. Vaginale afscheidingen bevatten copulinen, vetzuren die samenhangen met het oestrogeengehalte in je lichaam. Ze fluctueren met je cyclus; je lichaam produceert de meeste copulinen tijdens je vruchtbare periode (behalve als je de pil slikt). Uit diverse onderzoeken is gebleken dat copulinen het prettigst ruiken in de paar dagen voor de ovulatie, waarmee ze aangeven dat je in die periode 'daar beneden' lekkerder ruikt. Voordat onze voorouders op twee benen gingen lopen, waren geslachtsgeuren ongetwijfeld belangrijker dan nu. (Mijn favoriete theorie op de vraag waarom sommige mannen zo opgewonden raken door orale seks is dat ze rechtstreeks feromonen binnenkrijgen. Hetzelfde zou het geval kunnen zijn voor vrouwen die uit hun dak gaan van pijpen.) Als je de pil slikt, verdwijnen al deze verschillende cyclusgeuren echter, en het kan ook zijn dat je 'daar beneden' dan anders smaakt.

Vanuit evolutionair oogpunt bezorgt elke aanwijzing dat een vrouw zich in haar vruchtbare periode bevindt een man voortplantingsdrang. Mogelijk hebben mannen zich zo ontwikkeld dat ze zich meer tot de 'vruchtbare geurtjes' van vrouwen aangetrokken voelen zodat ze op dat moment van de maand meer seks hebben, en dat ze weten wanneer ze haar moeten beschermen tegen andere mannen die haar ook zwanger zouden kunnen maken. Niet dat elke man deze geurveranderingen kan waarnemen. Gevoeligheid voor subtiele veranderingen in lichaamsgeur is misschien wel een voordeel voor een man die een langdurige relatie heeft, omdat alleen hij vertrouwd is met die geuren van zijn partner die gedurende haar cyclus veranderen. Het is misschien geen toeval dat mannen zich, onbewust, doorgaans toegewijder en bezitteriger gedragen als hun partner ovuleert.

De 'vruchtbaarheidsgeuren' die mannen ruiken, zijn waarschijnlijk hormonaal, maar we weten niet waar ze precies vandaan komen. Onderzoekers denken dat ze waarschijnlijk verband houden met oestrogeen, omdat bij andere zoogdieren de urine van bronstige dieren enorm opwindend is. Mannen blijken niet goed te zijn in het waarnemen van vrouwelijk zweet en vaginale geurtjes, die vaak worden overheerst door andere geuren, zoals eten, parfum en vervuiling. Als je erover nadenkt, is dat maar goed ook. Stel je eens voor hoe het zou zijn als elke kerel door enkel even te snuffen zou weten hoe je vlag erbij hing.

Of de stoffen die voor deze lichaamsgeuren verantwoordelijk zijn feromonen genoemd kunnen worden, hangt af van de vraag of ze ook werkelijk van invloed zijn op het gedrag van mannen, en dat is nog niet bewezen. Sommige mannen zijn beter dan andere in het waarnemen van en reageren op lichaamsgeuren, en mogelijk komen degenen met een goede neus meer aan hun trekken op het moment dat vrouwen het vruchtbaarst zijn. Nu weten we alleen dat als het om seks gaat, de gevoeligheid van de man telt.

❖

Kun je op basis van iemands geur iets zeggen over zijn of haar seksuele voorkeur?

Je kunt dan misschien niet aan iemands bezwete T-shirt ruiken en dan zeggen of de drager ervan homo of hetero is, de kans is wel groot dat je waarneming wordt gekleurd door je eigen seksuele voorkeur.

Neem het onderzoek dat door Yolanda Martins en Charles Wysocki werd uitgevoerd aan het Monell Intituut voor Chemische Zintuigen in Pennsylvania. Meer dan tachtig hetero's en homo's moesten goed ruiken aan kussentjes vol zweet die onder de oksels van hetero's en homo's hadden gezeten. Een pure okselgeur bevat mogelijke feromonen: androstadiënon (in mannenzweet), geuren die verband houden met oestrogeen (in vrouwenzweet) en geuren die verband houden met MHC.

De onderzoekers vroegen de deelnemers de geuren te beoordelen en vertelden daarbij niet waar ze vandaan kwamen.

Hetero's en homo's bleken heel verschillend op de geuren te reageren. De zweetgeur van homomannen riep de duidelijkste reacties op: je vindt hem heerlijk óf verschrikkelijk. Niet bepaald schokkend was dat homomannen de lichaamsgeur van andere homomannen aantrekkelijk vonden. Wat wél opviel, was dat *alleen* homomannen die geur lekker vonden. Verder vond iedereen de lichaamsgeur van homo's het minst aangenaam. De onderzoekers denken dat dat komt doordat dezelfde MHC-genen die van invloed zijn op lichaamsgeur mogelijk ook van invloed zijn op de productie van en gevoeligheid voor testosteron, wat mogelijk weer verband houdt met iemands seksuele voorkeur. Mogelijk hebben homomannen een of meer unieke geurcomponenten in hun zweet die niet bij vrouwen of andere mannen voorkomen.

De reacties op de andere geuren waren ook specifiek voor de verschillende groepen met een bepaalde seksuele voorkeur. Homomannen hielden niet van de lichaamsgeur van heteromannen en lesbiennes (maar verrassend genoeg hadden ze geen moeite met die van heterovrouwen). Heteromannen hielden niet van de geur van andere heteromannen. Heterovrouwen en heteromannen gaven de voorkeur aan de lichaamsgeur van andere heteroseksuelen, zowel mannelijk als vrouwelijk, en datzelfde gold voor lesbiennes. De onderzoekers menen dat lesbiennes 'seksflexibeler' zijn dan homoseksuele mannen en dat genetische invloeden bij homomannen aanmerkelijk sterker aanwezig zijn dan bij lesbiennes.

Volgens een onderzoeksgroep aan het Karolinska Instituut in Zweden laten hetero's en homo's ook een verschillende hersenactiviteit zien bij het ruiken van feromoonachtige stoffen. De neurowetenschapper Ivanka Savic en haar collega's lieten bijna veertig homoseksuelen en heteroseksuelen, zowel mannen als vrouwen, ruiken aan hoge concentraties synthetisch androstadiënon (een derivaat van testosteron) en estratetraenol (een derivaat van oestrogeen dat in de laatste drie maanden van de zwangerschap in de urine aanwezig is). Ter vergelijking lieten ze de deelnemers ook geurloze lucht, lavendel en cederolie opsnuiven. Telkens als een deelnemer ergens aan had geroken, werd zijn of haar hersenactiviteit zichtbaar gemaakt met behulp van een PET-scan.

Bij iedereen zagen de hersenen er hetzelfde uit als er lavendel of cederolie werd geroken. Wel lichtten de gebieden van de hersenen waar geur wordt verwerkt meer op dan bij het opsnuiven van de geurloze lucht. Toen de snuivers werden blootgesteld aan de mogelijke feromonen, gebeurde er echter iets opmerkelijks. Afhankelijk van de seksuele voorkeur van de persoon en de stof lichtte de hypothalamus eveneens op (hoewel de deelnemers zich in de klinische omgeving van het laboratorium niet per se seksueel opgewonden voelden). De hypothalamus wordt ook wel de 'meesterklier' genoemd, omdat hij bij zo veel functies betrokken is, zoals het afgeven van geslachtshormonen en het veroorzaken van erotische gevoelens en fantasieën. De hypothalamus kan ook een rol spelen bij de keuze van je sekspartner.

Nou, het was wel duidelijk: bij het opsnuiven van het mannelijke feromoon androstadiënon werd de hypothalamus bij heterovrouwen en homomannen helemaal hoteldebotel, en bij heteromannen werd hij wild bij het ruiken van de vrouwelijke oestrogeenachtige stof. Lesbiennes lieten dezelfde resultaten zien als heteromannen: een deel van hun hypothalamus werd geactiveerd bij het ruiken van de aan oestrogeen verwante chemische stof, maar de resultaten waren minder duidelijk en minder constant. De onderzoekers weten niet of deze voorkeuren toe te schrijven zijn aan fysieke verschillen in de hersenen van hetero's en homo's, of dat de geuren simpelweg anders verwerkt worden door ervaringen in het verleden.

Wat uit deze onderzoeken is gebleken, is dat we onbewust al ruikend op zoek gaan naar een potentiële partner. Dat is boeiend, maar we blijven met vragen zitten. Om wat voor biologische redenen hebben homoseksuelen en heteroseksuelen een verschillende lichaamsgeur, en wat bepaalt onze reactie daarop? Zet lichaamsgeur een soort radar in werking waarmee we kunnen vaststellen wie er homo is en wie niet? Zoals het gezegde luidt: het instinct is de neus van de geest.

Volg je neus

Ga serieus na wat je lichaam je probeert te vertellen als je de natuurlijke lichaamsgeur van een man niet lekker vindt. Vivian, een leuke en meelevende vrouw, trouwde met John, een man wiens lichaamsgeur ze nooit lekker had gevonden. Ze walgde er niet van, maar knapte er wel een beetje op af. Hij was 'een beetje vreemd', zo beschreef ze hem. Het seksleven van Viv en John was formeel en ongeïnspireerd. Ze hadden slechts een paar keer per jaar seks, maar daar gaf ze zichzelf de schuld van, omdat hij het in het begin wel had geprobeerd, maar zij dan geen zin had gehad. Ze wilde nooit haar neus tegen zijn borst duwen of aan zijn vuile T-shirts ruiken, zoals ze bij eerdere vriendjes wel had gedaan. Het had niets met hygiëne te maken, hij ging vaak in bad. Na acht jaar huwelijk vertelde John aan Vivian dat hij homoseksueel was en stiekem seks had gehad met andere mannen. Toen ik haar vertelde over feromoononderzoeken waar ook homomannen aan meededen, werd haar plotseling veel duidelijk. Misschien was het geurprobleem iets anders, lag het aan zijn eetgewoonten, of misschien leken de MHC's van Vivian en John te veel op elkaar. Viv is nu wel iemand die andere vrouwen waarschuwt niet te hard van stapel te lopen als ze een relatie hebben met iemand wiens geur ze niet lekker vinden.

❖

Hoe komt het dat je geslachtsdrift toeneemt als je in de buurt bent van een vrouw die borstvoeding geeft?

Sommige feromonen zorgen ervoor dat we eerder voor de ene partner zullen kiezen dan voor de andere. Andere feromonen helpen ons op raadselachtige wijze de volgende stap te zetten: het maken van een baby. De potentiële feromonen in moedermelk lijken tot de tweede categorie te horen. Dit idee is trouwens niet nieuw: in sommige culturen bestaat de aloude traditie dat pasgetrouwde vrouwen enige tijd doorbrengen bij vrouwen die pas moeder geworden zijn om zo hun eigen kansen op zwangerschap te vergroten. De oude magie krijgt nu echter een nieuwe draai: wetenschappelijke onderbouwing dat zogende moeders *werkelijk* iets hebben dat van invloed is op de geslachtsdrift van andere vrouwen.

Het onderzoek werd uitgevoerd aan het Instituut voor Geest en Biologie van de Universiteit van Chicago, waar een onderzoeksteam negentig kinderloze vrouwen de opdracht gaf drie maanden lang, elke ochtend en avond, geurkussentjes onder hun neus te wrijven en tevens hun seksuele activiteiten en erotische fantasieën vast te leggen. De ene helft van de deelnemers kreeg kussentjes die in de voedingsbeha en onder de oksels van een zogende moeder hadden gezeten. De andere helft kreeg kussentjes die waren doordrongen van een even sterk geurend placebo. In de tweede maand van het onderzoek was het verschil tussen de twee groepen opvallend. Van de vrouwen die regelmatig aan de moedermelkgeur werden blootgesteld, ervaarden degenen met een vaste sekspartner een toename van vierentwintig procent in hun seksuele verlangens. Dat werd vastgesteld aan de hand van een psychologische standaardtest. Vrouwen zonder een partner merkten een toename van zeventien procent in hun seksuele fantasieën. Het sexy effect bleef de hele tweede helft van de menstruatiecyclus van de vrouwen doorwerken, een periode waarin het libido gewoonlijk afneemt.

Volgens de schrijvers van de studie – de biopsychologen Martha McClintock, Suma Jacob, Natasha Spencer en hun collega's – geven vrouwen die borstvoeding geven chemische signalen af. (McClintock zou de eerste wetenschapper zijn die opperde dat mensen ook over feromonen beschikken.) Deze signalen zeggen: 'Word ook zwanger!', en ons lichaam lijkt daar gehoor aan te geven.

Waarom dit gebeurt, weten we niet, maar het zou wel eens te maken kunnen hebben met het evolutionaire voordeel van 'gesynchroniseerde zwangerschap'. Er bestaat een theorie dat een bevalling in vroeger tijden een risicovolle gebeurtenis was en er niet altijd evenveel voedsel beschikbaar was. Een goede timing was de sleutel tot overleven. Stel je eens een groep vrouwen uit de steentijd voor die een moeder verzorgen die een kind de borst geeft, en de hele tijd pikken ze de chemische signalen op die zij afgeeft. Die signalen wijzen er op een subtiele manier op dat er eten in overvloed is en dat het een goede tijd is om je voort te planten. De andere vrouwen werden dan min of meer tegelijk zwanger en bevielen zo ongeveer in dezelfde periode, waardoor ze elkaar konden steunen. Als een moeder onverhoopt overleed, dan waren er genoeg andere vrouwen die de baby konden voeden. Baby's die werden geboren in een groep van zogende moeders en andere kinderen die elkaar steunden, hadden in een risicovolle omgeving een grotere kans om te overleven. Hoewel deze theorie met betrekking tot mensen omstreden is, is synchroon bevallen bij andere dieren een basisvoorwaarde om te kunnen overleven.

Wat dat magische ingrediënt in moedermelk nu precies is, blijft een raadsel, maar mogelijk houdt het verband met het hoge progesterongehalte bij vrouwen die borstvoeding geven. Progesteron zelf heeft mogelijk te maken met intimiteit en het vormen van een hechte band. Hoewel het niet direct verband houdt met geslachtsdrift, kan het de productie van andere geslachtshormonen op gang brengen of de cyclus van vrouwen op een andere manier beïnvloeden. Afscheiding uit de tepels, moedermelk of zelfs het speeksel van de baby (of alle drie) kunnen het chemische signaal afgeven. Je pikt het op uit de lucht, door een zogende vrouw aan te raken of door iets vast te pakken wat zij heeft aangeraakt en dan je hand bij je gezicht te brengen. Als het net als andere vermeende feromonen werkt, stimuleert het je hypothalamus, die ervoor zorgt dat er hormonen in je bloedsomloop terechtkomen. En daardoor wordt je geslachtsdrift weer gestimuleerd.

Zou het kunnen dat borstvoedingsferomonen de vruchtbaarheid bij vrouwen doen toenemen doordat ze vrouwen voorbereiden op zwangerschap? Dat is mogelijk. Jammer genoeg is er nog geen onderzoek gedaan naar vrouwen die direct contact hebben met vrouwen die borstvoeding geven. Probeer het dus zelf door veel tijd door te brengen bij een vriendin die haar baby de borst geeft. Als je een sterker verlangen naar seks voelt, of levendige seksuele fantasieën hebt, kan het zijn dat er een chemisch tovermiddel hard zijn best doet om de gedachten aan vieze luiers en slapeloze nachten te verdringen.

Wat zegt je parfum over je?

Een parfumeur zou je kunnen vertellen dat Chanel No. 5 het parfum was van Marilyn Monroe, die er zo gek op was dat het het enige was wat ze in bed droeg. Verkooppraatje, zul je zeggen, en dat is het natuurlijk ook. Maar als je dol bent op het vleugje roos, sandelhout, vetiver en vanille in Chanel No. 5 zegt dat wel iets over *jouw* persoonlijke parfum, dat wil zeggen je DNA.

Een aantal jaren geleden namen Manfred Milinski, gedragsecoloog aan het Max Planck Instituut in Duitsland, en zijn collega Claus Wedekind DNA-monsters van meer dan honderddertig mannelijke en vrouwelijke studenten. De onderzoekers vroegen de deelnemers aan ingrediënten te ruiken die vaak voor parfums worden gebruikt, zoals vanille, patchoeli, sering, sandelhout en muskus. Ze moesten aangeven hoe lekker ze de ingrediënten vonden ruiken en of ze ze als geurtje zouden dragen. Twee jaar later vroegen ze dezelfde deelnemers de test nog eens te doen. Ze ontdekten een consistent verband tussen iemands genen en zijn of haar smaak wat betreft geuren. Deelnemers met dezelfde varianten van het immuunsysteem-gen, het MHC (*major histocompatibility complex*), hielden doorgaans van dezelfde geuren. Mensen met een bepaalde MHC-variant vonden bijvoorbeeld de geur van kardemom, kaneel en sandelhout lekkerder dan de mensen die die variant niet hadden.

Wetenschappers hebben belangstelling voor het MHC omdat al overtuigend is bewezen dat deze groep immuunsysteem-genen eiwitten produceert die in verband worden gebracht met lichaamsgeur en de keuze van een sekspartner. Volgens de onderzoekers kan een parfum iemands natuurlijke, aan MHC verwante geur nabootsen en versterken, of toch in elk geval een bepaald aspect ervan. Als je bijvoorbeeld een luchtje opspuit dat rozenolie bevat, kan het zijn dat je onbewust je genetische opbouw aan anderen bekendmaakt. De onderzoekers opperden een theorie die veel stof heeft doen opwaaien, namelijk dat het dragen van een parfum mogelijk een manier is om op strategische wijze te laten zien dat je over MHC-varianten beschikt die aangeven dat je bestand bent tegen bepaalde infecties.

Muskus, rozen, vetiver en kardemom blijken het nauwst samen te hangen met het MHC. Deze geuren worden al vijfduizend jaar gebruikt, al vanaf het moment dat de oude Egyptenaren het parfum uitvonden. Parfums die in de Bijbel worden beschreven, hebben in wezen dezelfde ingrediënten als de merkparfums van tegenwoordig. Daarom vragen Milinski en Wedekind zich af of er niet iets heel bijzonders is aan dat kleine percentage van alle planten van de wereld dat als geurtje de tand des tijds heeft doorstaan. Het zou kunnen zijn dat deze geuren de enige zijn die een wisselwerking aangaan met menselijke lichaamsgeuren.

Je vraagt je misschien af hoe je voorkeur voor geurtjes nu precies je MHC weerspiegelt. De onderzoekers weiden er niet over uit, maar het zou kunnen zijn dat mensen met gelijke MHC's ook dezelfde zweet- en huidchemie hebben, en dat bepaalde geurtjes met die bepaalde lichaamschemie een betere combinatie vormen dan met andere, of dat ze die beter versterken. Nader onderzoek kan meer licht werpen op het verband tussen geuren en MHC-groepen. (Ik zou bijvoorbeeld dolgraag willen weten waarom ik een hekel heb aan muskus, net zoals zo veel mensen met een bepaalde MHC-variant.)

Milinski en Wedekind konden geen duidelijk verband ontdekken tussen iemands MHC en de geuren die hem of haar zouden opwinden als iemand van de andere sekse die op zou hebben. Dat komt misschien doordat het moeilijk is je voor te stellen hoe een geurtje op je geliefde zou ruiken; of misschien wordt het aangeven van een duidelijke biologische voorkeur bemoeilijkt door cultuur en ervaring. Milinski denkt dat er enige overlapping is tussen de ingrediënten die mensen in hun eigen parfums lekker vinden en de ingrediënten die ze op hun geliefde lekker vinden, zoals er in het ideale geval ook een kleine overlapping is tussen de MHC-genen van een stel. Voorlopig blijft indruk maken op potentiële partners door een luchtje op te spuiten evenzeer een kunst als een wetenschap.

Kies het juiste parfum

Net als bij mannen kun je van een parfum pas zeggen of het geschikt voor je is als je het mee naar huis neemt en uitprobeert. En zelfs nadat je besloten hebt dat het wat is, kan het zomaar ineens veranderen. Sterker nog: na een paar dagen kan je lievelingsluchtje zelfs heel erg stinken. Dat zit zo.

Allereerst komen de verschillende 'ondergeuren' van een parfum soms pas naar boven als ze voldoende op je huid hebben kunnen inwerken. En je huid heeft zijn eigen chemie, dus het is niet altijd te voorspellen of een geur en je huid goed samengaan. (Daarom geeft een goede parfumerie klanten monsters mee naar huis.) Spuit het parfum op de binnenkant van je polsen en in je knieholtes, waar het bloed de geur verwarmt, in je decolleté, zodat er een vleugje uit kan opstijgen, en in je haar, dat verrassend goed geur kan vasthouden. Doe het de volgende dag opnieuw op, om erachter te komen of je de geur nog steeds lekker vindt. Je huid zal bepaalde oliën opnemen en andere afgeven.

Maar alleen het feit dat je de geur meestal lekker vindt, wil nog niet zeggen dat het altijd de juiste geur voor je is, en dat komt doordat bepaalde situaties van invloed zijn op je basisgeur. Je lichaamsgeur wordt namelijk niet alleen beïnvloed door je MHC-genen, maar ook door andere factoren. Stress is boosdoener nummer één. Als je erg moe bent, bevat je zweet hormonen waardoor je anders gaat ruiken, wat weer van invloed is op hoe je parfum ruikt. Dan heb je nog je eetgewoonten. Als de lucht van knoflook, uien en curry door je poriën naar buiten stroomt, ruikt Love Potion No. 9 als een afhaalmaaltijd. Wat verder van invloed is op je geur en de manier waarop je die waarneemt, zijn de hormonale veranderingen die in je lichaam plaatsvinden tijdens de puberteit, de zwangerschap, bij het ouder worden en het slikken van de pil.

Kun je opgewonden raken door de geur van eten of een parfum?

Misschien, maar niet omdat een bepaald luchtje op zich of van zichzelf erotisch is. Van de zeer veel geuren die de menselijke neus kan ruiken, ongeveer tussen de tien- en veertigduizend, is er niet één een universeel afrodisiacum. (Sorry, Calvin en Dior.) Dat wil niet zeggen dat geuren geen effect hebben, ze variëren gewoon heel erg in aantrekkingskracht.

De neuropsycholoog Rachel Herz van de Brown Universiteit heeft een theorie over de invloed van geur op de psyche: de emotionele relatie die je met een geur hebt, kleurt je waarneming ervan. Dat betekent dat als je een geur met iets positiefs associeert, je hem ook lekkerder vindt; associeer je hem met iets negatiefs, dan vind je hem minder lekker. Associeer je een geur met iets dat sexy is, dan kan de geur ook sexy worden.

Bij een experiment lieten Herz en haar collega's een groep mannen en vrouwen een luidruchtig, frustrerend computerspel spelen in een ruimte waar een verborgen machine vreemde en onaangename luchtjes naar binnen pompte. Andere deelnemers aan het onderzoek zaten rustig door tijdschriften te bladeren in een ruimte waarin dezelfde geur werd verspreid of speelden hetzelfde spel in een geurloze ruimte. Onbewust kleurden hun emoties de manier waarop ze de geur waarnamen. De deelnemers die het vervelende spel in de stinkende kamer speelden, vonden de geur veel onaangenamer dan de mensen die aan dezelfde stank waren blootgesteld maar ondertussen rustig zaten te lezen.

Herz en haar collega's bewezen bovendien dat je waarneming van een geur ook wordt bepaald door de associaties die je erbij hebt. Ze pompten een geurmengsel van in boter bereide popcorn, regen en afval in een kamer waar de deelnemers een leuk spel speelden en naar een grappige film keken. Die groep vond de vreemde geur aanmerkelijk prettiger dan de controlegroep die bij het ruiken van de geur geen aangename ervaring had. (Niet alle geuren worden zuiver door de waarneming bepaald. Sommige geuren vindt iedereen vies, zoals zwavel, iets dat ligt te rotten en een buiten-wc op een warme dag.)

Geuren worden in de olfactorische cortex verwerkt, het deel van de hersenen dat rechtstreeks verband houdt met de neuronale circuits voor emoties, het geheugen en voor motivatie. Geuren verschillen in die zin van beelden of woorden dat mensen er vaak hun oorspronkelijke associatie bij houden. Het is verrassend hoe nauwkeurig ze kunnen zijn. Denk er maar eens over na: heb je ooit een geur geroken die je in een flits terugtovert naar een bepaalde plaats en tijd in je leven? (Voor mij is dat de geur van de aftershave van een ex-vriendje. Zo af en toe vang ik in een mensenmassa een vleugje op en dat brengt me net zo in vervoering als een magdalenakoekje dat met Proust deed.) Als de geur van een aftershave je al dan niet bewust opwindt, dan doet die je mogelijk denken aan positieve seksuele ervaringen in het verleden, of roept hij andere associaties op die je in de stemming brachten. Hetzelfde geldt voor geurkaarsen, wierook, potpourri en andere dingen waarmee men een romantische avond nog romantischer wil maken.

Zelfs voedsel kan opwindend zijn als de juiste associaties worden gewekt, zoals werd aangetoond door de psycholoog Alan Hirsch, verbonden aan de Onderzoeksstichting voor de Behandeling van Reuk en Smaak. Hirsch vroeg mannen de geur van voedsel en parfum in te ademen terwijl hij hun erectie opmat. Een mengsel van pompoentaart en lavendel leverde het gewenste resultaat op: bij het ruiken van de knusse, huiselijke geur nam de bloedstroom door de penis met veertig procent toe. Ook een mix van donuts en drop, de geur van lelietjes-van-dalen en van ongezonde kost als cola met popcorn bleken het libido te verhogen.

Hirsch durfde te beweren dat er een evolutionaire reden is voor het feit dat mannen opgewonden raken van de geur van voedsel. Voor onze voorouders was de periode na de jacht of oogst misschien wel de beste tijd om een partner te zoeken en zich voort te planten, en daarom ontwikkelden mannen zich zo dat voedsel ze voorbereidt op seks. Als dat inderdaad zo is, bevinden ze zich in goed gezelschap: bonobo's en andere primaten krijgen gewoonlijk een erectie bij de aanblik van een maaltijd. Zijn ze eenmaal verzadigd, dan volgt de seks.

De liefde van de man gaat door de maag

Van kookluchtjes raken mannen opgewonden; dat geldt in elk geval voor alle mannen met wie ik ooit verkering heb gehad. Voedsel heeft op de een of andere manier een sensuele aantrekkingskracht, of misschien prikkelt het verschillende oerdriften tegelijk. Je moet er wel achter zien te komen bij welke geuren je geliefde opgewonden raakt. Ga samen met hem koken. Gebruik allerlei kruiden. Bedenk zelf recepten en kijk of er iets bij is waar hij helemaal opgewonden van raakt. Smeer het lekkers op je huid en laat hem dat eraf likken. Laat hem alles proeven. Vanille, sterkedrank, tomatensaus, sinaasappels, maïskolven, tortillachips, jamdonuts, kersenvlaai, perziken, chocoladerepen…

❖

Werkt een dieet waarbij je alleen vlees mag eten als een afknapper?

In de tijd dat het dieet waarbij je alleen vlees mag eten erg populair was, zaten veel vrouwen met een dilemma. Ze wilden hun partner steunen in de strijd tegen de kilo's, maar op een gegeven moment was het niet meer te harden – dat wil zeggen, zijn lichaamsgeur en adem. Iets in de lichaamsgeur van mannen op een dieet van biefstuk, karbonades en hamburgers botste met het verlangen bij vrouwen om te knuffelen en te vrijen.

De Tsjechische antropoloog Jan Havlíček was benieuwd of het eten van vlees werkelijk van invloed is op de aantrekkingskracht. Hij vormde een groep van zeventien mannelijke vrijwilligers en zette ruwweg de helft van hen op een dieet met veel vlees en de andere helft op een vergelijkbaar vegetarisch dieet (bijvoorbeeld risotto met varkensvlees versus risotto met groenten). Na twee weken werd er geruild. De mannen moesten kussentjes onder hun oksels dragen. Havlíček liet dertig vrouwen op vaste momenten tijdens hun menstruatiecyclus aan de kussentjes ruiken en ze moesten de geuren beoordelen op seksuele aantrekkelijkheid en andere eigenschappen.

Het vegetarische dieet won met vlag en wimpel. De vrouwen vonden de lichaamsgeur van de mannen wanneer ze geen vlees aten aangenamer, minder intens en seksueel aantrekkelijker dan wanneer ze veel vlees aten. Dat was het resultaat, ook al waren de vrouwen die de beoordeling deden zelf niet vegetarisch.

Volgens Havlíček heeft het feit dat mannen gaan stinken als ze een vleesdieet volgen te maken met veranderingen in de chemische samenstelling van zweet. Vlees bevat een groot aantal alifatische zuren (bestanddelen van dierlijk vet). De sterke geur van mensen die veel vlees eten wordt veroorzaakt door de bacteriën die deze vetzuren afbreken. Een andere mogelijke reden voor de stank zou ketosis kunnen zijn, de afbraak van lichaamsvet, die plaatsvindt als mensen bij een dieet minder koolhydraten en veel vlees eten. Hormonen die consumptiedieren via het voer of de injectiespuit binnenkrijgen, kunnen ook van invloed zijn op onze lichaamsgeur, maar in welke mate weten we niet. Vrouwen hebben een gevoeliger neus, maar het is aannemelijk, hoewel nooit getest, dat mannen ook een afkeer hebben van een sterke 'vleeslucht' bij vrouwen. (Te veel rood vlees zou een ongunstig affect hebben op orale seks, doordat het sperma, en misschien ook vaginale vloeistoffen, zuurder maakt, terwijl knoflook en uien een bittere smaak in de mond kunnen achterlaten.)

De uitkomst van het onderzoek betekent niet dat vegetariërs altijd beter ruiken dan vleeseters. Minnaars kunnen ook hun neus ophalen voor curry's, stinkkazen, uien, knoflook en zuivelproducten.

Waarom lijk je minder knap op een plek waar het stinkt?

Misschien verbaast het je dat vieze geuren zelfs nog krachtiger zijn dan lekkere geuren. Een lekkere geur wil niet per se zeggen dat iemand lichamelijk aantrekkelijker wordt gevonden, maar door een vieze geur kan iemand wel lelijker lijken.

Dat is het eindresultaat van een onderzoek onder leiding van de experimenteel psycholoog Luisa Demattè aan de Universiteit van Oxford.

Ze vroeg vrouwen de fysieke aantrekkingskracht van veertig mannen te beoordelen terwijl ze verschillende geuren roken. Elk gezicht kregen ze drie keer in willekeurige volgorde te zien met telkens een andere geurvlaag: met een onaangename geur (rubber of een synthetische lichaamsgeur), met een lekkere geur (geranium of eau de cologne), en met schone lucht (de controle). Opmerkelijk genoeg maakte geur wel degelijk een verschil in hoe de vrouwen de mannen zagen. Bij het ruiken van onaangename geuren vonden de vrouwen de gezichten beduidend (ongeveer negen procent) minder aantrekkelijk dan bij het ruiken van lekkere geuren of schone lucht. Bij een prettig aroma leken de mannen niet aantrekkelijker, maar bij vieze geuren leken ze wel minder aantrekkelijk. (Dit experiment is nog niet uitgevoerd met de rollen omgedraaid, dus dat mannen vrouwen beoordelen.)

Hoe komt het nu dat mensen er in onze ogen iets lelijker uitzien als we vieze luchtjes ruiken? Op basis van eerdere geuronderzoeken opperden de onderzoekers van Oxford dat vieze geuren ons verwarren en dat het onze hersenen meer moeite kost om ze te verwerken dan aangename luchtjes. Een vieze lucht zet onze amygdala in werking, het gebied in onze hersenen dat emoties en angst aanstuurt. Een verschrikte persoon verwerkt informatie, inclusief de aantrekkelijkheid van een gezicht, op een negatieve manier. Een theorie die hiermee verband houdt, is dat de verandering in waarneming toe te schrijven is aan het halo-effect, waarbij we de eigenschappen van de ene zintuiglijke gewaarwording toekennen aan de andere, bijvoorbeeld als we een fruitachtige geur als 'zoet' beschrijven.

De onderzoekers geloven niet dat de vrouwen er moeite mee hadden om het zicht te scheiden van de reuk, maar mogelijk laten vieze geuren op de een of andere manier iets achter. Zie het maar als het verschil tussen op een zonnig strand staan als de lucht zuiver is en op dezelfde plek staan als het er naar rottende vis ruikt. Die vieze lucht bederft het plezier waarmee we naar de schoonheid van de zee kijken en hoe we erop reageren. Dat gebeurt ook als roddelaars de aandacht van iemands fraaie uiterlijk proberen af te leiden door te zeggen dat hij of zij stinkt. Dat soort kwaadsprekerij stinkt, en blijft hangen.

3
Een klinkende keuze

Zing nog een keer, laat met je lieve stem een klank horen uit een wereld ver van hier, waar muziek en maanlicht en gevoel één zijn.
– Percy Bysshe Shelley, 'Voor Jane: De heldere sterren schitterden'

Waarom krijgen mannen met een lage stem meer kinderen?

Je hebt het misschien wel eens meegemaakt: iemand klinkt op papier (of op een computerscherm) geweldig, maar als je hem dan in levenden lijve ontmoet, blijkt hij een zachte, nasale, gorgelende stem te hebben waar je helemaal hoorndol van wordt. Je weet dat het gemeen van je is, en je mag niets zeggen, maar een stem kan aan het begin van een relatie echt een afknapper zijn. De meeste vrouwen houden van een lage, rijke, omfloerste stem. Een bariton is een zegen voor een man.

Coren Apicella, antropoloog aan de Harvard Universiteit, en haar collega's David Feinberg en Frank Marlowe onderzochten het verband tussen stem en mannelijkheid. Ze interviewden leden van de Hadza, een stam in Tanzania van jagers en verzamelaars. De Hadza zijn tamelijk monogaam en beschikken niet over voorbehoedmiddelen, waardoor ze zeer geschikt waren voor het onderzoek. Apicella legde de stemmen van Hadza-mannen van alle leeftijden vast op band en vroeg hun hoeveel kinderen ze hadden. Toen de onderzoekers de opnamen analyseerden, zagen ze een duidelijk patroon: mannen met een lage stem hadden meer kinderen. Gemiddeld hadden de mannen met een lage stem twee kinderen meer dan mannen met een hogere stem.

Het verband tussen mannenstemmen en mannelijkheid is het geslachtshormoon testosteron. Een lage stem wijst in principe op veel testosteron. In de puberteit zorgt het hormoon ervoor dat de stembanden bij jongens dikker worden, hun strottenhoofd daalt en hun stemkanaal langer wordt. Toen onderzoekers van de Universiteit van Parijs in Nanterre stemmonsters van jonge mannen aan vrouwen lieten horen, veronderstelden ze terecht dat de mannen met een lage frequentie en kleine formanten (een lage, rustige stem) een hoger testosterongehalte hadden dan de mannen met een hogere stem. Testosteron vormt ook het spierstelsel en de kaaklijn bij mannen, verhoogt hun geslachtsdrift, verbetert de kwaliteit van hun sperma en levert betere atleten en jagers op. Mannen met een lage stem hebben misschien meer testosteron, wat zich vertaalt in een stoer lichaam, wellust en, historisch gezien, het vermogen om bestaansmiddelen te vergaren, wat betekent... Nou ja, je snapt het wel: meer kinderen.

Verder hebben onderzoekers iets ontdekt dat zelfs nog meer van belang is voor vruchtbaarheid, namelijk dat vrouwen zich rond de ovulatie, wanneer ze dus de grootste kans hebben zwanger te worden, aanzienlijk meer aangetrokken voelen tot een lage mannenstem en andere kenmerken die op een hoog testosterongehalte wijzen, zoals krachtige, mannelijke gelaatstrekken en gedragingen. Een lage stem kan wijzen op sociale of fysieke dominantie, zoals bleek uit een onderzoek onder leiding van de biologisch antropoloog David Puts van de Staatsuniversiteit van Michigan. Als er sprake is van rivaliteit hebben mannen die als dominant worden gezien een stem met lagere basisfrequenties en formanten die dichter bij elkaar liggen (een vol, rustig timbre). Mannen die als minder prestatiegericht worden gezien, gaan hoger praten en hebben lossere formanten (zwakkere klank) als ze zich bedreigd voelen.

Een lage stem wordt direct in verband gebracht met een hoog testosterongehalte, hoewel uit onderzoek is gebleken dat mannen met een lage stem niet per se forser zijn. Een goed voorbeeld is mijn vriend Al, handelaar op Wall Street. Al is niet groot; hij noemt zichzelf een ectomorf, wat betekent dat hij fijne botten, een concave borst, smalle schouders en een snelle stofwisseling heeft. Maar hij ziet er oersterk uit met zijn vierkante kaak en krachtige wenkbrauwrand, en op de werkvloer is hij een terriër. Hij heeft ook een lage, kalme, melodische stem waar de dames van in zwijm vallen. Hij geeft direct toe dat het zijn beste kenmerk is. En ja, zijn stem daalt tot een donderende bariton als hij bedreigd of geprikkeld wordt. Dat wil echter niet zeggen dat iedere man met een lage stem zich graag met anderen meet; leeftijd, cultuur en persoonlijke ervaring kunnen een man temperen, maar zijn stem wordt er niet hoger door.

De gevoeligheid van vrouwen voor mannenstemmen is volgens Apicella en haar collega's een aanpassing die teruggaat naar de tijd van onze verre voorouders. Van oudsher gaven vrouwen de voorkeur aan mannen met kenmerken die samenhangen met testosteron, zoals bekwaamheid in de jacht en sociale en fysieke dominantie, en een lage stem is een van de vele kernmerken die op een goede genetische kwaliteit wijzen. Bovendien gebruikten mannen in de tijd dat er nog geen gearticuleerde talen bestonden waarschijnlijk klanken en muziek om vrouwen het hof te maken. Vrouwen letten op de klank en toonhoogte. Genen voor lage mannenstemmen vermenigvuldigden zich snel doordat onze oermoeders mannen met lage stemmen kozen en meer kinderen met hen kregen. Zonder voorbehoedmiddelen hadden mannen met een lage stem wereldwijd mogelijk meer kinderen gekregen.

Natuurlijk heeft niet iedere man een lage, gevoelvolle stem. We worden ook om andere redenen verliefd: intelligentie, creativiteit, ruimhartigheid, trouw, kameraadschap enzovoort. Daardoor piepen sommige mannen met een hoog stemmetje er nog net tussendoor.

Waarom houden mannen meer van vrouwen met een hoge stem?

Mannen houden van een vrouwenstem als die van Marilyn Monroe: een beetje hoog (maar niet schel), vol, zacht, sensueel en met ademgeruis. Dat wil niet zeggen dat het lage, hese stemgeluid van Billie Holiday, Amy Winehouse en Kathleen Turner niet zijn charme heeft. Uit onderzoeken waarin de aantrekkingskracht van stemmen wordt onderzocht, blijken mannen echter over het algemeen te gaan voor een lieflijke klank met een uitgebreide reeks hoge en lage frequenties.

David Feinberg, als psycholoog verbonden aan de McMaster Universiteit in Canada, onderzocht de charme van de zachte, hoge vrouwenstem en kwam erachter dat mannen niet alleen de voorkeur geven aan hoge stemmen boven lage, maar ook aan gezichten van vrouwen met een hoge stem boven die van vrouwen met een lage stem. Mannen vinden een hoge stem bij een vrouw ook aantrekkelijker wanneer ze geïnteresseerd lijkt te zijn in de toehoorder dan wanneer ze haar aandacht ergens anders op vestigt, zo blijkt uit een vervolgonderzoek van het Laboratorium voor Gezichtsonderzoek van de Universiteit van Aberdeen. Voor mannen is een hoge vrouwenstem net zoiets als een voortplantingsroep.

Het hormoon oestrogeen is verantwoordelijk voor de verlokkelijke souplesse van hoge vrouwenstemmen. Een hoog oestrogeengehalte wordt in verband gebracht met de vruchtbaarheid bij vrouwen, en vrouwen met een hoog oestrogeengehalte raken sneller zwanger dan vrouwen met een laag gehalte. Het oestrogeengehalte gaat vlak voor de menstruatie naar beneden en keldert bij de overgang nog verder. Een laag oestrogeengehalte heeft tot gevolg dat het weefsel van de stembanden zijn elasticiteit verliest, waardoor je stem lager en grover wordt, soms dun en gespannen, moeilijker te beheersen en minder vol van klank. Mogelijk hoor je niet dat je stem vlak voor je menstruatie anders klinkt, maar voor professionele zangeressen kan de verandering funest zijn. Een zangeres die in Manhattan in een nachtclub werkt, vertelde haar publiek lachend dat ze, toen ze begin veertig was, de hele week rond haar menstruatie de hoge noten niet kon halen en dat ze hormonen was gaan slikken om de symptomen te verminderen.

Een hoge, aangename stem is slechts een van de vele kenmerken die duiden op een hoog oestrogeengehalte. Uit een onderzoek van de Staatsuniversiteit van New York in Albany bleek dat bij vrouwen wier stem het hoogst scoorde bij het onderzoek naar aantrekkingskracht, de kans groter was dat ze ook een knap gezicht, een symmetrisch lichaam en een zandloperfiguur hadden. Interessant genoeg ontdekten de onderzoekers ook dat een sexy vrouwenstem een teken is van promiscuïteit. Hoe innemender een vrouwenstem is, hoe meer sekspartners ze waarschijnlijk heeft (zowel binnen als buiten een relatie) en hoe groter de kans is dat ze mannen van hun vriendin afsnoept. Vrouwen met een hoge stem: noem ze maar gewoon sirenes.

Zo zacht, zo aangenaam, zo zilverachtig is je stem…

– Robert Herrick

Test je stem

Bij het onderzoek van de psycholoog David Feinberg naar het verband tussen de aantrekkingskracht van de stem en die van het gezicht en het lichaam moesten vrouwelijke vrijwilligers klinkerklanken ('e', 'ee', 'ah', 'oh' en 'oo') uitspreken in een microfoon die was verbonden met een computer. Met behulp van spraakanalysesoftware werden stemfrequenties gemeten die werden uitgedrukt in hertz (Hz). Bij een experiment hadden vrouwen met een lage stem een gemiddelde frequentie van 186 Hz, terwijl de vrouwen die er het meest sexy uitzagen en de aantrekkelijkste hoge stem hadden, een gemiddelde frequentie hadden van 236 Hz. (De gemiddelde mannenstem is 120 Hz en varieert van 90 tot 160 Hz.)

De omstandigheden in het laboratorium werden zorgvuldig in de gaten gehouden, maar je kunt zelf ook in een mum van tijd de frequentie van je eigen stem testen met dezelfde opensourcesoftware die ook door spraakanalisten wordt gebruikt. Download gratis de Praat-software van www.praat.org (beschikbaar voor Mac en pc). Volg de instructies om je stem op te nemen met de microfoon van je computer. Heb je je stem eenmaal gesampled, ga dan naar het menu, klik op Periodicitys, vervolgens kies je To Pitch; selecteer het nieuwe bestand dat verschijnt en ga dan naar het menu, klik op Query en kies Get Mean. Ik scoorde een middelmatige 201,7 Hz, waardoor ik me nu meer een houtduif dan een tortelduifje voel.

Hoe verraadt je verbale 'lichaamstaal' dat je je tot iemand aangetrokken voelt?

Als je je gevoelens of opvatting wilt overbrengen, bestaat de boodschap voor slechts zeven procent uit wat je zegt en voor achtendertig procent uit hoe je het zegt (de rest is lichaamstaal). Vooral bij een afspraakje komt niet de inhoud, maar komen vooral andere aspecten – de toonhoogte en pauzes, intonatie, het volume – luid en duidelijk over. Zoals de computerwetenschapper Alex 'Sandy' Pentland en zijn collega's aan het MIT Media Lab ontdekten, is het in feite zo dat als je bij wijze van spreken als een machine luistervink zou spelen bij het eerste afspraakje van een stel, dus zonder de mensen te kennen of de betekenis van hun woorden te begrijpen, je akelig nauwkeurig zou kunnen aangeven hoe het afspraakje verloopt en of de twee elkaar hierna nog een keer willen zien. Het enige wat je hoeft te doen is luisteren naar alles wat in een gesprek wel gezegd maar niet gezegd wordt. Beschouw het als je verbale lichaamstaal.

Pentland en zijn collega's waren vooral geïnteresseerd in de spraakaspecten die we het minst bewust onder controle hebben. Ze ontwikkelden vier eenvoudige basiscriteria voor sociale signalen die laten zien hoeveel belangstelling mensen tijdens een gesprek voor elkaar hebben.

Mate van activiteit, het eerste criterium, is duidelijk. Hoeveel praat je? Hoeveel woorden zeg je in vergelijking met hem?

Invloed, het tweede criterium, is een teken van betrokkenheid. Wie leidt het gesprek? Verloopt het gemakkelijk en is het gelijkwaardig, of heb je steeds een zetje nodig van de andere persoon? Hoe lang zegt hij niks als jij klaar bent met praten? Breek je zijn zinnen af?

Consistentie, het derde criterium, heeft te maken met toonhoogte en volume. Deze factoren verraden hoe ongerust of ongemakkelijk je je misschien voelt. Hoe luid of zacht klinkt je stem gedurende het hele gesprek, en hoeveel nadruk leg je op je woorden? Praat je luider dan de ander? Ook aan je toonhoogte kunnen mensen horen of je extravert bent of niet.

Spiegelen, het laatste criterium, wil zeggen in welke mate jij en je gesprekspartner elkaars intonatie en toonhoogte nabootsen. Hoe meer er gespiegeld wordt, hoe meer je het gevoel hebt dat jullie je in elkaar kunnen inleven en op dezelfde golflengte zitten. Is het ook zo dat hij knikt en steeds 'mm-mm' zegt als je aan het woord bent?

Uit een onderzoek op basis van zestig speeddatesessies van vijf minuten bleek dat de verbale 'lichaamstaal' van vrouwen belangrijker is dan die van mannen bij het bepalen of twee deelnemers zich tot elkaar aangetrokken voelen en elkaar nog een keer willen zien. Vooral aan het spreektempo van een vrouw kon je merken of ze meer van een man zou willen dan alleen vriendschap. Sprak ze gemakkelijk en snel (een goed teken), of aarzelend en niet op haar gemak? Vrouwen waren ook gevoeliger dan mannen voor de mate van activiteit (hoe vaak waren beiden aan het woord?). Die mate van activiteit hangt af van het feit of de gesprekspartners zich even goed in elkaar kunnen inleven en of ze het gesprek evenveel beheersen.

De romantische belangstelling van de mannen was het best te voorspellen op basis van hoeveel de vrouw aan het woord was. Mannen waren naar verluidt ook meer geïnteresseerd in vrouwen die op verschillende toonhoogten spraken. Hoe groter het aandeel van de vrouw in het gesprek, hoe beter het resultaat, terwijl het aandeel van de mannen niet zo belangrijk was voor het succes van het gesprek. Vrouwen zijn tenslotte kieskeuriger. (Maar let op, waarschuwt mijn vriend Matt. Mannen reageren bij een eerste afspraakje inderdaad goed op praatlustige vrouwen, omdat spraakzaamheid lijkt te betekenen dat de vrouw belangstelling heeft en energiek is, maar mannen houden niet van te veel geklets. Matt had eens een blind date met een vrouw die zo veel praatte dat hij in zijn stoel ging hangen en met de vleug van zijn ribfluwelen broek ging zitten spelen. Hij wilde ook over zichzelf praten, en heeft liever een vrouw die ook echt lijkt te luisteren.)

Aan het eind van het experiment konden de onderzoekers met hun software op basis van de vier bovengenoemde criteria voor de meeste stellen het resultaat van een speeddate voorspellen met een gemiddelde nauwkeurigheid van ongeveer zeventig procent.

Misschien hebben we in de toekomst allemaal een monitor bij ons die ons aan de hand van sociale signalen feedback geeft over onze gesprekken en ons vertelt of het wat kan worden of niet en of we de juiste signalen uitzenden. Probeer tot die tijd naar de verbale 'lichaamstaal' in je gesprekken te luisteren. Onbewust doe je dat al. We noemen dat ons gezond verstand.

Het aangenaamste gesprek is een gesprek waarvan we ons alleen nog maar herinneren dat het een plezierige indruk op ons maakte.
– Samuel Johnson

Word je verbale 'lichaamstaal' de baas

Een paar van de verbale signalen waar je je bij een afspraakje (of eigenlijk altijd) van bewust moet zijn, zijn de toonhoogte van je stem (of je stem hoger of lager is dan normaal), de snelheid waarmee de woorden uit je mond rollen, de verhouding tussen het aantal woorden dat jij spreekt en hij, het aantal pauzes in je woordenstroom, je intonatie en hoeveel jullie elkaar eigenlijk spiegelen en nabootsen. Een deel van de woordendans bestaat uit korte tussenwerpsels die aangeven dat je luistert of het met je gesprekspartner eens bent. De technologie die Sandy Pentland en zijn collega's in het MIT Media Lab ontwikkelden, houdt ook bij hoe vaak mensen 'mm-mm', 'ja', 'yep', 'aha', 'oké' en 'ja, tuurlijk' zeggen als ze naar iemand luisteren. Uit het onderzoek kwam naar voren dat hoe meer tussenwerpsels een man gebruikte, hoe meer hij zich aangetrokken voelde tot de vrouw met wie hij praatte, vooral als de vrouw op haar beurt ook veel tussenwerpsels gebruikte. Deze 'ja's' en 'mm-mm's' uiten we meestal onbewust en zijn een manier om de spreker te spiegelen, om belangstelling en empathie te tonen door hem of haar aan te sporen verder te praten. De frequentie waarmee je tussenwerpsels gebruikt zegt iets over de mate van belangstelling die je hebt (afhankelijk van het tempo; we kennen allemaal mensen die het hele gesprek door 'ja-ja-ja' zeggen terwijl het ze helemaal niks kan schelen).

Kun je aan de klank van iemands stem horen of hij of zij homoseksueel is?

De 'homomannenstem' is een stereotype: soms hoog, eentonig, vaak doorweven met slisgeluiden en overdreven sisklanken, levendig en expressief. Uit een onderzoek van de taalkundige Janet Pierrehumbert van de Northwestern Universieit bleek dat homomannen klinkers langer maken, vooral bij woorden zoals *back* en *ask*, dan heteromannen, wat het gevolg kan zijn van een tragere articulatie, emotionele uitdrukkingskracht of een poging om nauwkeurig te zijn. Lesbiennes spraken met duidelijker achterklinkers (deze klinkers worden achter in de keel gemaakt) dan heterovrouwen. (Een achterklinker /u/ wordt geassocieerd met stoerheid; denk maar aan de overdreven uitspraak van de /u/-klank in het woord *you*. In tegenstelling tot wat veel mensen denken, komt dat niet doordat het strottenhoofd of het spraakkanaal bij homomannen of lesbiennes anders zouden zijn dan bij heteroseksuelen. Hun spraakanatomie is hetzelfde als die van heteroseksuelen van dezelfde sekse.

Je kunt aan iemands stem misschien wel horen of hij of zij homoseksueel is, maar dan kun je slechts afgaan op wat duidelijk blijkt. Iemand die met zijn uiterlijk niet laat zien dat hij homoseksueel is, spreekt waarschijnlijk ook niet met een 'homostem'. De manier van spreken is aangeleerd, zoals een accent, dat we al dan niet bewust overnemen van gelijkgestemden, rolmodellen en mogelijk leden van de andere sekse. Sommige mannen, zoals de schrijver David Sedaris, beginnen rond de tijd dat ze hun seksuele identiteit beginnen te ontwikkelen ook te slissen en hun klinkers langer uit te spreken. In zijn autobiografie *Ik ooit mooi praten* beschreef Sedaris dat er op school een logopedist werd ingeschakeld om de jongens uit groep zeven, die net als hij 'plakboeken bijhielden van filmsterren en hun eigen gordijnen maakten', van hun geslis af te helpen. (Het haalde niets uit.)

Homomannen en lesbiennes kunnen meestal zonder moeite overschakelen op een 'heterostem'. Een homovriend vertelde me dat hij zich op school altijd heel erg bewust was geweest van zijn intonatie en manier van spreken, maar dat hij nu als dertiger op natuurlijke wijze overschakelt van zijn 'homostem' naar zijn natuurlijke stem en terug, afhankelijk van de situatie en omgeving.

Sterker nog: bij een onderzoek door taalkundigen van de York Universiteit en de Universiteit van Toronto lazen hetero- en homomannen met hun normale spreekstem drie fragmenten voor uit een toneelstuk en uit een wetenschappelijke tekst, en ze beantwoordden open vragen. De opnamen van de fragmenten werden beluisterd door een gemengd publiek van mannen en vrouwen, en men vond dat slechts de helft van de homomannen werkelijk 'homoachtig klonk'. Het homoseksuele deel van het publiek deed het iets beter: zij hadden het zestig procent van de tijd goed. Het publiek scoorde iets beter toen het de opnamen moest beoordelen van de antwoorden op de open vragen. Toch waren sommige van de deelnemers die als homo werden bestempeld zo hetero als wat, en een paar van de mannen die het meest hetero klonken waren in feite *très* homo.

Is de klank van je naam van invloed op wat anderen van je uiterlijk vinden?

Om deze vraag te kunnen beantwoorden plaatste Amy Perfors, die cognitieve wetenschap studeerde aan het MIT, frontale foto's van vierentwintig mannen en vrouwen op HotOrNot.com, een website waarop mensen anoniem elkaars uiterlijk beoordelen op een schaal van 1 tot en met 10. Op elke foto zette ze een naam als Jill of Jess en Tom of Ken, en ze plaatste de foto meerdere keren op de website onder verschillende namen. Op die manier verzamelde ze duizenden beoordelingen per gezicht.

Uit een vooronderzoek dat Perfors verrichtte, bleek dat de rangschikking van klinkers in een naam wel degelijk onbewust van invloed was op hoe knap het bijbehorende gezicht werd gevonden. Het verschil was niet groot, maar statistisch gezien wel belangrijk. Mannen met een naam waarvan de beklemtoonde klinker voor in de mond werd uitgesproken (zoals de /a/ in *pad* en de /i/ in *piet*), werden over het algemeen knapper gevonden dan mannen met een naam waarvan de beklemtoonde klinker achter in de mond werd uitgesproken (zoals de /o/ in *pot* en de /u/ in *moes*). Dat betekent dat dezelfde mannengezichten sexyer werden gevonden wanneer ze een naam kregen met een beklemtoonde voorklinker, zoals Jake, Ben, Matt of Rich, dan wanneer ze een naam kregen met een beklemtoonde achterklinker zoals Paul, George, Tom of Lou. (Zeg deze namen hardop om het verschil te horen tussen beklemtoonde voor- en achterklinkers).

Bij vrouwen was het tegenovergestelde het geval. Wanneer een vrouw een naam kreeg met een beklemtoonde achterklinker, zoals Laura, Julie, Susan of Holly, werd ze sexyer gevonden dan wanneer ze een naam kreeg met een beklemtoonde voorklinker, zoals Liz, Annie of Jamie. Een Zsa Zsa is sexyer dan een Gigi.

Volgens Perfors leggen mensen mogelijk onbewust een verband tussen een klank in een taal en de betekenissen die met die klank worden geassocieerd. Beklemtoonde voorklinkers worden misschien in verband gebracht met gevoeligheid, omdat ze kleiner zijn vergeleken met de grote, ronde achterklinkers die diep vanuit de keel komen. Dat betekent dat we een Jake of Ben misschien wel schattiger en zachtaardiger vinden dan een Paul of Scott. (Ik vind zelf namen met een voorklinker ook knisperiger en oprechter klinken dan namen met een achterklinker). Namen met een achterklinker, zoals Carmen en Susan, klinken langer, luxueuzer en met meer ademgeruis dan knisperige namen met een voorklinker, zoals Jane, Jen, Tina en Pat; dat vind ik tenminste.

Perfors vergeleek ook namen die echt mannelijk of vrouwelijk klinken. Het kwam niet als een verrassing dat mannen met een mannelijk klinkende naam als Steve aantrekkelijker werden gevonden dan met een androgyne naam als Jamie en Lee, ook al hebben ze alle drie een beklemtoonde voorklinker. Vrouwen werden ook minder aantrekkelijk gevonden als ze een androgyne naam hadden gekregen.

Wat mensen over het algemeen van een naam vinden, kan ook van invloed zijn op hoe mensen je uiterlijk beoordelen. Namen als Brad en Angelina zijn sexy omdat we daarbij aan de filmsterren denken. Adolf en Katrina, de Führer en de orkaan, hebben negatieve connotaties. Bij een namenonderzoek aan de Manchester Metropolitan Universiteit in Engeland werden vrouwen minder knap gevonden wanneer ze gekoppeld werden aan een 'onaantrekkelijke' naam als Tracy dan wanneer ze een 'aantrekkelijke' naam kregen als Daniëlle. De onderzoekers schatten dat bijna zes procent van de variatie bij de beoordeling van de aantrekkelijkheid van vrouwen toe te schrijven is aan hun naam. (De beoordeling van de aantrekkelijkheid van mannen werd in dit onderzoek niet beïnvloed.)

'Wat zegt een naam?' roept Julia uit in Shakespeares *Romeo en Julia*. 'Een roos blijft zoet van geur, al geven wij haar nog zo'n vreemde naam.' Dat geldt misschien wel voor rozen, maar niet voor mensen.

4
Pikante delen

De baarmoeder, de tepels, tieten, moedermelk, tranen, gelach, geween, verliefde blikken, de onrust en opwellingen van de liefde,
De stem, articulatie, taal, gefluister, hard geroep,
Eten, drinken, polsslag, spijsvertering, zweet, slaap, wandelen, zwemmen,
Balanceren op de heupen, springen, achteroverleunen, omarmen, armen buigen en aanspannen,
De voortdurend veranderende bewegingen van de mond, en rond de ogen,
De huid, de zonverbrande tint, sproeten, haar,
De merkwaardige genegenheid die je voelt als je met je hand het naakte vlees van het lichaam voelt,
De cyclus van de rivieren, de adem, en het inademen en uitademen,
De schoonheid van de taille, en van daaruit van de heupen, en van daaruit naar beneden naar de knieën…

– Walt Whitman, 'Ik zing het lichaam elektrisch'

Waarom is lang haar sexy?

Vreemd genoeg is het deel van je lichaam waar het minste leven in zit misschien wel het aantrekkelijkst. Amerikaanse mannen vinden het haar het begerenswaardigst bij een vrouw, meer nog dan haar borsten, benen en huid – en haren zijn niet meer dan cellen met pigment die in lange, fijne draden uit de hoofdhuid groeien. Charles Darwin vond haar een duidelijk voorbeeld van seksuele selectie. Hij merkte op dat mensen in veel delen van de wereld al duizenden jaren hun haar lang kunnen laten groeien en dat gebruiken om een partner te verlokken. Maar je moet je wel afvragen: wat is er zo verdraaid sexy aan iets dat niet eens uit levend weefsel bestaat?

Het antwoord is dat je haar iets over je leven zegt, ook al is het dood. Als iemand je nog nooit heeft gezien en niets over je verleden weet, kan die persoon veel zien aan je haar: of je gezond eet, medicijnen hebt geslikt, moeilijke tijden hebt doorstaan, met spanning of ziekte te maken hebt gehad, en of je je haar goed verzorgt. Omdat hoofdhaar gemiddeld zo'n dertien millimeter per twee maanden groeit, zijn lange, glanzende haarlokken die tot halverwege je rug zwiepen een teken dat je ten minste al vier jaar gezond bent en verstandig eet. Onze voorouders konden de boel niet voor de gek houden en daarom zien onze hersenen lang, stevig haar onbewust als een teken van jeugd en vitaliteit.

Aan de lengte en conditie van het haar van een vrouw kun je ook zien of ze een kind heeft gekregen. Hormonale veranderingen na een zwangerschap kunnen blijvend van invloed zijn op je haar. Het valt heel erg uit, wordt dunner, donkerder, slapper en breekbaarder, en daarom laten veel vrouwen na de geboorte van hun kind hun haar knippen. Uit een onderzoek onder tweehonderd Amerikaanse vrouwen bleek dat oudere dames en getrouwde vrouwen met kinderen vaak kort haar hadden dat in een slechte conditie verkeerde, terwijl alleenstaande vrouwen zonder kinderen lange, weelderige lokken hadden. Het interessante was dat vrouwen van alle leeftijden die zeiden gezondheidsproblemen te hebben waardoor ze geen kinderen konden krijgen, ook korter, dunner en slapper haar hadden. Een Hongaars onderzoek waarbij werd vergeleken wat het effect was van diverse haarstijlen (kort, halflang, lang, slordig, in een staart, knotje enzovoort) op hoe gezond en aantrekkelijk iemand werd gevonden, leverde hetzelfde resultaat op. Alleen halflang en lang haar hadden een positief effect op hoe gezond en aantrekkelijk de vrouwen werden gevonden.

Haar is ook belangrijk voor de aantrekkingskracht van mannen. Een hoofd zonder haar wordt bij sommige mannen wel als sexy beschouwd, maar vrouwen vallen over het algemeen niet op kale kerels. Bij een onderzoek aan de Barry Universiteit in Florida associeerden deelnemers van beide geslachten kalende mannen met een grotere sociale volwassenheid, wijsheid, koesterende zorg en leeftijd, maar niet met een knap uiterlijk. Kale en kalende mannen hadden in feite een negatieve sexappeal. Uit een Koreaans onderzoek met bijna tweehonderd deelnemers van beide geslachten bleek tevens dat men kale en kalende mannen ouder, minder aantrekkelijk en minder potent vond dan mannen met een mooie kop met haar. (Ik vermoed dat hier wel eens verandering in zou kunnen komen door de trend onder jongere kerels om hun hoofd kaal te scheren. Veel mannen scheren hun hele hoofd kaal bij de eerste tekenen van haarverlies, omdat ze denken dat jonge grietjes nog altijd liever een ei zien dan een coupe wanhoop, waarbij lange haren over het kale hoofd heen naar de andere kant worden gekamd.)

Ten slotte heeft haar nog een bijkomend voordeel: het verspreidt geur. Haar bevat kleine hoeveelheden vet, en vet absorbeert gemakkelijk geuren, waardoor je haar de geur van shampoo, sigarettenrook én jezelf vasthoudt. Uit klieren die bij de haarzakjes zitten, kunnen feromonen vrijkomen die een onbewust effect op anderen hebben. (Zie pagina 38-57.) Flirtende vrouwen verspreiden hun geur door met hun hand door hun lokken te strijken, ze om hun vinger te draaien of door de lucht te zwiepen. Je partner wil waarschijnlijk met zijn handen door je haar woelen en jij wilt bij hem waarschijnlijk hetzelfde doen. Haar mag dan allang dood zijn, het is goed voor je liefdesleven.

Houden mannen echt meer van blond?

We gaan terug in de tijd, en wel naar de laatste ijstijd, zo'n tien- tot vijfentwintigduizend jaar geleden, toen blond haar voor het eerst begon te verschijnen bij de volken van Noord- en Oost-Europa. Volgens de Canadese antropoloog Peter Frost was de reden hiervoor dat blond haar vrouwen een voorsprong gaf in de strijd om een schaars aanwezige hulpbron: mannen. Slechts weinig mannen keerden levend terug van lange jachttochten. Degenen die wel terugkeerden, waren erg in trek. In het ijsgebied viel er voor de vrouwen namelijk niet veel te verzamelen, waardoor ze voor hun levensonderhoud sterk afhankelijk waren van mannen. Voedsel was zo schaars dat polygamie alleen voor de beste jagers een optie was. Mannen die door de omstandigheden gedwongen werden zich tot één vrouw te beperken, kozen vaak voor blond.

Volgens Frost waren ijstijdblondjes mogelijk meer in trek dan brunettes omdat hun haarkleur minder vaak voorkwam en lichter was. We weten allemaal dat in de handel een optimale presentatie van een product de sleutel is voor succes. Loop maar eens een winkel in met een overweldigende hoeveelheid verschillende producten. Voor de Europeanen in de ijstijd had blond haar hetzelfde effect als een glinsterende, oogverblindende verpakking. Doordat hun verbluffende, nieuwe haarkleur de aandacht van de mannen trok en vasthield, hadden blonde vrouwen een voorsprong op nietszeggende maar verder gelijkwaardige rivalen. En zo werden ze zo'n beetje een genetisch succes. Inmiddels heeft veertig procent van de Scandinavische bevolking en ongeveer twee procent van de wereldbevolking blond haar, dat ontstaat door varianten in een gen genaamd MCIR. En nog eens miljoenen mensen verven hun haar blond.

Moderne mannen voelen zich om dezelfde reden als hun voorouderlijke tegenhangers aangetrokken tot blond haar: het valt op. Het menselijk oog wordt aangetrokken tot lichte, felle kleuren, dus blondjes vallen meer op dan brunettes en zelfs roodharigen. Zoals de zangeres Deborah Harry van de groep Blondie het uitdrukte: 'Als kleur is het alsof je met je eigen spotlight rondloopt.' Het moet mannen wel opvallen.

Blond haar is niet alleen licht, het wordt ook met jeugd en vruchtbaarheid geassocieerd. Naarmate je ouder wordt, wordt je haar donkerder. Zelfs het haar van vrouwen die als jong meisje frisblond waren, wordt in de loop van de tijd doffer en donkerder, en dat begint al als ze begin twintig zijn. Gelukkig is er waterstofperoxide: veertig procent van de vrouwen die in de VS hun haren verven, kiest een blonde tint (en dan rekenen we de vrouwen die voor highlights of een coupe soleil kiezen niet mee), en in Europa blondeert een op de drie vrouwen haar haar. Volgens een onderzoek door Poolse psychologen hebben mannen duidelijk een voorkeur voor blondjes als hun gevraagd wordt het uiterlijk van vrouwen boven de vijfentwintig te beoordelen. De reden daarvoor is waarschijnlijk dat blond haar, misschien zelfs alleen al wat blonde plukjes, 'verjongend' werkt. Bij sommige gelaatstinten zorgt blond haar ervoor dat lijntjes en rimpels minder opvallen en het gezicht meer gaat stralen, terwijl donker haar het tegenovergestelde effect kan hebben.

Bovendien zijn de westerse media dol op blond, wat inhoudt dat blond haar wordt geassocieerd met glamour en sexappeal. Een blondine wordt gezien als vrouwelijk, sexy, zorgeloos, verleidelijk, en ze kan meer plezier maken. Ze is Marilyn Monroe, Barbie, Paris Hilton, Scarlett Johansson, en ook Beyoncé en Mary J. Blige. (Vrouwen van elk ras grijpen tegenwoordig naar het waterstofperoxide.) Uit een onderzoek aan de Old Dominion Universiteit in Virginia bleek dat de haarkleur van covermodellen voor *Ladies' Home Journal*, *Vogue*, en vooral *Playboy* veel vaker blond was vergeleken met een willekeurige groep Kaukasisch-Amerikaanse vrouwen (van wie ongeveer achtenzestig procent donkerbruin haar, zevenentwintig procent natuurlijk of geverfd blond haar en vijf procent rood haar heeft).

Als we dit allemaal in aanmerking nemen, kunnen we dan zeggen dat mannen echt meer van blond houden? Het antwoord is ja, tenminste wat betreft Amerikaanse mannen. Dat blijkt uit een onderzoek waarbij men in Amerika meer dan twaalfduizend mannen opspoorde die gebruikmaakten van een populaire datingsite. De heren gaven aan een lichte maar vanuit statistisch oogpunt belangrijke voorkeur te hebben voor blondines boven vrouwen met welke andere haarkleur dan ook.

Volgens de theorie dat een zeldzame kleur in iemands voordeel werkt, ofwel het 'nieuwigheidseffect', is een haarkleur die niet veel voorkomt aantrekkelijker. Blond is gewoonlijk de opmerkelijkste tint omdat hij uniek is en het meest in het oog valt, maar niet overal. In Scandinavië, waar nu zo veel blondjes rondlopen dat zelfs de lichtste lokken niet opvallen in een mensenmassa, zeggen mannen vaak dat ze meer van brunettes houden. Toen onderzoekers van de Universiteit van Washington mannelijke deelnemers uit een aantal brunettes en blondines lieten kiezen welke vrouw ze als partner zouden willen, nam de voorkeur voor een brunette toe naarmate het aantal brunettes in het aanbod verhoudingsgewijs afnam. Een andere factor die een rol speelt bij de voorkeur van een man voor een bepaalde haarkleur is seksuele inprenting, de voorkeur voor een partner die op je ouders lijkt. Een man met een donkerharige moeder zal waarschijnlijk eerder voor een brunette kiezen als het om een langdurige relatie gaat. (Zie pagina 32.)

Sterker nog: je hebt niet zo heel veel aan gouden lokken als je het eens bent met Anita Loos, wier bestseller *Heren houden van blondjes* de basis vormde voor de succesfilm met Marilyn Monroe in de hoofdrol. Drie jaar later publiceerde Loos een vervolg. Dat boek heette: *Maar heren trouwen brunettes.*

Hebben lange mannen knappere vriendinnen?

Mogelijk. Vrouwen vinden lengte belangrijk, dat wil zeggen, hoe lang een man is als hij met rechte rug staat. Lange mannen zijn over het algemeen seksueel aantrekkelijker dan kleine mannen. Uit een onderzoek waaraan tienduizend mannen deelnamen, bleek dat de ideale lengte voor een man 1,83 meter is. Dat is nog altijd 3 centimeter meer dan de gemiddelde man in Noord-Amerika en Europa lang is. Bij mannen die 1,83 meter of langer zijn, is de kans dat ze kinderen krijgen groter dan bij mannen van gemiddelde lengte. Ook is de kans groter dat ze op middelbare leeftijd hertrouwen en voor de tweede keer een gezin stichten met een jongere vrouw. In minder dan één procent van de huwelijken is de vrouw langer dan haar man. Kortom, we willen een man die zo lang is dat we naar hem opkijken, zelfs als we naaldhakken dragen. (Het is wederzijds: een man heeft liever een partner die kleiner is dan hijzelf.)

Dit is hoogstaand nieuws voor lange mannen, die nog meer voordelen genieten vanwege hun lengte. Op de een of andere fundamentele manier vertaalt lengte zich in sociale status, zelfs bij beroepen waarbij je zou denken dat intellectuele vermogens belangrijker zouden zijn. Bijna zestig procent van de president-directeuren van bedrijven die op de Fortune 500 voorkomen is langer dan 1,83 meter (van wie dertig procent langer is dan 1,88 meter). Het is onbewust een vooroordeel. Als groep worden lange mensen gezien als intelligenter, dominanter en betere leiders. Ze worden ook beter betaald, en wat een man in het laatje brengt, speelt een grote rol bij de beslissing van een vrouw of ze hem mee naar huis neemt of niet. Verlokkelijk genoeg is bewezen dat lange mannen een grotere penis en meer sekspartners in hun leven hebben, en dat de voorkeur van een vrouw voor een lange man het sterkst is als ze vruchtbaar is. Alles bij elkaar genomen wijst dit erop dat lange mannen eerder vrouwen aantrekken. Aangezien ze begerenswaardiger zijn, is de kans groter dat ze door mooie vrouwen worden gekozen.

Mooie vrouwen maken echter wel degelijk een uitzondering voor kleine mannen die op een andere manier opvallen. Uit een onderzoek naar afspraakjes op basis van gegevens van tweeëntwintigduizend alleenstaanden op een datingsite bleek dat vrouwen bereid waren om de tekortkoming in lengte bij een man... nou ja, *over het hoofd te zien*, maar alleen als die door zijn status en bezittingen gecompenseerd werd. Uit afspraakgegevens bleek dat een geslaagde man van 1,65 meter 237.500 dollar per jaar moet verdienen om even begerenswaardig te zijn als een man van 1,83 meter met een gemiddeld jaarsalaris van 62.500 dollar waarbij verder alles gelijk is. Als rijkdom compenseert, komen kleine mannen niets tekort.

Bereik het 'blondeffect'

Sig, een vriend van me die altijd alleen met blonde meisjes uitgaat en steeds maar tegen me zegt dat ik toch echt 'schattiger' was toen ik mijn haar blondeerde, heeft toegegeven dat hij zich gewoon meer aangetrokken voelt tot blonde vrouwen. Volgens Sig zijn blondjes niet per se knapper, maar als groep lijken ze meer uit te gaan, meer op aandacht uit te zijn, vrouwelijker en... nou ja, 'gemakkelijker omdat ze dommer zijn'.

Het stereotype van het 'domme blondje' vindt misschien zijn

oorsprong in de associatie van licht haar met jeugd, en dus onwetendheid. Interessant genoeg ontdekten psychologen van de Universiteit van Parijs in Nanterre dat wanneer deelnemers van wie was vastgesteld dat ze onderling afhankelijk waren (dat wil zeggen dat ze geneigd waren in stereotypen te geloven), twintig foto's van blonde vrouwen te zien kregen voordat ze een algemenekennistest aflegden, lager scoorden dan de groep die van tevoren foto's van brunettes te zien kreeg en de groep die helemaal geen foto's te zien kreeg. De psychologen schreven het effect van 'dommer worden' toe aan de invloed van de sociale omgeving op gedrag. Velen van ons passen onze lichaamstaal, intellectuele prestaties en wedijver aan, zodat deze overeenkomen met die van de mensen om ons heen. Als een man (zoals Sig) echt gelooft dat blondjes dom zijn, wordt hij door naar blondjes te kijken dommer, net zoals deelnemers een hogere score halen bij een algemenekennistest als je ze van tevoren foto's van professoren laat zien, en zoals deelnemers langzamer gaan lopen als je ze foto's van oudere mensen laat zien. Dat is door andere onderzoeken aangetoond. Natuurlijk zijn blondjes als groep niet minder intelligent dan wie dan ook. In feite zijn er blondjes, echte en geverfde, die zo veel mogelijk hebben geprofiteerd van het stereotype – het 'blondeffect' – om van hun 'dommer geworden' aanbidder, die hen onderschat, te krijgen wat ze willen.

❖

Waarom zijn hoge hakken sexy?

'Ik weet niet wie hoge hakken heeft uitgevonden, maar alle vrouwen zijn hem heel veel verschuldigd.' Dat zei Marilyn Monroe over haar schoenen met naaldhakken, en er zit wat in. Hoge hakken maken je statig. Je voeten zien er kleiner uit en je tred is verfijnder. Je kuiten en schenen staan strak en zijn langer. Je houding is kaarsrecht.

Anatomisch gezien doe je op naaldhakken wat chimpansees doen als ze bronstig zijn: op de tenen staan, een hoge rug opzetten en de kont naar achteren steken. De beweging van je benen wordt sensueler. Anderen moeten ze haast wel zien: je wiegende heupen, pronte borsten en uitstekende bekken.

Schoenen met hoge hakken veranderen de lichaamsverhoudingen van een vrouw zodat die het ideaalbeeld beter benaderen (in westerse landen tenminste). Onderzoekers van de Universiteit van Wroclaw in Polen lieten meer dan tweehonderd mannen en vrouwen de aantrekkingskracht beoordelen van schetsen van zeven mannen en zeven vrouwen met diverse beenlengten. Zowel de mannen als vrouwen vonden dat een beenlengte die vijf procent langer is dan de norm voor een persoon van een bepaalde lengte, ideaal is. Dat betekent dat als de gemiddelde beenlengte van een vrouw van 1,65 meter 76 centimeter is, gemeten vanaf de onderkant van haar voet tot aan de plooi waar haar dij overgaat in haar bekken, een vrouw met deze lengte haar benen vijf procent langer kan doen lijken door hakken van een kleine vier centimeter te dragen. In het onderzoek werden benen die tien procent langer waren dan gemiddeld ook als sexy beschouwd, maar benen die vijftien procent langer waren weer niet. Als je een lengte hebt van tussen de 1,62 en 1,72 meter passen hakken van ongeveer 7,5 tot 9 centimeter goed bij je verhoudingen, maar hogere hakken zouden weer een beetje te veel van het goede zijn.

Uit een onderzoek van het University College in Londen bleek dat de ideale vrouwenfiguur benen heeft die precies 1,4 keer zo lang zijn als het bovenlichaam, wat toevallig de been-rompverhouding is die we zien bij Nicole Kidman, Naomi Campbell en de meeste andere supermodellen. Toen de 1,79 meter lange Nicole Kidman en de 1,69 meter lange Tom Cruise gingen scheiden, zei ze duidelijk opgelucht: 'Nu kan ik hakken gaan dragen.' Niet dat ze die nodig heeft.

Een van de redenen waarom lange benen zo sexy zijn is dat ze een teken zijn van gezondheid en een stabiele ontwikkeling. Als de groei verstoord wordt door ziekte, ondervoeding of genetische mutatie, worden de benen gewoonlijk meer in hun ontwikkeling belemmerd in verhouding tot de romp. Een grotere been-rompratio brengen we in verband met een betere gezondheid, inclusief een kleiner risico op hartziektes, diabetes, lage bloeddruk en zelfs kanker.

De uit de evolutionaire biologie afkomstige 'handicaphypothese' zou de obsessie van mannen voor vrouwen op hoge hakken ook kunnen verklaren. Die hypothese luidt als volgt: in de natuur is elke vertoning van overvloed een handicap. Felgekleurde, zware staartveren zijn een handicap voor pauwen; ze vergen veel van de vogel en trekken roofdieren aan. Zo zijn hoge hakken ook een handicap voor vrouwen; ze lopen moeilijk en je hebt er goede gewrichten en een goede coördinatie voor nodig. Zware staartveren en lastige hoge hakken zijn manieren om te pronken met een goede conditie, in die zin dat je fit moet zijn om je ze te kunnen 'veroorloven', en een goede conditie is heel sexy. Als we ze op die manier bekijken zijn schoenen met hoge hakken een soort darwinistische uitdaging. Ga op je tenen staan, letterlijk, om te overleven, te paren en je genen door te geven.

Wat wil een 'wiegel' in je manier van lopen zeggen?

Hoe meer je wiegelt bij het lopen, hoe smaller je taille is in verhouding tot je heupen: een duidelijk teken van jeugd en vruchtbaarheid. Dat was wat James Taylor bedoelde toen hij half neuriënd zong: 'There's something in the way she moves.' Dat iets is *sexappeal*. De volgende logische stap zou zijn om te denken dat je tijdens de vruchtbare periode van je menstruatiecyclus op een uitdagender manier loopt. Toch? Maar zo is het niet. Integendeel, een vrouw blijkt dan juist op een meer ingetogen manier te lopen. Wanneer de kans om zwanger te worden het grootst is, draai je minder met je heupen en houd je je knieën dichter bij elkaar.

De bedenkers van het onderzoek, de evolutionair bioloog Meghan Provost en haar collega's van de Queen's Universiteit in Canada, schrokken van deze uitkomst. Ze waren in feite zo verrast dat ze het onderzoek nog een keer overdeden. Provost had vrouwelijke vrijwilligers op verschillende tijdstippen van hun menstruatiecyclus gefilmd. Ze droegen een pak met lichtmarkeringen op de gewrichten en ledematen. Provost liet een groep mannen animaties zien van de wandelende figuren (alleen de lichtpunten, geen lichamen, wat mogelijk was dankzij de toverkunst van computermodelingsoftware) en liet hen beoordelen hoe sexy de manier van lopen van de figuren was. Elke keer vonden de mannen dat de minst vruchtbare vrouwen het meest sexy liepen. De vruchtbare vrouwen liepen op een meer discrete manier met de knieën dichter naar elkaar toe; ze draaiden en slenterden minder dan gewoonlijk. Hormonen die verband houden met de ovulatie zijn blijkbaar van invloed op hoe een vrouw loopt, waarschijnlijk doordat ze op de gewrichten en gewrichtsbanden werken, maar niet op de manier waarop je zou verwachten.

Provost denkt dat de reden waarom vrouwen tijdens hun meest vruchtbare periode minder uitdagend lopen een onbewuste poging is om overmatige aandacht van mannen uit de weg te gaan. Dat een vrouw ovuleert is wel aan subtiele dingen te merken – vollere gelaatstrekken door het oestrogeen, een grotere geslachtsdrift, en zelfs hun geur –, maar deze sexy signalen worden alleen opgepikt door mannen die zich in de buurt van de vrouw bevinden. Onze oermoeders gingen tijdens hun vruchtbare periode mogelijk op een minder opvallende manier lopen om zich te beschermen tegen aanranders. In de omstandigheden waarin zij verkeerden, was het waarschijnlijk het best voor de vrouw als ze kinderen kreeg van een gekozen partner en niet van een vreemdeling of onaantrekkelijke man die vanuit de verte een glimp van haar opving en zichzelf aan haar opdrong.

Maar goed, het is eigenlijk allemaal maar giswerk. Heupwiegend slenteren vinden we hier in het Westen sexy, maar in andere culturen kunnen ze daar anders over denken. Een lage taille-heupratio, die ervoor zorgt dat vrouwen meer wiegelen bij het lopen, wordt in het geïndustrialiseerde Westen zeer gewaardeerd, maar misschien niet in andere delen van de wereld, waar men een bredere taille aantrekkelijker vindt. Het kan raar lopen in deze wereld.

Dat loopt goed

Modellen, dansers en acteurs leren dat ze aandacht moeten schenken aan de manier waarop ze bewegen, en dat zou jij ook moeten doen als je graag wilt weten wat je met je manier van lopen kunt bereiken. Uit een gezamenlijk onderzoek van de Universiteit van New York (NYU) en Texas A&M, waarbij meer dan zevenhonderd mensen hun mening gaven, bleek dat men de manier van lopen waarbij vrouwen flink met hun heupen wiegen het meest sexy vond. Je kunt je heupwiegel verbeteren door je voeten meer in een v-vorm te plaatsen met je hielen dichter bij elkaar en je knieën iets verder van elkaar. Rol bij het lopen je voet af van de hiel naar de bal en beweeg je gebogen been in de richting van het been waar het gewicht op rust. Houd je bovenlichaam stil. Zorg dat je in een ritme komt, zodat je het gevoel krijgt dat je met je heupen een ronddraaiende beweging maakt. Als je schoenen met hoge hakken draagt, wordt het wiegen mogelijk nog meer benadrukt.

Hormonen zijn niet alleen van invloed op hoe je loopt, maar ook op de mate waarin je aandacht hebt voor de manier waarop mannen lopen. In een vervolgonderzoek naar 'mannenloopjes' ontdekte Provost dat vrouwen, ongeacht hun etnische afkomst, zich aangetrokken voelden tot een manier van lopen bij mannen die je kunt omschrijven als 'meer voor- en achterwaartse bewegingen met de schouders in vergelijking met de heupen'.(Volgens een onderzoek van de NYU kunnen homomannen met een nauwkeurigheid van zestig procent herkend worden aan hun meer wiegelende manier van lopen, omdat sommigen van hen een lagere taille-heupratio hebben – bredere heupen vergeleken met de taille – dan de gemiddelde heteroman.) Interessant genoeg gaven vrouwen in hun vruchtbare fase sterker de voorkeur aan een mannelijke manier van lopen waarbij flink met de schouders werd gedraaid. Hoe meer ze neigden naar een korte, hevige affaire of onenightstand, hoe aantrekkelijker ze die vonden. Pas dus maar op als je in zwijm dreigt te vallen bij de aanblik van een man die flink met zijn schouders zwiept.

❖

Waarom zijn rondingen sexy?

Op een afstand van dertig meter kan een man je mooie ogen of verrukkelijke lippen niet zien. Hij kan je spitsvondige grapjes niet horen of je dauwachtige huid voelen. Ook kan hij je zwoele stem niet horen of je zoete geur ruiken. Misschien leert hij je wel nooit kennen, maar door slechts even een blik te werpen op je figuur, kan hij heel wat te weten komen over je leeftijd, gezondheid en vermogen tot voortplanting (wat voor sommige casanova's voldoende is). Dat komt doordat hij direct kan zien wat je taille-heupratio (THR) is.

De taille-heupratio van een vrouw speelt een zeer belangrijke rol bij de seksuele aantrekkingskracht. Hoe smaller je taille is in verhouding tot je heupen, hoe weelderiger je lijkt. De 'gouden ratio' zou rond 0,7 liggen, dat wil zeggen, een taille die zeven tiende is van de breedte van de heupen, ongeacht gewicht. Dat is ongeveer de THR van de vrouwelijke vuurstenen figuurtjes die bij archeologische vindplaatsen zijn opgegraven, van beeldjes van de vruchtbaarheidsgodin Venus, de dansmeisjes met wespentailles op oude hindoeschilderijen, de in een korset geregen dames uit het oude Europa en schoonheden als Twiggy, Kate Moss en Marilyn Monroe. (Ja, slanke en weelderige vrouwen kunnen dezelfde THR hebben.)

Een THR van 0,7 wordt door mannen het aantrekkelijkst gevonden, zoals bleek uit diverse onderzoeken onder leiding van de evolutionair bioloog Devendra Singh van de Universiteit van Texas in Austin. Singh en zijn collega's lieten mannen tussen de vijfentwintig en vijfentachtig jaar lijntekeningen zien van twaalf vrouwelijke figuren die varieerden in THR en lichaamsgewicht. Ze vroegen de mannen de tekeningen te rangschikken naar aantrekkingskracht. Westerse mannen, van de eigenwijze jonge parvenu tot de beverige tachtiger, waren het bijna unaniem met elkaar eens over welke vrouwenfiguren het meest sexy en het gezondst zijn. De hoogste score ging naar figuren met een normaal gewicht met een betrekkelijk lage THR, rond de 0,7, wat tamelijk weelderig is. In het daaropvolgende onderzoek door Singh, waar het ook om borstomvang ging, zei de overgrote meerderheid van de jonge mannen dat ze liever uitgingen met vrouwen met grote borsten en een smalle taille. Hoewel mannen over de hele wereld een voorkeur hebben voor brede heupen en een lage THR, is uit sommige onderzoeken gebleken dat mannen uit een arm, agrarisch milieu meer houden van vrouwen met een THR van rond de 0,8, dus van een ietwat minder weelderig lichaamstype met meer kussentjes rond de taille. (Zie pagina 100-101 over economische invloeden.)

Vanuit evolutionair oogpunt zijn rondingen begerenswaardig omdat ze overduidelijk wijzen op jeugdigheid, gezondheid en vruchtbaarheid. Het zandloperfiguur is uniek voor een vrouw in de jaren dat ze het vruchtbaarst is en verdwijnt vaak nadat ze haar eerste kind heeft gekregen. Brede heupen zijn van cruciaal belang omdat het grote hoofd van een baby veel bekkenruimte vereist. Kledingstukken die de taille insnoeren, van kimono tot korset, zijn sexy omdat ze de heupen en het achterwerk breder doen lijken. Onze oermoeders sloegen vet op in hun heupen, achterste, dijen en borsten, zodat ze tijdens de zwangerschap en de periode dat ze borstvoeding gaven over de benodigde extra calorieën beschikten. Vrouwen spreken deze vetreserves gewoonlijk alleen in die periode aan, zelfs al zijn ze ondervoed.

Grażyna Jasieńska, als biologisch antropoloog verbonden aan Harvard, vond rechtstreeks bewijs dat het zandloperfiguur verband houdt met vruchtbaarheid. Ze nam de maten van honderdtwintig vrouwen in de vruchtbare leeftijd en ontdekte dat vrouwen met een lage THR-ratio en betrekkelijk grote borsten tijdens de vruchtbare fase van hun menstruatiecyclus een estradiolgehalte (een oestrogeenhormoon) hadden dat zevenendertig procent hoger was dan bij vrouwen met een hogere THR (niet zo weelderig). Gedurende de rest van hun cyclus lag dat percentage op zesentwintig. Oestrogeen vergroot de vruchtbaarheid en bepaalt mede waar en hoe vet op je lichaam wordt opgeslagen. Dankzij oestrogeen stapelt vet zich bij jonge vrouwen niet op de buik en taille op, zoals dat wel gebeurt bij mannen en oudere vrouwen. Uit Jasieńska's onderzoek bleek dat vrouwen met een weelderig figuur ruwweg *drie keer* zo veel kans hadden zwanger te worden als vrouwen van dezelfde leeftijd met een meer kokervormig lichaam, een verbijsterend verschil.

Het boeiende is dat ook bewezen is dat mannen geleidelijk een voorkeur hebben ontwikkeld voor vrouwen met een lage THR omdat rondingen een teken zijn dat ze slimmere kinderen krijgen. William Lassek, epidemioloog aan de Universiteit van Pittsburgh, en Steven Gaulin, antropoloog aan de Universiteit van Californië in Santa Barbara, hebben de aandacht gevestigd op het feit dat het vet dat op de heupen en dijen wordt opgeslagen een ander, en veel gezonder vet is dan het dikke spul rond de taille. Heup- en dijvet ('gluteofemoraal vet') is rijk aan langeketen meervoudig onverzadigde vetzuren en omega-3 vetzuren (inclusief DHA), die uiterst belangrijk zijn voor de hersenontwikkeling van de foetus. Wanneer vrouwen zwanger zijn of borstvoeding geven, voeden deze 'slimme vetten' de baby. Ze vormen twintig procent van het droge gewicht van het menselijk brein, en het is bekend dat het IQ van een baby toeneemt met 0,13 punt voor elke toename van honderd milligram in de dagelijkse opname van alleen DHA. Na het uitpluizen van de gegevens van 1933 moeder-kindkoppels en het corrigeren hiervan op basis van factoren als leeftijd bij de geboorte van het eerste kind, opleiding, opleiding van de vader, inkomen en ras, ontdekten de onderzoekers dat kinderen wier moeder een lage THR had, werkelijk slimmer waren. Alleen de THR van de moeder al verklaarde een verschil van bijna drie procent in de scores van kinderen bij vier cognitieve tests.

In elk geval is een THR van rond 0,7 sexy omdat een ratio boven de 0,9 een teken is van een slechte gezondheid of onvruchtbaarheid. Een hoge THR kan een kenmerk zijn van de overgang of problemen met de geslachtsorganen, die te wijten kunnen zijn aan een verlaagd oestrogeengehalte of verhoogd testosterongehalte. Een hoge THR kan ook wijzen op problemen zoals hart- en vaatziekten, diabetes of een aandoening aan de galblaas. Maar voor hetzelfde geld heb je een hoge THR en ben je jong en gezond... en zwanger.

Meet je THR

Ga rechtop staan, adem normaal en meet met een centimeter de omtrek rond het smalste deel van je taille, iets boven je navel. (Niet stiekem je adem inhouden.) Schrijf het getal op. Meet dan de omtrek van je heupen door de centimeter over het breedste deel van je heupen en achterste te leggen. Schrijf dat getal ook op. Bereken dan je THR door de omtrek van je taille te delen door de omtrek van je heupen.

THR = *omtrek van je taille / omtrek van je heupen*

Maak je geen zorgen als je niet de ideale THR van 0,7 van Marilyn Monroe hebt. Je kunt je zo kleden dat het lijkt alsof je die wel hebt. Als je heupen en taille zo ongeveer hetzelfde zijn, draag dan overhemdblouses, blazers en jurken die vanboven mooi aansluiten maar vanaf de taille uitwaaieren, zodat ze de illusie wekken van bredere heupen. Heb je een taille die breder is dan je heupen, laat je middel dan smaller lijken door verticale strepen, blazers en blouses met een V-hals te dragen, die je bovenlijf benadrukken en de aandacht wegtrekken van je onderlijf.

Waarom houden mannen van grote borsten?

Borstklieren roepen bij alle mannelijke zoogdieren weerzin op, behalve bij mannen. Dat komt doordat grote borsten bij alle vrouwelijke zoogdieren behalve bij vrouwen betekenen dat ze tijdelijk onvruchtbaar zijn. Bij een drachtige of zogende hond of kat floepen ze naar buiten, een teken dat ze niet beschikbaar zijn, en meestal verdwijnen ze weer naar binnen als de pups en jonge poesjes gespeend zijn. Maar vrouwenborsten steken vanaf de puberteit naar buiten en gaan nooit meer weg. Mannen vinden dat enorm prikkelend.

Niemand weet precies te vertellen waarom mensenborsten zo sexy zijn en zo groot worden, maar alle theorieën hebben iets te maken met vruchtbaarheid. Evolutionair psychologen denken dat ons decolleté dezelfde functie heeft als het gezwollen achterste dat andere vrouwelijke primaten hebben als ze bronstig zijn. Freudiaanse psychologen komen met theorieën over het oedipuscomplex bij mannen: ze zijn altijd op zoek naar een moederfiguur (letterlijk). Antropologen menen dat vrouwen grotere, permanente borsten ontwikkelden toen onze soort zich aan een hardere omgeving begon aan te passen, grotere hersenen kreeg en op twee benen ging lopen. Onze oermoeders sloegen het hele jaar door vetreserves op in hun borsten (en dijen en achterste), ook als ze geen borstvoeding gaven, en op die manier wisten ze de elementen en de ontberingen van zwangerschap, bevalling en het grootbrengen van kinderen te overleven.

Grote borsten wijzen mogelijk op een grotere vruchtbaarheid, wat misschien verklaart waarom mannen denken dat grotere tieten beter zijn. In je borst (en achterste, dijen en heupen) hoopt zich vet op onder invloed van het hormoon oestrogeen, dat er ook voor zorgt dat je zwanger kunt worden. Zoals we op pagina 91 al zagen bleek uit een onderzoek door Grażyna Jasieńska, als epidemioloog verbonden aan Harvard, dat vrouwen met veel rondingen ruwweg drie keer zo veel kans hebben om zwanger te worden als vrouwen met een ander lichaamstype. (Bij het onderzoek werd er pas van grote borsten gesproken als de omtrek van je bovenlijf gemeten over je borsten ten minste twintig procent groter was dan die gemeten onder je borsten.)

Borsten zijn ook reclame voor je leeftijd, gezondheid en goede genen, en daarom denken antropologen dat ze van doorslaggevende betekenis zijn bij de keuze van een sekspartner, zelfs in culturen waarbij de borsten niet meer geërotiseerd worden dan het gezicht. Hoe groter je tieten, hoe meer ze over je onthullen, want vrouwenborsten hebben nu eenmaal de onhebbelijke neiging om te gaan hangen. In het tijdperk voor de plastische chirurgie hadden alleen heel jonge vrouwen grote borsten, die ook nog eens stevig waren.

De symmetrie van de borsten van een vrouw zegt ook iets over haar gezondheid. Doordat borsten tijdens de puberteit zo snel groeien, zijn ze bijzonder gevoelig voor hormonale verstoringen, waardoor de ene borst veel groter kan worden dan de andere en ook de vruchtbaarheid in gevaar kan worden gebracht. Vrouwen met asymmetrische borsten krijgen gemiddeld minder kinderen dan vrouwen met symmetrische borsten. Wat nog erger is: hoe groter het verschil in grootte tussen de borsten, hoe groter de kans dat een vrouw borstkanker ontwikkelt. Bij elk verschil van honderd milliliter in de grootte van de borsten, neemt het risico met vijftig procent toe. (Geen paniek! Bij de meeste vrouwen is de asymmetrie klein. Gemiddeld is de linkerborst vier procent groter dan de rechterborst.)

Grote borsten horen bij een reeks sexy vrouwelijke kenmerken die met gezondheid en een hoger oestrogeengehalte worden geassocieerd, inclusief een lage THR, ronde gelaatstrekken met een kleine kin en een hoge stem. Milieufactoren zijn ook van invloed op de borstomvang. In China is de gemiddelde cupgrootte in tien jaar tijd met bijna tweeënhalve centimeter toegenomen, zodat er nu meer Chinese vrouwen zijn dan ooit die een B- of C-cup dragen. In Amerika ging het gemiddelde van 75B naar 80C. Vet eten is de grote boosdoener. Maar toch, als vrouwen zeggen dat ze willen afvallen, bedoelen ze nooit het vet dat in hun borsten zit opgeslagen.

Waarom hebben vrouwen het gevoel dat ze per se broodmager moeten zijn?

Wallis Simpson, de hertogin van Windsor, zat er in elk geval half naast toen ze zei dat een vrouw niet te rijk of te dun kan zijn. Hoe stinkend rijk je ook bent, het is beter om een gezond, gemiddeld gewicht te hebben met een *body mass index* (BMI) van tussen de 18,25 en 24,9. Dat zien mannen liever, in theorie althans.

Toen de evolutionair psycholoog Devendra Singh mannen van achttien verschillende rassen – waaronder Afrikaans-Amerikaans, blank Amerikaans, Indonesisch en Indiaas – het aantrekkelijkste type vrouwenlichaam liet kiezen uit een reeks lijntekeningen, kozen ze zonder uitzondering allemaal het figuur met een gemiddeld gewicht en veel rondingen. Dat is logisch, concludeerde Singh, omdat vrouwen met overgewicht en ondergewicht eerder gezondheidsproblemen zullen krijgen. Als je broodmager bent, of zelfs maar tien tot vijftien procent onder de normale body mass voor jouw lengte, kun je tijdelijk onvruchtbaar worden. Je lichaam zorgt ervoor dat je niet zwanger kunt worden als je fysiek niet in staat bent een baby in je buik te laten groeien. Je baarmoeder krimpt, je wordt niet meer ongesteld en je libido wordt minder. In extreme gevallen verdwijnt dat helemaal. Hoe sexy is dat?

Als ze het dus niet doen om de aandacht van mannen te trekken, waarom willen de Victoria Beckhams en Kate Mosses – en jij misschien ook – dan per se zo superdun zijn? Het is ingewikkeld. Geef de media maar de schuld en alles wat daarmee te maken heeft: de mode-industrie, de dieetindustrie en het Hollywood-ideaal dat zo veel vrouwen nastreven. Geef de schuld maar aan de economische, sociale en psychologische spanning die eetstoornissen veroorzaakt. Wijs maar naar ons verlangen om te wedijveren met andere vrouwen, waarbij we anorexiamodellen als een soort maatstaf nemen. Sommigen gaan zover te beweren dat het feit dat vrouwen zich op een carrière gaan richten in plaats van op trouwen en kinderen krijgen ermee te maken heeft. In haar boek *Het recht van de mooiste* beschreef de psycholoog Nancy Etcoff de prikkelende theorie dat extreem lijnen de vruchtbaarheid uitstelt doordat de veroudering van de eierstokken wordt vertraagd. Dat zou betekenen dat vrouwen onbewust een strategie toepassen om het krijgen van kinderen uit te stellen totdat ze in hun carrière of op het romantische vlak hebben bereikt wat ze willen.

De meeste van deze redenen zijn eigenlijk terug te brengen tot de media, cultuur en status. Je kunt niet ontkennen dat socio-economische factoren een rol spelen bij wat als aantrekkelijk wordt beschouwd. Vergeet niet dat een zongebruinde huid lelijk werd gevonden toen die met arbeiders werd geassocieerd, maar sexy toen die in verband werd gebracht met rijkelui die de hele dag geen klap uitvoeren. Datzelfde geldt voor dun zijn, dat aantrekkelijk is omdat het nu in verband wordt gebracht met sociale en economische voorspoed, en niet met armoede. Van een goedkope, snelle hap worden mensen kwabbig, en de betere kringen onderscheiden zich door het toetje over te slaan. Hieruit volgt dus dat mannen voor wie sociale status belangrijk is, het niet erg vinden om een broodmagere vriendin te hebben als dit lichaamstype volgens de heersende opvatting het aantrekkelijkst is. (Interessant genoeg hebben onderzoeken aangetoond dat zwarte mannen als groep meer van zwaardere vrouwen houden. Dat verklaart misschien waarom minder zwarte vrouwen aan anorexia lijden.)

Uit dit alles blijkt dus dat cultuur de biologie kan aftroeven. Soms is het lichaamstype dat als het meest ideale wordt beschouwd niet gewoon een gemiddeld, gezond type of, ironisch genoeg, het type met de meeste sexappeal.

Meet je BMI

Met de *body mass index* kun je bepalen of je lichaamsgewicht goed is in verhouding tot je lengte. BMI is een internationale richtlijn en de officiële meeteenheid is je gewicht in kilo's gedeeld door je lengte in het kwadraat:

$$\text{BMI} = \textit{Gewicht in kilo's} / (\textit{Lengte in meters})^2$$

Of bereken je BMI online op:
http://www.voedingswaardetabel.nl/bereken/bmi/

BMI	
> 18,5	Ondergewicht
18,5-24,9	Normaal gewicht
25,0-29,9	Overgewicht
30,0-34,9	Zwaarlijvig
35,0-39,9	Zeer zwaarlijvig
< 40	Extreem zwaarlijvig

❖

Waarom hebben mannen het gevoel dat ze per se gespierd moeten zijn?

Mannenlichamen worden ook nauwlettend in de gaten gehouden, hoewel de druk voor de gemiddelde heteroman om goed in vorm te zijn niet zo groot is als voor vrouwen. Eerlijk gezegd zullen vrouwen niet zo gauw een man afwijzen allen maar omdat hij niet aan een fysiek ideaal voldoet (maar het uiterlijk telt natuurlijk wel mee, soms meer dan vrouwen willen toegeven). Dames houden van mannen met een v-vorm – smalle taille en brede schouders –, wat zich losjes vertaalt in een taille-heupratio (THR) van ongeveer 0,90 en niet hoger dan 1,00, en een taille-schouderratio (TSR) van 0,75 of lager. Jonge mannen hebben een ideale spiermassa van ongeveer drieënveertig procent van hun lichaamsmassa.

Gezien het feit dat vrouwen soepeler zijn dan mannen als het om het uiterlijk van hun partner gaat, vooral bij een langdurige relatie, waarom willen dan toch zoveel mannen zo gespierd zijn? Volgens een onderzoek door psychologen van de UCLA is de reden daarvoor dat mannen steeds meer te maken krijgen met een onderlinge prestigestrijd. Net zoals de media maar blijven vasthouden aan een beeld van het vrouwenlichaam dat magerder is dan mannen in feite mooi vinden, drukken ze ook een mannelijk ideaal door dat gespierder is dan de meeste vrouwen in feite mooi vinden. De ontklede mannen die een belangrijke plaats innemen in mannenglossy's als *Men's Health*, zijn aanzienlijk meer gespierd dan de spetters in, laten we zeggen *Cosmopolitan*. Mannen in westerse landen hebben het gevoel gekregen dat de Abercrombie & Fitch-kerel met een wasbord, opbollende bicepsen en door steroïden opgepompte deltaspieren de norm voor mannen is geworden.

Bovendien denken ze dat vrouwen daarvan houden. Zoals veel vrouwen denken dat mannen van broodmagere vrouwen houden, zo denken mannen dat vrouwen van supergespierde mannen houden. Vooral als het om langdurige relaties gaat, kloppen deze veronderstellingen niet. Volgens een onderzoek door biopsychiaters van de Medische School van Harvard denken westerse mannen dat vrouwen van een mannenlichaam houden dat ongeveer tien tot vijftien kilo meer spiermassa heeft dan hun eigen lichaam en het gemiddelde mannenlichaam.

Toen vrouwelijke studenten echter moesten kiezen uit een rij mannen met verschillende typen lichaamsbouw, pikten ze er een uit die wel een tintje had, maar zonder al die massa en spierkracht. Terwijl mannen niet verlangen naar een extreem dunne vrouw omdat dat hun onbewuste voorkeur voor vruchtbaarheid ondermijnt, verlangen vrouwen niet naar een *extreem* gespierde man omdat die hun voorkeur ondermijnt voor kenmerken die horen bij een laag testosterongehalte, zoals trouw en vaderlijke gevoelens. Als een vrouw wel naar een gespierde man verlangt, is dat eerder voor een korte relatie. In een onderzoek door de UCLA gaf eenenzestig procent van de vrouwen aan dat hun korte affaires krachtiger waren dan hun vriendjes.

Interessant genoeg voelden Aziatische mannen in Taiwan zich gelukkiger met hun lichaam dan westerse mannen; ze verlangden niet zo naar meer spieren en werden minder blootgesteld aan beelden van gespierde mannen in de media. Onderzoekers vragen zich daarom af of de overdreven vermannelijking van de westerse man een reactie is op het feminisme. Opzwellen is het enige wat mannen wel kunnen en de meeste vrouwen niet.

Waarom houden hongerige mannen meer van zwaardere vrouwen?

Je hoeft maar naar de Playmates van het Jaar van de *Playboy* te kijken om een idee te krijgen hoe het met de economie gaat. Dat hebben de psychologen Terry Pettijohn II en Brian Jungeberg in wezen gedaan, door de omvang van de borsten, de armen en benen en gelaatstrekken van pin-upgirls in goede en slechte economische tijden te vergelijken. Ze ontdekten dat in jaren waarin onder andere de consumentenprijsindex, werkloosheid en het aantal moorden op een economisch moeilijke tijd wezen, de Playmates iets zwaarder, ouder en langer waren, een bredere taille en kin, en kleinere ogen hadden. (In 1993, een rampjaar voor de economie, prijkte Anna Nicole op de centerfold.) Toen de sociale en economische omstandigheden verbeterden, waren de Playmates lichter, fijner en kleiner, hadden ze grotere ogen en een smallere taille.

In moeilijke tijden lijkt de voorkeur van mannen voor bepaalde vrouwengezichten ook iets te veranderen. De evolutionair psycholoog Anthony Little van het Laboratorium voor Gezichtsonderzoek in Liverpool vroeg deelnemers zich voor te stellen dat ze in moeilijke omstandigheden verkeerden waarin ze ongeschoold en werkloos waren, honger hadden, en in een gewelddadige buurt woonden zonder enige sociale hulp. Daarna moesten ze de aantrekkingskracht beoordelen van gezichten van de andere sekse en bepalen welk ze het liefst zagen onder welke omstandigheden.

In moeilijke omstandigheden gaven de mannen voor een langdurige relatie de voorkeur aan vrouwengezichten met een hardere en mannelijker uitstraling, en voor een korte relatie zagen ze liever fijnere, vrouwelijke gezichten met grotere ogen, een kleine neus, smalle kin en ronde babywangen. Het lijkt wel of een man in een moeilijke tijd liever een vaste relatie aangaat met een vrouw die er volwassener uitziet. Zo'n vrouw wordt gezien als standvastig, sterk, betrouwbaar, onafhankelijk en als iemand met een hogere status; misschien een betere partner als je als man iemand wilt die voor je zorgt. Als de omstandigheden minder dreigend zijn en er geld in overvloed is, gaat de voorkeur van de mannen ineens weer terug naar vrouwen met vrouwelijke gelaatstrekken, zoals grote ogen en een lichter, kleiner, zwakker lichaam. (Vrouwen hebben liever een zachtaardig uitziende, minder mannelijke man voor een langdurige relatie in moeilijke omstandigheden; ze denken dat die trouwer is en meer steun biedt. Voor een korte relatie houden vrouwen meer van mannen die er zeer mannelijk uitzien. Deze duidelijke voorkeuren – een zachtaardige man om mee te trouwen en een lekker stuk voor onenightstands – zijn over het algemeen van toepassing in goede én in slechte tijden.)

Gezien de uitkomst van het onderzoek van Little is het niet verbazingwekkend dat in sommige delen van de derde wereld, waar de bestaansmiddelen schaars zijn, mannen vinden dat vrouwen met een bredere taille het meest sexy zijn. Terwijl wij hier in het Westen aan een selderijstengel en slablaadjes knabbelen, doen vrouwen in Mauritanië zich te goed aan boter en room, die ze moeten eten van familieleden die denken dat een vrouw met veel lichaamsvet meer kans maakt op de huwelijksmarkt. Dat mannen zich aangetrokken voelen tot een dikkere taille is een reactie op moeilijke economische omstandigheden, volgens de evolutionair psychologen Viren Swami en Matrin Tovée van de Universiteit van Liverpool en de Universiteit van Newcastle. In een onderzoek naar de voorkeur voor vrouwelijke lichaamstypen vroegen ze Europese en Aziatische mannen met verschillende economische achtergronden de aantrekkingskracht te beoordelen van vrouwen van wie de body mass index bekend was. De mannen uit industrielanden gaven, ongeacht hun ras, de voorkeur aan vrouwen met een normaal gewicht. Mannen uit arme, agrarische gebieden hielden meer van dames met een zwaarder lichaam. (Onderzoeken hebben aangetoond dat in sommige ontwikkelingslanden, zoals Kenia, mannen de voorkeur geven aan vrouwen met een lage taille-heupratio, zij het met een hogere lichaamsmassa.)

Wat nog vreemder is, is dat de smaak van mannen kan veranderen, afhankelijk van hoe groot hun verlangen is en hoe veilig ze zich op een bepaald moment voelen. De onderzoekers hielden zestig studenten bij de ingang van een eetzaal in een Engelse universiteit staande en vroegen hun hoeveel honger ze hadden. Ongeveer de helft van de mannen zei dat ze stierven van de honger, terwijl de andere helft net met gevulde maag de eetzaal uit kwam. De onderzoekers lieten hun foto's zien van vijftig vrouwen met verschillende lichaamstypen en vroegen hun een oordeel te geven over de lichamen van de vrouwen (alleen hun lichaam, geen gezicht). Hoewel alle mannen de voorkeur gaven aan lichaamstypen die binnen een gemiddelde gewichtsklasse vielen, vonden degenen die erge honger hadden de wat zwaardere figuren mooier. (De mannen met een lege maag gaven de voorkeur aan een BMI van maximaal 22,97, terwijl die bij de mannen met een volle maag 20,72 was.) Toen de onderzoekers hun vroegen de aantrekkelijkheid van vrouwen met obesitas te beoordelen, gaven de hongerige mannen hun een hoger waarderingscijfer dan de mannen met een volle maag.

Volgens Swami en Tovée veranderen de idealen van een man onbewust in overeenstemming met wat in verschillende milieus opportuun is. Onze drijfveren en beslissingen hangen ook af van onze bloedsuikerspiegel en hormoonspiegel, die weerspiegelen of we net gegeten hebben of niet, en hoe kalm we zijn. Ze zijn ook van invloed op hoe zeker we ons voelen. In een tijd van schaarste zorgt het biologisch instinct van mannen ervoor dat ze zich aangetrokken voelen tot vrouwen die vruchtbaar lijken, die in staat zijn handenarbeid te verrichten en die een zwangerschap en bevalling aankunnen. Lichaamsvet kan psychologisch gezien geruststellend zijn, in die zin dat het staat voor overvloed en bekwaamheid.

Wordt je schoonheid zoals anderen die waarnemen dus beïnvloed door het inkomen per hoofd van de bevolking, terrorisme, de Dow Jones, het misdaadcijfer, de plek waar je woont en of je wel of niet ontbeten hebt? Misschien wel een beetje, alhoewel niet is onderzocht in hoeverre de toestand op de markt de partnerkeuze in het echte leven beïnvloedt. Toch is het misschien de moeite waard om eens een *Wall Street Journal* of *Playboy* door te bladeren om te kijken waar je aan toe bent.

Waarom zouden zo veel mannen willen dat ze een grotere penis hadden?

'De vagina van de vrouw zit zo knap in elkaar dat ze zich aanpast aan wat voor penis ook; ze zal een korte penis tegemoetkomen, terugwijken voor een lange, zich opensperren voor een dikke en zich versmallen voor een dunne. De natuur heeft rekening gehouden met alle soorten penissen en het is dus niet nodig op zoek te gaan naar een schede die precies even groot is als je mes.'

Aldus concludeerde Reinier de Graaf, de zeventiende-eeuwse Nederlandse anatoom, naar aanleiding van de vraag of de grootte van de penis er bij seks toe doet. Het onderwerp is eeuwen later nog steeds actueel. Aangezien er nogal wat mannen rondlopen met een zwak ego is er een enorme industrie rondom penisvergrotingen ontstaan. Met pillen, een pomp of mes willen mannen hun penis laten vergroten zoals vrouwen hun borsten laten vergroten. Dat doen ze om hun partner te bevredigen, zeggen ze.

Wereldwijd is de gemiddelde penis in erectie 13,5 centimeter lang.

Achtenzestig procent van de mannen heeft een penis van tussen de 11,7 en 15,2 centimeter. De omtrek is gewoonlijk ongeveer 12,2 centimeter. Ter vergelijking: de gemiddelde vagina is slechts zo'n 7,6 tot 10,2 centimeter lang, hoewel deze zich bij seksuele opwinding uitzet en aan de penis aanpast. (Bij vrouwen die op natuurlijke wijze bevallen zijn, is de opening van de vagina groter, maar sterke bekkenbodemspieren kunnen er toch voor zorgen dat vanbinnen alles stevig is.) Bovendien zitten alleen in de eerste 6,5 centimeter van de vagina zenuwuiteinden.

Dankzij deze anatomische eigenschappen zijn vrouwen in wezen tevreden met de vorm en afmeting van de diverse penissen waar ze mee te maken krijgen. Mannen die zich onderbedeeld voelen, zouden de *Sex and Body Image Survey* moeten raadplegen, een onderzoek door sociologen van de Staatsuniversiteit van Californië en de UCLA onder meer dan tweeënvijftigduizend mensen uit de hele wereld die de website MSNBC.com of Elle.com bezochten. Slechts zes procent van de vrouwen vond de penis van haar partner te klein, en slechts veertien procent zou willen dat haar partner een grotere penis had. Leg de vraag over de grootte van de penis voor aan een groep vriendinnen als je gezellig wat zit te drinken, en de kans is groot dat ze het er allemaal over eens zijn dat de grootte er niet toe doet. Dat heb ik ook een keer gedaan, en een vriendin van me, een eigenzinnige bankier, zette met een harde klap haar glas bier op tafel, lachte even en zei: 'Een kleine penis kan worden gecompenseerd door vaardigheid, maar een gebrek aan vaardigheid kan niet worden gecompenseerd door een grote penis.' Toch zien mannen met een penis van gemiddelde grootte deze als een ernstige tekortkoming. Bijna de helft van de mannen die aan het wereldwijde onderzoek deelnamen, vijfenveertig procent, zei dat ze graag een grotere penis zouden willen, ook al vond slechts twaalf procent zichzelf klein geschapen.

Waarom zouden zo veel mannen willen dat ze een groter geslachtsorgaan hadden, terwijl het zo weinig vrouwen wat kan schelen? Een verklaring is dat mannen er mogelijk onbewust naar verlangen hun vruchtbaarheid te vergroten. Sommige biologen opperen dat zich bij de mens een grotere penis heeft ontwikkeld (bij andere primaten is deze kleiner) om mannen een grotere kans te geven vrouwen zwanger te maken. Een lange penis dringt dieper naar binnen en spuit het zaad rechtstreeks in de baarmoederhals en kan bovendien een vorm aannemen waarmee zaad van eventuele rivalen weggesleept kan worden. (Zie pagina 260.) Een brede penis zouden we als een betere 'plug' kunnen zien die voorkomt dat het zaad wegsijpelt. Een dikke piemel die langs de clitoris wrijft kan ook een orgasme bij de vrouw teweegbrengen, waardoor een man weer meer kans maakt een vrouw ook werkelijk te bevruchten.

Volgens de sociologen die de onderzoeksresultaten bestudeerden, is er echter nog een andere, minder bekende verklaring voor het feit dat zo veel mannen een toverstokje zouden willen om hun penis te laten groeien. De grootte van de penis wordt door iedereen in verband gebracht met mannelijkheid. Zolang de penis een symbool is van kracht, heeft hij mannen in zijn macht. Zoals de media benadrukken dat vrouwen met grote borsten en een broodmager lichaam aantrekkelijk zijn, zo dringen ze mannen een gespierde borstkas en grote penis op. Ironisch genoeg voelen vrouwen zich in feite helemaal niet zo tot deze twee kenmerken aangetrokken als mannen denken. (Zie pagina 98.)

Maar mannen denken hierbij misschien niet in de eerste plaats aan vrouwen. De evolutionair bioloog Jared Diamond schrijft in zijn boek *De derde chimpansee* dat de penis evenveel te maken heeft met status als met seks. Hoe groter hij is, hoe krachtiger en mannelijker de man is. De penis heeft als symbool van viriliteit in de geschiedenis altijd gediend als bedreiging of als statusvertoon naar andere mannen toe, vergelijkbaar met hoe een leeuw met zijn manen naar andere leeuwen dreigt. Dat verklaart mede waarom een woord als *mannelijkheid* synoniem is geworden met *penis.*

Kortom, er bestaat geen twijfel over dat mannen onder druk staan om in de bestuurskamer en kleedkamer aan het meten te slaan. Maar in de slaapkamer hoeven ze zich er in elk geval niet druk om te maken.

Kijk niet naar zijn handen

Voor het geval het je *wel* wat kan schelen: er is slechts één anatomisch kenmerk dat (heel) ruwweg in onderling verband staat met de omvang van de penis. En ook al heb je dat op de basisschool misschien zo geleerd, dat zijn niet de handen van de man. Uit een onderzoek onder drieëndertighonderd Italiaanse mannen bleek dat alleen de *lengte* samenhing met een grotere penis, dus hoe langer de man, hoe groter zijn penis. Dat lengte een indicatie is van de omvang van de penis bleek ook uit de resultaten van het onderzoek op MSNBC.com/Elle.com, waaraan meer dan vijfentwintigduizend mannen deelnamen: aanzienlijk meer mannen onder de 1,72 meter zeiden dat ze een kleine penis hadden en aanzienlijk meer mannen boven de 1,83 meter zeiden dat ze een grote penis hadden dan mannen met een gemiddelde lengte. En hier is nog een fabeltje dat we om zeep kunnen helpen: ras is geen betrouwbare indicatie voor de grootte van de penis. Er zijn diverse onderzoeken naar verricht, maar er is geen duidelijk onderling verband gevonden tussen ras, etniciteit en de grootte van de penis. Er bestaat veel meer variatie *binnen* een bepaald ras dan *tussen* verschillende rassen, zo blijkt uit een onderzoek van de Wereldgezondheidsorganisatie. Wil je een zo groot mogelijke kans hebben om een man met een grote penis te vinden, ga dan niet langer af op handen en huidskleur, maar kijk omhoog.

❖

Gaan mannen met grote geslachtsdelen eerder vreemd?

Nee, er is geen spijkerhard bewijs dat mannen met grote geslachtsdelen (zaadballen of penis) meer vreemdgaan dan kleiner geschapen mannen. Deze misvatting is mogelijk ontstaan door de theorie van de spermacompetitie, die inhoudt dat zeer promiscue soorten grote zaadballen hebben. Chimpansees bijvoorbeeld hebben een grote penis en ballen zo groot als meloenen. Hoe groter de zaadballen, hoe meer sperma ze bevatten. Promiscue dieren moeten flink wat sperma produceren omdat vrouwtjes soms meerdere keren per dag met verschillende mannetjes paren, en het mannetje dat het meeste zaad loost, heeft meer kans om haar zwanger te maken en vader te worden. Dit is echter niet van toepassing op de grootte van de zaadballen *binnen* een soort. Het is inderdaad wel zo dat mannen met grote zaadballen meer sperma uitstoten dan mannen met kleine zaadballen en dus ook meer kinderen kunnen verwekken, maar onderzoeken hebben aangetoond dat ze *niet* promiscuer zijn.

Datzelfde geldt voor de omvang van de penis. Mannen met een grote penis zijn niet meer geneigd tot vreemdgaan dan de gemiddelde Jan, Piet of Klaas. Wat dat betreft maakt grootte niets uit, dat is een ding dat zeker is.

Wat is het nut van schaamhaar?

Toen tijdens de evolutie het haar van ons lichaam verdween, waarschijnlijk omdat we het anders te warm kregen en om parasietenplagen te voorkomen, bleef het haar op ons hoofd, onder de oksels, rond de schaamstreek en op het gezicht van de mannen zitten. Waarom we ons hoofdhaar hielden is logisch: het beschermt ons tegen hitte en kou, en verraadt of we wel of niet gezond eten en hoe we ons ontwikkelen. De baarden bij mannen zijn ook gemakkelijk te verklaren: ze beschermen tegen de kou en zijn een teken van mannelijkheid. Maar wat het nut is van het kroezige, wat ruwere schaamhaar (en okselhaar), is iets minder duidelijk.

Mogelijk beschermt schaamhaar onze geslachtsorganen tegen vuil, zoals de wimpers dat bij de ogen doen. Er zijn ook mensen die denken dat het haar 'daar beneden' een rol heeft gespeeld bij de seksuele selectie. Het is in elk geval een overduidelijk teken van vruchtbaarheid: alleen iemand die seksueel volgroeid is, heeft schaamhaar. Mogelijk zorgt het ook voor de verspreiding van feromonen. Bij elk haarzakje zitten zweetklieren, en die klieren kunnen geuren bevatten die voor iedereen uniek zijn. Haar bevat een beetje vet, en vet absorbeert lichaamsgeuren. Dat verklaart waarom schaamhaar onze persoonlijke geur zo goed vasthoudt. Schaamhaarzakjes fungeren ook als antennes die onze geur uitzenden naar degene die toevallig met zijn neus in de buurt is. (Zie pagina 38-55.)

Kaal, streepje of puur natuur?

Sommige vrouwen vinden hun 'schaamhaarcoupe' net zo belangrijk als hun kapsel. In een onderzoek van een marktonderzoekbureau onder bijna veertienhonderd vrouwen gaf vijfentwintig procent aan dat ze hun schaamhaar kort afknippen; drieëntwintig procent zegt dat ze een deel van hun schaamhaar scheren of waxen, waarbij ze een 'landingsbaan' laten staan; en negen procent haalt het helemaal weg (de Braziliaanse bikinilijn). Alles bij elkaar betekent dit dat de helft van de vrouwen hun schaamdelen ziet als een plek die een schoonheidsritueel waard is. Uit een onderzoek op AskMen.com onder ongeveer tweeënzeventigduizend mannen bleek dat negenendertig procent de voorkeur geeft aan een partner die daar beneden gladgeschoren is, achtendertig procent aan schaamhaar dat kortgeknipt is en dat slechts drieëntwintig procent voor puur natuur gaat, of geen voorkeur heeft. Mogelijk wijst een goed verzorgd geheel op gezonde gewoontes, en is dun schaamhaar een teken van jeugdigheid. Volgens feministen riekt het waxen van schaamhaar, vooral de Braziliaanse zo-kaal-als-een-babybehandeling, naar infantilisatie van de vrouw.

DEEL II

GEDRAG

5

Mannelijke en vrouwelijke hormonen

Telkens wanneer ik,
voorbijgaand aan feromonen en de esthetiek van het lijf
zuiver uit liefde de liefde bedrijf,
is dat een daad van verraad
aan de wetenschap.
– Katherine Larson, 'Love at Thirty-two Degrees'

Waarom zijn er dagen waarop mannen zich bijzonder tot je aangetrokken lijken te voelen?

Wil je weten wanneer voor jou het beste moment is om uit te gaan met die spetter op wie je al lang een oogje hebt? Kijk dan maar eens naar de fooien die vrouwen die het van hun sexappeal moeten hebben om de kost te verdienen ontvangen. In een stripteasetent in Albuquerque kregen de strippers die tijdens de vruchtbare fase van hun menstruatiecyclus een lapdance deden, gemiddeld 70 dollar fooi, terwijl ze 35 dollar kregen als ze menstrueerden. Gedurende de rest van hun menstruatiecyclus kregen de danseressen per uur gemiddeld 50 dollar fooi. Degenen die aan de pil waren, verdienden de hele tijd beduidend minder en kregen op geen enkel moment gedurende hun cyclus hogere fooien.

Volgens de evolutionair psycholoog Geoffrey Miller, die het onderzoek leidde, is de reden voor de pieken en dalen in het inkomen van deze danseressen dat hormonen van invloed zijn op hoe vrouwen eruitzien, hoe ze zich voelen en gedragen, en we zien er nu eenmaal het meest sexy uit en voelen en gedragen ons ook zo als we de meeste kans hebben om zwanger te worden, halverwege de cyclus, in de dagen voor de ovulatie.

Bekijk jezelf de volgende keer halverwege je menstruatiecyclus eens goed in de spiegel. Waarschijnlijk kom je tot dezelfde conclusie als de psycholoog Miriam Law Smith en haar collega's van de Universiteit van St. Andrews in Schotland. Voor hun onderzoek naar de invloed van hormonen op het gezicht namen de onderzoekers zes weken lang van negenenvijftig jonge vrouwen elke week een foto (alleen het gezicht, geen haar, lichaam of kleding) en gaven hun tests waarmee ze precies het tijdstip van hun ovulatie konden bepalen. Vervolgens lieten ze bijna dertig vrijwilligers de gezichten beoordelen. De vrijwilligers, zowel mannen als vrouwen, vonden zonder uitzondering de gezichten van de vrouwen die in de vruchtbare fase van hun cyclus waren beduidend aantrekkelijker. Daarnaast maakten de onderzoekers twee compositiefoto's: een van een 'vruchtbaar gezicht', dat was opgebouwd uit de gezichten van tien vrouwen die ovuleerden, en een 'onvruchtbaar gezicht', opgebouwd uit de gezichten van tien vrouwen die zich niet in hun vruchtbare fase bevonden. Het eerste vond men ook veel aantrekkelijker dan het tweede.

Het klinkt als sciencefiction, maar het hormoon oestrogeen, dat vlak voor de ovulatie plots in hoeveelheid toeneemt, is van invloed op zachte weefsels en zorgt voor subtiele veranderingen in je gezicht. Door de toename in oestrogeen worden je lippen voller en wordt je huid steviger en gladder. Het is ook aangetoond dat een hoger oestrogeengehalte zorgt voor een gezondere kleur op je lippen, grotere pupillen en een egalere huidkleur. In de dagen voor de ovulatie is het zachte weefsel van je oren, vingers en borsten ook meer symmetrisch dan gedurende de rest van je cyclus. Als je een man dicht genoeg bij je laat komen zodat hij je oksels kan ruiken of aan je geslachtsdelen kan likken, of als je hem een tongzoen geeft, vindt hij je misschien wel lekkerder ruiken en smaken dan op welk ander tijdstip van de maand ook.

Aan de kleding en accessoires van een vrouw kun je ook duidelijk zien of ze ovuleert of niet. De evolutionair psycholoog Martie Haselton en haar collega's van de UCLA vroegen bijna veertig vrijwilligers foto's van dertig vrouwen te bekijken, die op verschillende momenten van hun cyclus waren genomen. Ze moesten beoordelen of de vrouwen er op de ene foto aantrekkelijker uit probeerden te zien dan op de andere foto. De vrouwen op de foto's wisten niet waar het onderzoek over ging, dus ze hadden geen enkele reden om zich anders te kleden. Bovendien werd hun hoofd afgedekt, zodat de vrijwilligers niet per ongeluk de aantrekkelijkheid van hun gezicht zouden beoordelen. Bijna zestig procent van de tijd – meer dan door toeval verklaard zou kunnen worden – waren de beoordelaars puur op basis van de kleding in staat om te raden of een vrouw zich in haar vruchtbare fase bevond of niet. De 'verklikker' hierbij was dat vrouwen dan eerder sexy gekleed gingen en meer bloot lieten zien. Ze hadden vaak dezelfde kleding aan die ze ook gedurende hun minder vruchtbare fase zouden dragen, maar verwisselden een broek voor een rok of gaven het geheel een vrouwelijk tintje door voor een met kant afgezet topje, een zwierig sjaaltje of in het oog springende sieraden te kiezen. Een Duits onderzoek onder vrouwen die een nachtclub bezochten, leverde hetzelfde resultaat op: de vrouwen die ovuleerden lieten meer bloot zien en droegen strakkere en kortere kleding dan de vrouwen die niet ovuleerden.

Het is ook mogelijk dat je opgewondener wordt en meer tot flirten geneigd bent als je op je vruchtbaarst bent. Susan Bullivant, als onderzoeker op het gebied van de biologische psychologie verbonden aan de Universiteit van Chicago, leidde een onderzoek waaruit bleek dat het seksuele verlangen en de erotische fantasieën van een vrouw sterker worden in de paar dagen voordat ze gaat ovuleren. Bullivant en haar collega's concludeerden dat het toegenomen libido in deze fase toe te schrijven is aan het op dat moment al hoge oestrogeengehalte in combinatie met een korte piek in het hormoon testosteron. Testosteron versterkt het libido.

Mogelijk ben je je bewust van deze maandelijkse schommelingen, maar alleen als je jezelf heel goed in de gaten houdt, en niet aan de pil bent. De hormonen die je die speciale gloed geven, houden verband met de ovulatie, en anticonceptiepillen voorkomen dat je ovuleert. Dat is de reden waarom strippers die de pil slikken niet zo veel fooien krijgen als hun collega's.

Je kunt natuurlijk niet van je minnaar verwachten dat hij *weet* wanneer je bijna gaat ovuleren. De meeste mannen hebben dat soort dingen niet in de gaten, tenminste niet bewust. Dat is prima. Laat hem maar denken dat je door hem, en niet door de hormonen, zo opgewonden raakt.

Compenseer een lager oestrogeengehalte met make-up

Halverwege je menstruatiecyclus is je gezicht op zijn mooist. Geweldig, zul je zeggen, maar wat kan ik de rest van de maand doen, of als ik ouder word en het oestrogeengehalte van nature daalt? Het antwoord: de boel voor de gek houden met een goede foundation en andere make-up. Toen de vrouwen in het onderzoek van Miriam Law Smith make-up droegen, werden ze even aantrekkelijk, vrouwelijk en gezond gevonden als tijdens de vruchtbare dagen van hun menstruatiecyclus. De onderzoekers concludeerden dat vakkundig aangebrachte make-up de dingen die de hoogte van het hormoongehalte verraden verdoezelen. Zie make-up als de manier waarop we mannen voor de gek houden door ze te laten denken dat we op ons vruchtbaarst zijn, terwijl dat niet zo is. (Er zijn niet voor niks cosmetische middelen gevonden bij archeologische opgravingen van de eerste menselijke beschavingen.) Door oogmake-up lijken je ogen groter, met lippenstift krijg je vollere lippen, en foundations en vochtinbrengende crèmes zorgen voor een gladdere en glanzende huid.

❖

Waarom voel je je soms tot een macho aangetrokken, ook al is hij niet je type?

Stel je voor dat je een meid bent die gewoonlijk op goedhartige mannen met een goed stel hersens valt – de natuurkundige, beleggingsexpert, politiek organisator: betrouwbare mannen die je je als vader van je kinderen kunt voorstellen. Je waardeert mannen die zelfverzekerd zijn zonder te agressief te zijn en die er goed uitzien maar niet per se macho zijn. Andere eigenschappen zijn belangrijker. Maar zo heel af en toe, zelfs als je een vaste relatie hebt, gebeurt er iets volkomen onverwachts. Je bent helemaal weg van een man die absoluut je type niet is. Hij is een losbol, het type dat met je vrijt en je verlaat. Of hij is je stijfkoppige professor of de baas van je baas. Hij heeft een dominante glimlach. Hij noemt je schat en raakt je schouder aan. Je kijkt hem even plagend aan en vraagt je af: ben ik dit?

Het antwoord is waarschijnlijk ja; dat ben jij onder invloed van de hormonen die voor de ovulatie opspelen. Niet alleen je oestrogeengehalte is rond deze tijd hoger, waardoor je er beter uitziet, er vindt ook een testosteronexplosie plaats, die je libido opkrikt. (Gedurende de vijf dagen rond de ovulatie van de vrouw hebben stellen vierentwintig procent vaker seks dan op elk ander moment van haar cyclus.) Op dat moment heb je mogelijk meer aandacht, in elk geval onbewust, voor dingen die op een hoog testosterongehalte wijzen: een lage stem, brede schouders, een mannelijk lichaam, krachtige kaken en dominant gedrag. Pete Doherty of Leonardo DiCaprio, met hun kindergezicht, verbleken naast macho types als Michael Jordan of Tom Brady.

Om erachter te komen of ovulerende vrouwen zich meer aangetrokken voelen tot zeer mannelijke mannen, trokken de evolutionair psychologen Steven Gangestad en Christine Garver-Apgar van de Universiteit van New Mexico bijna tachtig mannelijke studenten aan, die dachten dat ze wedijverden voor een afspraakje met een sexy meisje. Iedere jongen werd gefilmd terwijl hij over zichzelf praatte en zijn rivalen vertelde waarom de vrouw hem zou moeten kiezen. Toen vroegen de onderzoekers meer dan vierhonderd vrouwelijke studenten naar de videobeelden van de mannen te kijken en deze op hun persoonlijke eigenschappen en hun aantrekkingskracht als partner voor de lange en korte termijn te beoordelen.

De resultaten bevestigden een patroon dat al in veel eerdere onderzoeken naar voren was gekomen: de ovulatie heeft een krachtig effect op het gedrag van vrouwen. De vrouwen voelden zich zonder uitzondering aangetrokken tot de mannen met de kenmerken van een partner voor de lange termijn: innemend, trouw, goed inkomen en waarschijnlijk een goede vader. De vrouwen die zich op het moment van het onderzoek in hun vruchtbare fase bevonden, gaven echter hogere scores dan gewoonlijk aan snoevende, prestatiegerichte, dominant uitziende kerels met dito 'wat mot je-gedrag', het type man dat kijkt alsof hij altijd zijn zin krijgt. Hoe dichter ze bij de ovulatie waren, hoe meer deze vrouwen de stoeremanneneigenschappen waardeerden in een partner voor de korte termijn.

Concreet bewijs dat hormonen een rol spelen bij het feit dat vrouwen zich aangetrokken voelen tot mannen met veel testosteron wordt geleverd door een vervolgonderzoek door de psycholoog James Roney en zijn collega's van de Universiteit van Californië, Santa Barbara. Roney mat het testosterongehalte van zevenendertig mannen en het estradiolgehalte (oestrogeengehalte) van vijfenzestig vrouwen en vroeg de vrouwen de aantrekkingskracht van de mannen te beoordelen. Hoe hoger het estradiolgehalte van de vrouw, dat samenvalt met de ovulatie, hoe meer ze zich aangetrokken voelde tot de mannen met een hoog testosterongehalte. Hoog oestrogeen houdt van hoog testosteron.

Vreemd genoeg is de kans dat je voor het type ladykiller valt groter als je al een vaste, langdurige relatie hebt dan wanneer je alleenstaand bent. In het Laboratorium voor Gezichtsonderzoek aan de Universiteit van Aberdeen werd vrouwen gevraagd om mannengezichten digitaal te 'vermannelijken' of te 'vervrouwelijken' volgens hun fysieke ideaal. Van de vrouwen die ovuleerden, maakten degenen die een partner hadden het ideale mannengezicht mannelijker, terwijl alleenstaande vrouwen hun ideale mannengezicht vrouwelijker maakten (koesteren).

Interessant genoeg voelden vrouwen met een partner zich extra sterk tot krachtige, mannelijke gelaatstrekken aangetrokken als hun eigen partner die niet had. Uit andere onderzoeken is ook gebleken dat een vrouw zich in de periode rond haar ovulatie minder tot haar partner aangetrokken voelt als die partner asymmetrisch is, en dat ze zich in plaats daarvan meer aangetrokken voelt tot het gezicht en de lichaamsgeur van symmetrische kerels die er dominant uitzien en zich ook zo gedragen, waarschijnlijk door de stoffen in hun zweet (derivaten van testosteron). Dat geldt zelfs voor vrouwen die zeggen dat ze zich heel gelukkig voelen in hun relatie.

Dit voortdurend heen en weer geslingerd worden tussen toegewijde types voor de lange termijn en machotypes voor de korte termijn lijkt raar, maar is vanuit evolutionair oogpunt eigenlijk heel logisch. Onderzoekers denken dat vrouwen zich op het moment dat ze de grootste kans hebben zwanger te worden onbewust tot dominante, gezonde mannen met krachtige kaken en een lage stem aangetrokken voelen, omdat een kind dat uit die verbintenis wordt geboren de 'goede genen' van de man erft. Volgens evolutionair psychologen beschouwen vrouwen mannen met een hoog testosterongehalte als geschikt voor de ontwikkeling, omdat testosteron een middel is dat de immuniteit onderdrukt en alleen een gezond lichaam kan gedijen in de aanwezigheid van het krachtige hormoon. Dat de vader bijdraagt aan de genetische opmaak van een kind is vooral belangrijk in de context van een relatie voor de korte termijn, waarin hij niet noodzakelijkerwijs helpt bij het grootbrengen van het kind. (Niemand weet zeker hoe de familiestructuren er bij onze voorouders uitzagen, maar het is mogelijk dat vrouwen kinderen grootbrachten met hulp van een grootfamilie of van verzorgers die niet per se genetisch verwant waren met hun kinderen.) We komen er vroeg of laat allemaal achter dat er sterke, stille, dominante types rondlopen die als partner helemaal niet zo geweldig zijn. Al dat testosteron houdt verband met agressiviteit, lichtgeraaktheid, achter de vrouwen aan zitten, gebrek aan belangstelling voor het ouderschap en gebrek aan emotionele warmte.

Vrouwen willen over het algemeen natuurlijk een partner die het beste van beide types combineert, dus iemand die hartelijk, trouw, intelligent en behulpzaam is *en* eigenschappen heeft die samenhangen met een hoog testosterongehalte, zoals sociale dominantie en zelfverzekerdheid (zonder verwaandheid) en een gespierd lijf. Maar die zijn dun gezaaid. Als we afgaan op zijn uiterlijk en reputatie, is de acteur Brad Pitt een voorbeeld van deze prachtige kruising. Brad heeft een mannelijke kaak en krachtige jukbeenderen. Hij heeft ook grote blauwe ogen, lange wimpers en volle lippen. Hij ziet er zorgzaam en behulpzaam, maar ook heel mannelijk uit, wat past bij zijn imago als een vader die achter de wandelwagen loopt en die in films vaak de slechterik speelt.

Volgens de evolutietheorie moet je je gewoon schikken als je geen type als Brad Pitt kunt krijgen. Het kan zijn dat je met iemand als hij, of zelfs met een nog mannelijker type, een korte, hevige relatie hebt, vooral als je ovuleert. Voor een langdurige relatie zou je je eisen misschien iets naar beneden kunnen bijstellen om de beste combinatie van eigenschappen te vinden in een partner. (Zie pagina 207-208.) Een minderheid van getrouwde vrouwen gaat vreemd als ze erachter komen dat hun partner niet aan hun verwachtingen voldoet. Hoewel vreemdgaan niet de norm is, komt het meer voor dan je zou denken. Ongeveer een op de vijf vrouwen heeft toegegeven dat ze haar man ten minste één keer heeft bedrogen.

Dus de volgende keer dat een of andere playboy met je flirt en je zijn aantrekkingskracht voelt, kijk dan eens op de kalender. Misschien word je aangetrokken door zijn muskusachtige geur, zijn air, gloeiende blik of omfloerste stem, maar waarschijnlijk is zijn timing gewoon goed.

Weet wat je aantrekkelijk vindt (en wanneer!)

Als je een partner hebt, ben je misschien geneigd hem maandelijks te bedriegen. Dat was tenminste het geval bij de vrouwen die deelnamen aan een onderzoek door de biologisch antropoloog Elizabeth Pillsworth en de psycholoog Martie Haselton van de UCLA. De vrouwelijke deelnemers hadden al minstens vijftien maanden een relatie. Het bleek dat de vrouwen die vonden dat hun eigen partner niet erg knap was, gedurende het vruchtbare deel van hun cyclus (vlak voor en tijdens de ovulatie) eerder naar andere mannen verlangden, het verlangen kenbaar maakten om andere mannen te ontmoeten en een verhouding overwogen, zelfs als ze volkomen tevreden waren met hun relatie. Als vrouwen eenmaal een duurzame relatie hebben en aan hun behoeften voor de lange termijn is voldaan, zijn ze meer dan alleenstaande vrouwen geneigd om zich aangetrokken te voelen tot het dominante, macho type. (Een Tsjechisch onderzoek leverde dezelfde resultaten op.) En wat nog raadselachtiger was, was dat de nietszeggend uitziende vriendjes van de vrouwelijke deelnemers een slimme concurrerende strategie ontwikkelden: ze overstelpten hun partner met liefde. De vrouwen zeiden dat hun partner gedurende de vruchtbare fase van hun cyclus liever, tederder en attenter was dan op welk ander moment ook. (Zie pagina 50 voor een mogelijke verklaring, en pagina 259 voor het 'bewaken' van de partner.)

Waarom worden mensen niet bronstig, zoals andere dieren?

Je ziet er misschien sexyer uit rond de tijd dat je het vruchtbaarst bent, en dan voel en gedraag je je ook sexyer, maar vergeleken met andere dieren is je gedrag rond je ovulatie nauwelijks anders dan anders. Als andere vrouwelijke primaten hun vruchtbare fase (oestrus) in gaan, laten ze dat luid en duidelijk merken: hun achterste wordt rood, ze grijpen naar penissen en laten zich bespringen door het eerste het beste mannetje dat in de buurt komt. Dat zijn dingen die geen enkele dame in haar hoofd haalt. Maar waarom eigenlijk niet?

Het antwoord is dat wij iets doen wat misschien zelfs nog promiscuer lijkt: we hebben de hele tijd seks, op welk moment van de nacht, dag of maand ook, het hele jaar door. Mannen hoeven niet te wachten tot een vrouw bronstig wordt om aan hun trekken te komen. Het menselijk lichaam is min of meer voortdurend seksueel ontvankelijk. Vanuit het oogpunt van de man is dit natuurlijk geweldig. Geloof het of niet, maar vanuit het oogpunt van de vrouw is het in feite nóg beter.

Volgens de biologen Richard Alexander en Katherine Noonan is het feit dat je aan een vrouw niet kunt zien dat ze ovuleert en dat ze er niet mee te koop loopt, in het voordeel van vrouwen, omdat langdurige relaties daardoor aantrekkelijker worden. We vrijen zowel voor de ontspanning als om ons voort te planten. Al dat gevrij versterkt de band tussen jou en je lief. En omdat mannen niet weten wanneer je vruchtbaar bent, blijven ze je doorgaans min of meer trouw, in tegenstelling tot andere soorten, waarbij de mannetjes jaloers over de vrouwtjes waken als bevruchting mogelijk is, en de rest van de tijd rondsnuffelen op zoek naar andere vruchtbare partners. Al deze seks is goed voor de vrouw en de baby omdat die de vorming van een hechte band gemakkelijker maakt en betekent dat de man eerder zal aannemen dat het kind van hem is en zal helpen voor het gezin te zorgen.

De antropoloog Sarah Hrdy van de Universiteit van Californië in Davis gaf een andere draai aan 'verborgen' ovulatie. Haar theorie komt erop neer dat een vrouw door niet te koop te lopen met het feit dat ze ovuleert, kan paren en een hechte band kan vormen met mannen van haar keuze. Als iedereen kon zien wanneer ze ovuleerde en ze duidelijk liet zien dat ze bronstig was, zoals gorilla's doen, dan zouden dominante mannen haar kunnen bewaken om te voorkomen dat anderen haar zwanger maakten. Als niemand weet in welke toestand de baarmoeder van een vrouw zich bevindt, weet ook niemand wanneer hij haar voor zich moet opeisen. Deze theorie doet vermoeden dat de menselijke sociale structuur in vroeger tijden zeer polygaam was. Zelfs al had een vrouw een hoofdpartner, dan zou ze die partner dankzij verborgen ovulatie toch kunnen bedriegen met mannen die aantrekkelijker eigenschappen hadden (en diversiteit aanbrengen in de genenpool als die man een buitenstaander was). Hrdy concludeerde dat verborgen ovulatie kinderen beschermt, omdat mannelijke chimpansees, gorilla's, tijgers en andere zoogdieren de jongen die genetisch niet met hen verwant zijn gewoonlijk doden. Als niet te bepalen is wie de vader is, zou elk mannetje de vader kunnen zijn, en is de drang om jongen te doden minimaal, en de drang om in ze te investeren des te groter.

Wat is dus het juiste antwoord: verbergen vrouwen hun ovulatie om te zorgen dat mannen in de buurt blijven (monogamie) of om met veel mannen te kunnen vrijen (polygamie)? De biologen Brigitta Sillén-Tullberg en Anders Møller vonden een aardige tussenoplossing, zoals de evolutionair bioloog Jared Diamond in zijn boek *Het leuke van seks* opmerkt. In de loop van de evolutie is de mens mogelijk veranderd van voornamelijk polygaam naar voornamelijk monogaam. Toen onze voormenselijke voorouders zeer promiscue waren, was het in het belang van de vrouw om de ovulatie te verbergen. Later in de evolutie, toen men dus betrekkelijk monogaam was, bleef verborgen ovulatie nuttig omdat deze de vorming van een hechte band tussen man en vrouw bevorderde. (Zie pagina 255-257 voor meer details.)

Je kunt zeggen dat mensen nog steeds een beetje van allebei zijn: promiscue en ontvankelijk, en ook trouw en familiaal. Zowel het feit dat vrouwen rond hun ovulatie in de verleiding komen om vreemd te gaan als het feit dat mannen in staat zijn subtiele aanwijzingen dat een vrouw ovuleert op te merken, duidt erop dat de strijd tussen de seksen nog niet gestreden is.

Doe een ovulatietest

Als je zwanger wilt worden of gewoon graag wilt weten wanneer je ovuleert, kun je een ovulatietest doen. Dat is de enige betrouwbare manier om erachter te komen wanneer je ovulatie plaatsvindt. Deze tests, waarbij je alleen wat urine op een staafje hoeft te doen, zijn niet duur en verkrijgbaar bij de meeste drogisterijen en apotheken. Bij deze test wordt gekeken of er sprake is van een toename van het luteïniserend hormoon (LH). Ongeveer vierentwintig tot achtenveertig uur voor de ovulatie scheidt je hypofyse een grote hoeveelheid LH af, samen met een ander voortplantingshormoon, het follikel stimulerend hormoon (FSH). Over het algemeen zorgt de grote hoeveelheid LH ervoor dat het eitje loskomt uit de eileider. Doe de test maximaal een week voor de tweede helft van je menstruatiecyclus om twee dagen van tevoren te weten wanneer je gaat ovuleren. Maar let op: als voorbehoedmiddel zijn ovulatietests niet betrouwbaar. Sperma kan wel vijf dagen in het lichaam van de vrouw blijven, wat betekent dat je het sperma dat je eicel bevrucht mogelijk al met je meedraagt, zelfs nog voordat je een grote hoeveelheid van LH kunt meten. Maar voor vrouwen die zwanger proberen te worden, of voor degenen die hun cyclus beter willen leren begrijpen, is een ovulatietest prima.

Hoe beïnvloeden de seizoenen je seksleven?

Mensen hebben het hele jaar door seks, de hele tijd, maar dat wil niet zeggen dat de wisseling van de seizoenen ons niet stiekem beïnvloedt. Op het noordelijk halfrond gaat het testosterongehalte bij mannen en vrouwen in de herfst omhoog, zo blijkt uit diverse onderzoeken, waaronder een onder leiding van de endocrinoloog Sari van Anders van de Indiana Universiteit. Een Deens onderzoek naar seizoensvariatie in testosteron heeft aangetoond dat bij mannen in de zomer sprake is van een piek. Ook al is men het niet eens over het tijdstip waarop de piek plaatsvindt – misschien door culturele en/of geografische variatie –, we kunnen over het algemeen wel zeggen dat de hoeveelheden circulerend testosteron in de herfst hoger zijn en bij mannen misschien ook in de zomer. Het testosterongehalte wordt in verband gebracht met geslachtsdrift: hoe hoger, hoe opgewondener.

Waarom zouden mensen in de herfst en zomer over het algemeen een hoger testosterongehalte hebben? Niemand weet het zeker, maar Van Anders en andere endocrinologen menen dat een verhoging in het testosterongehalte veroorzaakt zou kunnen worden door een snelle afname van daglicht. Het afnemend aantal uren zonneschijn aan het eind van de zomer en in de herfst kan een oud paarinstinct wakker schudden. De paartijd van andere dieren die op het noordelijk halfrond leven, waaronder herten, elanden, bosmarmotten, enkele vogelsoorten en berggeiten die in Alaska voorkomen, valt tenslotte ook in de herfst. Mogelijk heeft het te maken met het feit dat de hypothalamus, het deel van de hersenen dat geslachtshormonen afscheidt en op feromonen reageert, toevallig ook gevoelig is voor licht en dagelijks terugkerende ritmes. Het hogere testosterongehalte zou ook toegeschreven kunnen worden aan de toegenomen fysieke activiteiten in die seizoenen. Beweging, sociale contacten, de tijd van de dag, ons humeur en seks zijn allemaal van invloed op onze hoeveelheid circulerende hormonen. Stadsbewoners – of eigenlijk alle mensen die de meeste tijd binnenshuis doorbrengen met kunstlicht – ervaren misschien niet zulke grote seizoensverschillen omdat ze niet zo veel te maken hebben met cycli van natuurlijk licht.

Er is geen concreet bewijs dat mensen in de zomer en herfst werkelijk opgewondener zijn, maar uit de geboortecijfers blijkt indirect dat het libido omhooggaat als de bladeren vallen. In de VS worden in augustus meer baby's geboren dan op elk ander moment van het jaar, gevolgd door juli en september, wat betekent dat de meeste bevruchtingen plaatsvinden in de herfst, negen maanden daarvoor. In Europa vindt er doorgaans in de lente een piek in geboortes plaats, wat betekent dat er meer bevruchtingen in de zomer plaatsvinden. Het interessante is dat er in de zomer en herfst ook sprake is van een piek in het aantal seksueel overdraagbare aandoeningen, zo blijkt uit onderzoeken in de VS en Europa.

Een zwangerschap daargelaten verandert het lichaam van een vrouw met het wisselen van de seizoenen subtiel van vorm, zoals Van Anders in haar onderzoek opmerkte. Dat komt doordat de plekken waar vet zich ophoopt variëren met de hoeveelheid testosteron. Bij vrouwen houdt een hoog testosterongehalte verband met een hoge taille-heupratio (een dikker, meer buisvormig figuur). In de zomer en herfst merk je misschien dat je lichaam niet bepaald op zijn mooist is voor een bikini en dat je broek in de taille een beetje strak zit. Dat was het geval bij de THR van de vrouwen in het onderzoek. Aan gewichtstoename ligt het niet; het komt doordat lichaamsvet meer rond de buik gaat zitten. Bij mannen is het precies omgekeerd: hoe groter de verandering in het testosterongehalte, hoe lager de taille-heupratio (THR), wat inhoudt dat ze in de zomer iets minder dik zijn rond hun middel.

Wat betekent dit dus voor je liefdesleven? Tennyson schreef: 'In de lente verandert de fantasie van een jonge man gemakkelijk in gedachten over de liefde.' Dat klopt misschien wel. Maar de kans is groot dat die in de zomer en herfst verandert in gedachten over seks.

Wat zegt iemands vingerratio over die persoon?

Pak de rechterhand van je vriend, draai de palm naar je toe en kijk naar zijn vingers. Welke is langer: de ringvinger of de wijsvinger? Bij veel mannen is de ringvinger langer dan de wijsvinger, en dat noemen we een *lage vingerratio*. Een lage vingerratio hangt samen met de mate waarin iemand in de baarmoeder is blootgesteld aan het hormoon testosteron. Over het algemeen geldt: hoe lager de vingerratio, hoe meer prenataal testosteron.

Laten we eens zeggen dat de ringvinger van je vriend veel langer is dan zijn wijsvinger. (Bij de gemiddelde man is de ringvinger slechts vier procent langer, dus misschien is het verschil zo klein dat je het niet eens kunt zien.) Dat betekent waarschijnlijk dat zijn babyhersenen een grote hoeveelheid testosteron hebben opgeslorpt. Volgens de evolutionair psycholoog John Manning en zijn collega's aan de Universiteit van Lancashire, en vele anderen, hebben mannen met een lage vingerratio doorgaans bepaalde eigenschappen: ze zijn zelfverzekerd, hebben een goed ruimtelijk inzicht, zijn rekenkundig goed maar verbaal minder sterk, en ze zijn muzikaal. Deze sterke, stille types hebben waarschijnlijk ook een enorm libido, een hoger dan gemiddeld zaadgehalte en meer mannelijke gelaatstrekken, zoals een krachtige kaaklijn, opvallende wenkbrauwranden en dunnere lippen.

Mannen bij wie de ringvinger langer is dan hun wijsvinger zijn waarschijnlijk ook goede atleten. In het ene na het andere onderzoek presteren ze beter bij sporten als voetbal, duurlopen, skiën en dansen. Ze worden ook gemakkelijker gestimuleerd tot het uiterste te gaan en feller te strijden. Prenataal testosteron helpt ook bij de vorming van een efficiënter hart en vaatstelsel en een sterker spierstelsel. Helaas is er ook een nadeel: deze mannelijke mannen kunnen te verwaand zijn, te vaak de confrontatie opzoeken en te veel sekspartners hebben.

Bij veel vrouwen (en homomannen) zijn de ring- en wijsvinger ongeveer even lang, maar vrouwen kunnen ook een lage vingerratio hebben. Dat zijn vaak atletes en lesbiennes die als vrijgezel leven. Deze meiden hebben vaak een grotere geslachtsdrift en meer sekspartners, valse, jaloerse trekjes, en ADHD. Net als mannen met een lage vingerratio zijn vrouwen met veel testosteron vaak meer prestatiegericht en zelfverzekerder dan gemiddeld. Een vriendin van me die een lage vingerratio heeft, is hartstochtelijk, een seksbeest, een 'alfavrouw', en moeder van vier kinderen, als we haar man-met-vingers-van-gelijke-lengte, wiens leven ze regelt, niet meetellen.

Mensen bij wie de ringvinger beduidend korter is dan de wijsvinger, meestal vrouwen, zijn mogelijk blootgesteld aan grotere hoeveelheden prenataal oestrogeen. Een *hoge vingerratio* wordt geassocieerd met goede verbale eigenschappen, een smalle taille, grote borsten, een vollere onderlip, smalle neus en smalle kaken. Borstkanker wordt er ook mee in verband gebracht, mogelijk het gevolg van een levenslang hoog oestrogeengehalte.

Voordat je je vriend nu meteen afkeurt, moet je niet vergeten dat dit slechts statistieken zijn. Het is echt niet zo dat een fitte, vruchtbare, muzikale, cijfermatig goed onderlegde bink met een lage vingerratio per se ruzie met je maakt, er met een ander vandoor gaat en je laat zitten met negen jankende kinderen. De invloed van genetische factoren en omgevingsfactoren op gedrag is zo ingewikkeld dat we onmogelijk één enkele oorzaak kunnen aanwijzen.

Meet je vingerratio

Bij sommige mensen zijn de ring- en wijsvinger duidelijk heel verschillend van lengte. Bij anderen is het verschil kleiner en moet er nauwkeurig gemeten worden. Gebruik een liniaal, of nog beter: een schuifmaat (verkrijgbaar in elke ijzerwarenwinkel of doe-het-zelfzaak) om precies je vingerratio te bepalen. Meet de wijsvinger van de rechterhand van de onderste plooi bij de palm tot aan de vingertop en leg daarbij de liniaal of schuifmaat rechtstreeks op de huid. (Als je een fotokopie of een scan van je hand maakt, worden de kussentjes van je hand platgedrukt, waardoor de maten niet kloppen. Bovendien wordt de rechterhand om de een of andere reden meer door prenatale hormonen beïnvloed dan de linkerhand, vooral bij mannen.) Doe hetzelfde met de ringvinger. Deel de lengte van de wijsvinger door die van de ringvinger. De ratio bij mannen is meestal 0,96 (de ringvinger is iets langer) en bij vrouwen 1,0 (wijsvinger en ringvinger zijn even lang).

❖

Waarom verliezen mannen hun oordeelsvermogen en kunnen ze geen beslissingen meer nemen als ze mooie vrouwen zien?

Stel je eens voor dat twee macho's 100 dollar krijgen om te delen. De ene moet voorstellen hoe ze het geld verdelen, en de andere kan dat voorstel accepteren of afwijzen. Als de tweede het voorstel accepteert, wordt het geld volgens afspraak verdeeld en gaan beide mannen naar huis met het geld in hun zak. Als de tweede man het voorstel afwijst, gaan ze allebei met lege handen naar huis.

Het is bekend dat als deze onderhandeling, die ook wel een ultimatumspel wordt genoemd, zich in een laboratorium afspeelt, mannen met een hoog testosterongehalte oneerlijke voorstellen woedend afwijzen (alles behalve een 50/50-verdeling). Ze geven er bijna altijd de voorkeur aan de andere speler te straffen, ook al houdt dat in dat ze zelf met lege handen naar huis gaan. Maar niet altijd. De Belgische psycholoog Siegfried Dewitte en de onderzoeker Bram Van den Bergh draaiden dat patroon om toen ze mannelijke spelers voor het spel een foto van een sexy meisje lieten zien. Toen mannen van in de twintig en dertig met een hoog testosterongehalte de foto van de vrouw zagen, accepteerden ze veel eerder oneerlijke voorstellen (minder geld) dan de deelnemers die geen foto te zien hadden gekregen. Omdat ze waren afgeleid, waren ze bereid gewoon het geld te nemen dat hun werd aangeboden en ervandoor te gaan.

Bij een soortgelijk onderzoek van de McMaster Universiteit in Canada konden spelers kiezen tussen een kleine som geld die ze de volgende dag zouden krijgen, en een grotere som die ze later zouden ontvangen. Het bedrag dat later uitgekeerd zou worden, was aanzienlijk hoger, en bijna iedereen koos daarvoor. Alleen mannen die zich aan foto's van mooie vrouwen hadden zitten vergapen gingen voor het lagere bedrag dat eerder werd uitgekeerd.

Waarom doen mannen zichzelf tekort als ze naar een lekker ding kijken? Het antwoord is dat het deel van de hersenen bij de man dat beslissingen neemt, niet goed meer werkt als hij opgewonden is. Volgens de onderzoekers hebben mannen zich zo ontwikkeld dat ze snel reageren op seksuele prikkels. Het is bekend dat het testosterongehalte van een man met wel dertig procent omhoog kan schieten na een ontmoeting met een aantrekkelijke vrouw. Als een man naar een adembenemend mooi vrouwengezicht kijkt, worden de beloningsgebieden van zijn hersenen overspoeld met de positieve neurotransmitter dopamine.

Waar we echter vooral rekening mee moeten houden is de amygdala, het deel van de hersenen dat in verband wordt gebracht met emoties, driften en impulsieve beslissingen. Als de amygdala van een man zeer sterk wordt gestimuleerd, reageert hij krachtig en impulsief. Hoe groter dit amandelvormige gebied, hoe sterker de geslachtsdrift. Hoe sterker de geslachtsdrift, hoe heftiger de reactie op sexy prikkels, zoals foto's van prachtige vrouwen. (Dat is niet schokkend: de amygdala is bij de man verhoudingsgewijs groter dan bij de vrouw.) Vooral bij mannen met veel testosteron, bij wie de amygdala groter en de geslachtsdrift sterker is, overtroeft bevrediging op de korte termijn (reageren op een seksuele prikkel) voordeel op de lange termijn. Stel je een holbewoner van een jaar of achttien voor die bij de aanblik van een ontvankelijke vrouw impulsief zijn zak met vlees laat vallen, en je begrijpt wat ik bedoel.

De vluchtige combinatie van grote hoeveelheden testosteron, dopamine in het beloningsgebied in de hersenen, en een grote, zeer sterk gestimuleerde amygdala verklaart ook waarom jonge, verwaande kerels zo vaak domme beslissingen nemen als er aantrekkelijke vrouwen in de buurt zijn: ze rijden te hard, geven te veel geld uit en vrijen zonder condoom. Dit verschijnsel is eigenaren van stripclubs en casino's niet ontgaan. Die nemen sexy, schaars geklede schoonheden in dienst om drankjes te serveren aan schatrijke klanten en vullen zo hun zakken. Mijn vriend Ruben, die handelaar is op Wall Street en flink inzet bij het gokken, zegt altijd: 'Je moet je afvragen: waar ben je mee bezig? Als je je op een weddenschap of een handelstransactie concentreert, moet je niet naar meisjes kijken. Geloof me, je verliest elke keer.'

De onbewuste beslissing om zich op het nu te concentreren lijkt voor mannen met veel testosteron duidelijk de beste strategie. Waarom zou je ervan uitgaan dat de rijkdom van morgen beter is dan de buit van vandaag? Pluk de dag! Dit zijn mannen die zichzelf liever financieel tekort doen dan dat ze te weinig seks hebben.

Pas op voor al te opgewonden mannen

Heeft een kerel je ooit op een vurig moment verteld dat hij van je hield en dat later weer teruggenomen, bijvoorbeeld nadat je met hem naar bed was geweest, zodat je als een emotioneel wrak achterbleef? De gedragseconomen Dan Ariely van het MIT en George Lowenstein van Carnegie Mellon onderzochten hoe het komt dat seksuele opwinding een desastreuze invloed heeft op het oordeelsvermogen en beslissingen bij mannen. Mannelijke studenten moesten vragen beantwoorden over hun ethische grenzen en gedrag in twee fysieke toestanden: seksueel opgewonden (door masturbatie bij porno) en niet seksueel opgewonden.

Het verontrustende was dat de seksueel opgewonden mannen – die de vragen beantwoordden met de ene hand op het toetsenbord van een laptop en de andere om hun stijve penis, met een foto van een bijna naakte vrouw op het scherm – zeiden dat de kans beduidend groter was dat ze het leuk zouden vinden om een sekspartner vast te binden, dat ze zouden fantaseren dat ze zich aangetrokken voelden tot een twaalfjarig meisje, tegen een vrouw zouden zeggen dat ze van haar hielden alleen om seks met haar te kunnen hebben, zouden blijven proberen seks te hebben ook al zei de vrouw 'nee', haar dronken zouden voeren om seks met haar te hebben, haar stiekem een drug zouden toedienen om de kans te vergroten dat ze seks met hen zou hebben, en zouden fantaseren dat ze seksueel opgewonden raakten door contact met dieren. (Interessant genoeg voelden heteromannen in opgewonden toestand geen grotere drang om met een andere man te vrijen.)

De onderzoekers noemen dit verschijnsel de *hot-cold empathy gap*, ofwel het verschil tussen het warme zelf en het koude zelf. Als mannen niet opgewonden zijn, reageren ze op een meer rationele en empathische wijze en onderschatten ze het effect van de seksuele opwinding. Volgens Ariely en Lowenstein hebben mannen hun zelfbeheersing als ze seksueel opgewonden zijn niet te danken aan hun wilskracht, wat waarschijnlijk niet zou werken, maar aan het 'vermijden van situaties waarin men opgewonden raakt en de controle verliest'. Om te voorkomen dat ze tijdens een avondje uit verkracht worden, moeten vrouwen zich er volgens de onderzoekers van bewust zijn dat, ook al is dat geen rechtvaardiging, seksuele opwinding het vermogen om beslissingen te nemen bij mannen beïnvloedt en dat ze daardoor eerder moreel twijfelachtig gedrag vertonen.

Waarom vindt men je aantrekkelijker als je iets gevaarlijks of opwindends doet?

Je kunt het 'liefde bij de eerste schrik' noemen, hoewel overdracht van opwinding de wetenschappelijke term is. Het is zoals het klinkt: een overdracht van opwinding van de ene ervaring naar de andere, meestal van gevaar naar seksuele opwinding. Bij overdracht van opwinding is het net of je over de Midas-aanraking beschikt, alleen verandert alles niet in goud, maar wordt alles sexyer.

In de jaren zeventig van de vorige eeuw, na de beroemde 'brugexperimenten' van de Universiteit van British Columbia, begonnen psychologen meer aandacht te besteden aan overdracht van opwinding. Twee psychologen, Donald Dutton en Arthur Aron, gaven een mooie vrouw de opdracht naar mannen toe te gaan die de Capilano Suspension Bridge overstaken. De brug is een bekende plek voor mensen die van spanning houden: een krakende, wiebelende overspanning van houten planken, die is bevestigd aan dunne draadkabels en die gevaarlijk hoog boven rotsen en stroomversnellingen hangt. De vrouw, die niet wist waar het in het experiment om draaide, vroeg mannelijke wandelaars op de brug of ze wilden deelnemen aan een project voor haar psychologielessen over creativiteit en landschappelijk mooie plekken, en of ze een kort stukje wilden schrijven naar aanleiding van een foto. Ze gaf iedere deelnemer haar naam en telefoonnummer en nodigde hem uit haar te bellen als hij haar weer wilde spreken. Hetzelfde deed ze met andere mannen in een minder spannende omgeving: op een stalen brug, en in een park waar mannen zich ontspanden nadat ze de gevaarlijke brug waren overgestoken.

Toen een onpartijdige groep mensen de verhalen van de mannen lazen, vonden ze de verhalen van de mannen die de enge brug waren overgestoken seksueel explicieter dan die van mannen die in een veiliger omgeving waren geweest. Maar een nog sterker bewijs van overdracht van opwinding kwam via de telefoon. Meer dan vijftig procent van de Capilano-veteranen belde de vrouw op, vergeleken met minder dan vijfentwintig procent van de mannen uit de andere omgevingen. De mannen die in hun euforie de brug waren overgestoken, vonden de vrouw eenvoudigweg aantrekkelijker.

Vele jaren later deden psychologen van de Universiteit van Texas in Austin een soortgelijk onderzoek. Ze vroegen driehonderd durfals die of in de rij stonden om een achtbaan in te gaan, of er net uit kwamen een foto te beoordelen van een knap iemand van de andere sekse. De mensen moesten ook aangeven hoe aantrekkelijk ze hun medepassagier vonden en wat hun relatie tot die persoon was.

De mannen en vrouwen die na de rit in de achtbaan benaderd werden, toen ze nog trilden van opwinding, vonden de vreemde op de foto's heel aantrekkelijk en ze zouden ook graag een avond met hem of haar willen gaan stappen, terwijl de mensen die de foto voor hun rit beoordeelden de vreemde een lagere score gaven. Ook hier versterkte de hoogte het seksuele verlangen en daarmee werd de theorie van de overdracht van opwinding gestaafd.

Wat interessant is om te weten is dat de mensen die in de achtbaan gingen, hun partner na de rit doorgaans geen hogere score gaven dan voor de rit. Het zou kunnen zijn dat de overdracht van opwinding alleen werkt bij mensen die je niet kent, omdat je alleen af kunt gaan op hun uiterlijk en verder niets van ze weet. Of misschien hing de uitkomst samen met dit experiment – de mensen gaven hun liefje zowel voor als na de rit een hoog cijfer voor aantrekkingskracht –, vooral als je bedenkt dat die liefjes vlakbij stonden en misschien over hun schouder meekeken. Een andere mogelijkheid is dat twee partners door opwindende angst tederder en intiemer worden in plaats van dat ze elkaar knapper vinden. (Denk maar eens aan het geknuffel van stellen na of zelfs tijdens een noodsituatie, zoals een brand of een verkeersongeluk, of aan de vrijpartij die als goedmaker volgt op een fikse ruzie.)

Waarom is overdracht van opwinding zo krachtig? Het antwoord is dat de zenuwbanen die verband houden met een opwindende prikkel en die van seksuele opwinding elkaar overlappen. Op dat moment staan je lichaam en geest op scherp als gevolg van dopamine, een hormoon dat de beloningsgebieden in je hersenen stimuleert en je humeur een enorme opkikker geeft. Daar komt de adrenaline nog eens bij, die je hart sneller laat pompen doordat je hersenen en spieren meer zuurstof en glucose krijgen, en ook testosteron, dat van invloed is op het libido. Het opgewonden gevoel na een spannende ervaring kan zo'n tien minuten duren, soms een paar uur, en kan alles wat je tegenkomt of meemaakt verfraaien, versterken en erotiseren.

Zoals bij elke prikkelende ervaring heb je het opgewonden gevoel te danken aan je amygdala, het gebied in je hersenen waar stemmingen worden opgewekt en dat reageert op emoties. Het houdt verband met de sterkte van de geslachtsdrift. De amygdala wordt hevig gestimuleerd als je iets opwindends, gewaagds of nieuws doet. (Ja, er is een dunne scheidslijn tussen overdracht van opwinding en overprikkeling.) Bedank deze amandelvormige bundel maar voor enkele van de meest sexy, indrukwekkende ervaringen in je leven (en geef hem de schuld van de slechte herinneringen die je maar niet uit je hoofd kunt zetten). De amygdala speelt een cruciale rol bij de verwerking van een ervaring en de beslissing of en waar deze als herinnering moet worden opgeslagen. Als je onthoudt dat opwinding de amygdala stimuleert, begrijp je ook waarom het meisje op de Capliano Bridge een blijvende indruk maakte op alle mannen die haar tegenkwamen.

Uit dit alles blijkt dat je alleen maar op het juiste moment op de juiste plek hoeft te zijn om de ware te vinden, ook al is dat op een wankele brug. Vergeet niet: de liefde zelf is de bereidheid iets te geloven.

Bezorg jezelf een hoogtepunt

In de krant bij de huwelijksaankondigingen lees je vaak over de vreemdste manieren waarop stellen elkaar hebben leren kennen: bij een verkeersongeluk, een orkaan, in de vuurlinie op het slagveld. Tijdens een stroomstoring 's nachts in Manhattan hadden ten minste twee bekenden van me een onenightstand met iemand die ze nagenoeg niet kenden. En ook een vriendin had een korte, hevige affaire met haar instructeur op een surfkamp op Hawaii, een stoere vent in leren kleding die ze anders geen blik waardig had gekeurd. Een vriend die zijn vrouw in een club ontmoet heeft, gaf toe dat hij zich absoluut meer tot vrouwen aangetrokken voelt in een opwindende omgeving, zoals bij sportevenementen en op feesten, waar hij in vervoering raakt door het heerlijke gevoel van al die mensen, geluiden, geuren en kleuren. En nu weten we hoe dat komt. Het opgewonden gevoel dat je nog een beetje houdt na een inspirerende of zelfs gevaarlijke ervaring kan ervoor zorgen dat je je ineens heel erg seksueel aangetrokken voelt tot een vreemde, of misschien een bestaande relatie waar de fut uit is een duwtje in de rug geven. Ga op zoek naar een partner tijdens het skiën, raften, surfen, parachutespringen, hanggliden, bergbeklimmen, diepzeeduiken, stormchasen of andere activiteit waarbij je je moet inspannen en die je hersenen en hart stimuleren. Je krijgt er rode wangen van en een hart dat op hol slaat... en niet alleen jij.

Waarom vind je een man leuker en vertrouw je hem meer als je intiem met hem bent geweest (ook al hebben jullie alleen maar geknuffeld)?

Als je niet meer wilt dan pure, fysieke, onvoorwaardelijke seks, kom je met meer in conflict dan alleen met de gevestigde orde. De vijand zit in je, en dat zijn je hormonen. Door strelen, knuffelen, omhelzen, kussen en vrijen – elke intieme handeling die je gewillig verricht of toelaat –

kunnen hormonen vrijkomen die je grenzen doen verdwijnen.

De grote boosdoener is oxytocine, ook wel de 'liefdesdrug' of 'knuffelstof' genoemd, een hormoon dat bekendstaat om zijn rol bij het totstandbrengen van intieme emotionele relaties. Oxytocine onderdrukt de werking van de amygdala, het deel van de hersenen dat angsten verwerkt en handelingen teweegbrengt. Deze stof helpt je je afkeer van vreemden te overwinnen. Tegelijkertijd stimuleert hij receptoren in de hypothalamus, het deel van je hersenen dat verantwoordelijk is voor seksualiteit en onbewuste handelingen zoals je hartslag en bloeddruk. Oxytocine vermindert ook de productie van stresshormonen en verlaagt de bloeddruk. (Verwar het niet met de krachtige pijnstiller Oxycontin.)

Ken je die warme gloed die door je lichaam heen gaat als je met iemand zit te knuffelen? Dat is waarschijnlijk oxytocine, die ervoor zorgt dat je je reserves laat varen en je helpt je intiemer, rustiger en meer verbonden te voelen. Toen onderzoekers dit 'liefdeshormoon' in de neus van mensen met een sociale-angststoornis spoten, werden deze mensen minder angstig en socialer. Uit een onderzoek bleek dat mannen die zes pufjes oxytocine inhaleerden duidelijk veel meer vertrouwen toonden bij een experiment waarbij het ging om de overdracht van geld. Vertrouwen volgt een vicieuze cirkel: hoe meer oxytocine, hoe meer vertrouwen; hoe meer vertrouwen, hoe meer oxytocine; en ga zo maar door.

Stel je nu eens voor wat oxytocine met het seksueel opgewonden brein kan doen. Meer aanraken leidt tot meer vertrouwen, en meer vertrouwen leidt tot meer aanraken. De intenser wordende cirkel van aanraken en vertrouwen zou best wel eens ergens toe kunnen leiden. In een seksuele context werkt oxytocine samen met andere neurotransmitters, zoals testosteron, die je verlangen om te vrijen aanwakkeren. Oxytocine kan ook van invloed zijn op het effect dat de positieve neurotransmitters dopamine en norepinefrine op de beloningsgebieden van de hersenen hebben. Deze prachtige cocktail van vertrouwenwekkende oxytocine, opgewonden testosteron, en hartstochtelijke dopamine verklaart hoe het komt dat je, tot je afschuw en tegen elke vezel van je wil in, te emotioneel verbonden raakt met je getrouwde minnaar of de onvolwassen kerel die je vorig weekend aan de haak hebt geslagen. Na een weekend met veel seks met haar ex-vriend riep mijn vriendin sentimenteel dat ze weer verliefd op hem begon te worden. De seks droop van haar af. Ik verzekerde dat ze niet verliefd was, ze had die vent jaren daarvoor al gedumpt en ik wist dat ze beslist geen zin zou hebben in weer zo'n zelfde moeilijke relatie. In elk geval werd de invloed van de oxytocine binnen een week minder toen hij weer naar huis was gegaan, naar een andere stad. Ze maakte een korte periode van ontwenning door en pakte toen de draad weer op.

De invloed van oxytocine is bij vrouwen sterker dan bij mannen, doordat vrouwen meer oestrogeen hebben, en door oestrogeen worden de oxytocinereceptoren gevoeliger. Als je weinig oestrogeen hebt, wordt de invloed van oxytocine ook minder, wat ook een verklaring kan zijn voor het feit dat je tijdens de ovulatie, wanneer je oestrogeengehalte hoog is, sterker op aanrakingen reageert, en tijdens de menstruatie en na de overgang juist minder. (De neurotransmitter vasopressine heeft bij mannen een grotere invloed op de vorming van een hechte band; zie pagina 262-263.)

Zowel mannen als vrouwen beleven tijdens een orgasme een dertig seconden durende explosie van oxytocine, maar je moet niet denken dat het werk voor de oxytocine er daarna op zit. Op ietwat mysterieuze wijze vergroot het hormoon je kans om zwanger te worden, doordat het de samentrekkingen die na het orgasme plaatsvinden om het sperma naar het eitje toe te trekken vergemakkelijkt. Later wekt het ook de weeën bij de bevalling op, helpt het je een hechte band met je baby te vormen en zorgt het ervoor dat je borstvoeding op gang komt. Oxytocine is een sekscoach, vruchtbaarheidsbevorderaar, doula en min tegelijk.

Dit alles wil echter niet zeggen dat je door een beetje te knuffelen gelijk een hechte band vormt met je masseur. Het kan even duren voordat het hormoon begint te werken, tenminste bij sommige mensen. Bij ratten bleek het nodig te zijn ze twee weken lang dagelijks te masseren voordat er sprake was van een algemene toename van oxytocine in hun systeem. Niet iedereen is even goed in staat het hormoon aan te maken en te verwerken. Als je aan veel aanraken en knuffelen gewend bent, kan het zijn dat je hersenen gemakkelijk oxytocine produceren. Als je bent opgegroeid in een gezin waar niet veel aangeraakt en geknuffeld werd, produceer of verwerk je mogelijk niet zo veel oxytocine (dat is ook een van de redenen waarom mensen die als baby niet veel aangeraakt werden vaak minder goed van vertrouwen zijn en problemen hebben met intimiteit). Als je gestrest bent of last hebt van het premenstrueel syndroom, blokkeren je hersenen de receptoren voor oxytocine; dan wil je misschien niet eens geknuffeld worden. Evengoed, als je genegenheid van iemand ontvangt, is het ook gemakkelijker die te geven, en door het geven krijg je ook weer meer.

Maar eerst moet je zeker weten dat je die wel wilt.

Zorg dat je je dosis oxytocine krijgt

Hoe zorg je dat je een flinke stoot oxytocine krijgt? Laten we eens kijken. Natuurlijk kan lichaamscontact met iemand die je aardig vindt het gewenste resultaat opleveren. Stimulering van de tepels en een orgasme worden vooral als zeer effectief gezien. Door acupunctuur en massage schijnt er ook oxytocine in je lichaam vrij te komen. Hetzelfde geldt voor de clubdrug XTC, die ervoor zorgt dat zelfs de meest stuurse puber wil knuffelen (ik breng hier slechts verslag uit, keur niets goed of af). Niet-lichamelijke handelingen kunnen ook werken. Het is aangetoond dat eenvoudigweg geld geven aan een goed doel een toename van de hoeveelheid oxytocine tot gevolg heeft.

Sensatiezoekers en heel verlegen mensen worden in de verleiding gebracht online een 'vertrouwen in een flesje-spray' te kopen, of vragen hun dokter om een recept (merknamen Syntocinon en Pitocin), die vaak wordt gebruikt om de melkproductie bij borstvoeding op gang te brengen. Men is het er niet over eens hoe goed synthetische oxytocine bij bepaalde sociale problemen werkt, hoe veilig die is, hoeveel je nodig hebt of hoe lang je hem moet gebruiken. Als de chemische stof eenmaal in je bloed zit, is hij ongeveer binnen een uur uitgewerkt. Een constantere en betrouwbaardere bron van oxytocine is een liefdevolle partner.

Waarom worden mannen relaxter als ze een relatie hebben?

'Ze doet hem goed,' merkte ik op toen een vriend van me, Rob, een zelfverklaarde bruut, in een teddybeer veranderde toen hij verliefd werd. Ja, een man die altijd een ruzieachtige en strijdlustige vrijgezel was geweest, veranderde in een aardige vent toen hij met een vrolijke, prachtige vrouw trouwde. Toen ik hem vertelde hoezeer zijn persoonlijkheid in zijn voordeel was veranderd, gromde hij en glimlachte hij flauw. 'Gewoon regelmatig seks,' zei hij.

Dat speelt natuurlijk ook mee, maar er is meer. Rob is waarschijnlijk liever doordat er nu minder testosteron in zijn lichaam circuleert dan toen hij nog vrijgezel was. Uit een onderzoek onder 122 mannelijke heteroseksuele studenten van de Harvard Business School bleek dat de hoeveelheid testosteron bij degenen die een vaste, monogame relatie hadden eenentwintig procent lager lag dan bij hun vrijgezelle jaargenoten. Dat wil niet zeggen dat mannen met een vaste relatie geen *cojones* hebben; gedrag kan niet geheel worden gereduceerd tot hormoongehaltes. Maar mannen met een lager testosterongehalte zijn over het algemeen minder agressief en minder prikkelbaar, en ze zullen minder snel levensbedreigende risico's nemen of dood neervallen door een hartaanval. (Geen wonder dat getrouwde mannen langer leven.)

De schrijvers van het onderzoek onder de Harvard-studenten, Terry Burnham, Peter Gray en hun collega's, wijzen erop dat het lagere testosterongehalte alleen voorkomt bij mannen die hun relatie ook werkelijk als serieus beschouwen, niet bij degenen die eigenlijk nog steeds op jacht zijn. De antropologen voerden soortgelijke onderzoeken uit op plekken als Kenia en Beijing, waar getrouwde mannen gewoonlijk ook nog ergens een minnares hebben of die minder tijd met hun partner en meer tijd met hun vrienden doorbrengen in een bar of bij sportwedstrijden. Daar ontdekten ze dat het huwelijk niet van invloed was op de hoeveelheid testosteron van deze mannen; die was hetzelfde als bij alleenstaande mannen. Echtgenoten die vreemdgaan of willen vreemdgaan hebben ook een hoger testosterongehalte. Het lijkt wel of deze kerels nog steeds met anderen wedijveren op de partnermarkt.

Wat is er het eerst, vraag je je misschien af: een vaste relatie of een lager testosterongehalte? Waarschijnlijk werkt het beide kanten op. Er zijn mannen die in de baarmoeder aan grote hoeveelheden prenataal testosteron zijn blootgesteld. Daarnaast bevat het lichaam een hoeveelheid circulerend hormoon dat afhankelijk van de context stijgt of daalt. Deze beide variabelen kunnen het gedrag beïnvloeden. Terwijl de kans groter is dat mannen met een lagere basishoeveelheid testosteron een vaste, liefdevolle relatie hebben, kan het wel of niet hebben van een relatie ook van invloed zijn op de hoeveelheid circulerend hormoon. Gedrag is van invloed op het hormoongehalte, zoals de hormonen van invloed zijn op gedrag.

Bij zowel mannen als vrouwen stijgt het testosterongehalte als we dominantie of status willen uitdrukken, en daalt het als we dat niet willen. Het vasthouden van een geweer kan een stijging van het testosterongehalte tot gevolg hebben, net als een schaakwedstrijd winnen. Bij een onderzoek onder 2100 luchtmachtveteranen ontdekte de socioloog Allan Mazur dat het testosterongehalte bij mannen stijgt na een breuk of scheiding, daalt als ze hertrouwen en stabiel laag blijft gedurende de relatie. Alleenstaande mannen hebben mogelijk een hoger testosterongehalte omdat ze met andere mannen om een partner moeten wedijveren en omdat ze het moeten doen zonder de rustgevende steun van een vaste vriendin of echtgenote. Stabiliteit, veiligheid en regelmatige, vrije toegang tot seks: alleen deze drie factoren zouden het gehalte bij mannen kunnen doen afnemen. Maar pas op voor de man bij wie het totale gehalte hoog blijft. Uit Mazurs onderzoek bleek dat bij getrouwde mannen die steeds een testosterongehalte hadden dat één niveau hoger lag dan het gemiddelde, de kans op een scheiding drieënveertig procent, de kans dat ze thuis weggingen vanwege huwelijksproblemen eenendertig procent, dat ze hun vrouw bedrogen achtendertig procent en dat ze meldden dat ze hun vrouw sloegen of dingen naar haar smeten dertien procent groter was dan bij degenen met een normaal gehalte.

En alsof het nog niet genoeg is dat het testosterongehalte bij een man daalt als hij trouw belooft aan zijn vrouw, wordt het effect nog opvallender als er sprake is van een andere, langdurige relatie: het vaderschap. Bij vaders over de hele wereld, van Amerika tot Afrika, duikt het testosterongehalte na de geboorte van hun kind omlaag. (Mijn broer zei dat hij door het vaderschap een 'slapjanus' was geworden.) Volgens een onderzoek door de psycholoog Anne Storey lag het testosterongehalte bij jonge en aanstaande vaders drieëndertig procent lager, en zelfs door het vasthouden van een baby of zelfs een babypop kelderde de hoeveelheid testosteron. Het hormoongehalte bij mannen daalt als ze zich bezighouden met baby's in plaats van met babes.

Er is waarschijnlijk een evolutionaire reden waarom mannen met een vaste relatie, vooral vaders, een lager testosterongehalte hebben (en ook andere gehaltes van andere hormonen; er staat onderzoek op stapel naar vasopressine, dat de vorming van een hechte band bevordert, evenals naar oestrogeen en prolactine). Een man met een lager testosterongehalte is hartelijker en zal eerder aandacht besteden aan zijn kinderen. De kans is groter dat hij een trouwe kameraad is, en kleiner dat hij bij een vuistgevecht, door een hartziekte, prostaatkanker of andere ziektes die verband houden met een hoog testosterongehalte het loodje legt. Wat maar goed is ook, want dan kan hij mooi de luiers verschonen en meebetalen aan de studie.

Test zijn testosteron

Veranderingen in het testosterongehalte hebben weinig invloed op het gedrag in het algemeen, zolang het gehalte tussen de normale waarden blijft (300-800 nanogram per deciliter bloed). De hoeveelheid testosteron kan in slechts tien minuten flink toenemen als iemand zich kwaad maakt of een confrontatie meemaakt. Als het gehalte bij een man te laag is, verliest hij zijn libido en voelt hij zich futloos. Is het gehalte te hoog, dan kan hij last hebben van prostaatproblemen en van verwondingen en ziektes die samenhangen met risicovol gedrag. Het kan ook gebeuren dat mannen met een hoog testosterongehalte zich niet gelukkig voelen in een langdurige relatie, en daar is hun partner ook de dupe van. Als jij en je partner vermoeden dat zijn testosterongehalte niet normaal is, ga dan naar de dokter om zijn hormoongehalte te laten testen of koop een doe-het-zelftest.

❖

Wanneer voel je je het meest toegewijd aan je partner?

Van haar twintigste tot haar dertigste twijfelde een goede vriendin van me, die verloofd was met de jongen met wie ze al lang verkering had, eigenlijk steeds over haar relatie. We gingen vaak samen lunchen en dan ging het gesprek algauw over hun aanstaande bruiloft en het droomhuis dat ze wilden kopen. Ze was echt opgewonden. Soms ging het gesprek echter een heel andere kant op en dan zaten we ineens herinneringen op te halen aan een korte seksuele relatie die ze tien jaar daarvoor had gehad, of viel haar oog op de sexy kerel een paar tafels verderop, die verwoed op zijn laptop zat te tikken. Dan keek ze naar mij, terwijl ze op haar lip beet, en zei dan zoiets als: 'Ik hou zo veel van hem, maar soms heb ik het gevoel dat mijn hart er niet bij betrokken is, snap je wat ik bedoel?' Dan knikte ik. Ze zuchtte en haalde haar schouders op. Natuurlijk wist ik wat ze bedoelde.

Dat zijn nu eenmaal de ups en downs die bij een relatie horen, en mogelijk hangen ze deels samen met hormooncycli. Bij vrouwen is het hormoonprofiel tijdens de luteale fase van de menstruatiecyclus (tussen de ovulatie en de volgende menstruatie) en de zwangerschap hetzelfde. In deze periodes bevat je lichaam betrekkelijk kleine hoeveelheden van de 'sexy' hormonen oestrogeen en testosteron. Tegelijkertijd heb je een grotere hoeveelheid van het hormoon progesteron, die sterk toeneemt na de ovulatie en vlak voor je menstruatie weer keldert. Er is niet veel bekend over de effecten van progesteron bij mensen, maar bij dieren veroorzaakt dit hormoon het hechtingsgedrag dat voorafgaat aan het paren en aan de vorming van een hechte band met de moeder. Het kan ook je angst verminderen en je oplettender maken, wat helemaal geen kwaad kan in een relatie.

Om te testen of vrouwen in de luteale fase inderdaad meer toegewijd zijn, vroegen de evolutionair psycholoog Ben Jones en zijn collega's van het Laboratorium voor Gezichtsonderzoek in Liverpool bijna honderd vrouwen met een vaste relatie gedurende hun hele menstruatiecyclus een dagboek bij te houden en tests te doen. Ze lieten de vrouwen ook twaalf paar gezichten van mannen en vrouwen zien die digitaal gemanipuleerd waren: één gezicht was extra mannelijk gemaakt (krachtiger jukbeenderen, vierkante kaak enzovoort) en één gezicht was extra vrouwelijk gemaakt (ronder, zachtere gelaatstrekken). De vrouwen moesten aangeven welke van de twee versies ze het aantrekkelijkst vonden.

Het bleek dat de vrouwen in de luteale fase van hun cyclus sterker de voorkeur gaven aan mannen met zachte gelaatstrekken dan de vrouwen die in hun vruchtbare fase waren. Deze vrouwen voelden zich meer aangetrokken tot de rouwdouwers met de harde trekken. Wat opviel was dat de vrouwen in hun luteale fase ook zeiden dat ze zich sterker verbonden voelden met hun partner, hoewel alle vrouwen in het onderzoek zeiden dat ze een gelukkige relatie hadden.

Jones en zijn collega's denken dat wanneer het progesterongehalte bij vrouwen hoog is, ze hun relatie met hun partner, familie en vrienden versterken. Mogelijk bevordert het hormoon een aangeboren hechtingsreflex. Onze oermoeders vonden tijdens de zwangerschap en borstvoeding waarschijnlijk baat bij een grote sociale kring, inclusief hun moeder, zussen, tantes en broers. Een vervolgonderzoek van het Laboratorium voor Gezichtsonderzoek toonde aan dat vrouwen in hun luteale fase zich ook meer aangetrokken voelen tot gezichten die op hun eigen gezicht lijken (verwanten).

Hieruit volgt dat het in je vruchtbare fase misschien niet zo vanzelfsprekend is dat er hechting plaatsvindt. Wanneer je oestrogeen- en testosterongehaltes hoog zijn, voel je je aangetrokken tot eigenschappen die samenhangen met een hoog testosterongehalte, en niet tot eigenschappen die horen bij hechting en koestering. (Zie pagina 114.) Je wedijvert eerder met andere vrouwen, inclusief je vriendinnen, om een partner. Je zou ook kunnen zeggen dat we gewoonlijk een hechte band vormen met onze partner, vrienden en familie, behalve wanneer ons hormoonprofiel subtiel verandert tussen de menstruatie en ovulatie.

Het is een boeiende gedachte dat ons sociale gedrag evolutionair gezien uitstekend is aangepast aan hormoonschommelingen die ons op subtiele wijze dwingen ons te binden, of niet. Deze voortdurende versterking en dan weer verzwakking van sociale verbintenissen heeft onze soort gevormd.

Let halverwege de maand op wat je zegt

De volgende keer dat je jezelf achteloos een opmerking hoort maken over het gewichtsprobleem van je vriendin of hatelijke roddels hoort verspreiden over het seksleven van een andere vrouw, kijk dan eens op de kalender. Uit een onderzoek door Maryanne Fisher, als psycholoog verbonden aan de Saint Mary's Universiteit in Canada, bleek dat vrouwen onbewust minder aantrekkelijk werden gevonden door vrouwen die in de vruchtbare fase van hun cyclus waren dan door vrouwen die in de fase met een hoog progesteron- en een laag oestrogeengehalte waren (mannen werden tijdens de vruchtbare fase van de vrouwen trouwens niet minder aantrekkelijk gevonden). Fisher denkt dat de reden hiervoor intraseksuele competitie is en dat deze te wijten is aan hormoongehaltes: rond de ovulatie, wanneer het oestrogeen- en het testosterongehalte een piek beleven, kan het zijn dat vrouwen stoutmoediger en meer competitiegericht worden. Vriendinnen strijden om de aandacht van mannen. Een vrouw in de vruchtbare fase van haar cyclus zal zich in het bijzijn van een man misschien ook eerder denigrerend en laagdunkend uitlaten over andere vrouwen, waarbij ze hem er behulpzaam op wijst dat een rivale met Jan en alleman naar bed gaat of haar borsten heeft laten vergroten. Houd ze in de gaten!

6
Tekens en signalen

Bah! wat een meid!
Aan haar spreekt alles, ogen, wangen, lippen,
Ja zelfs haar voeten; wulpsheid staart naar buiten
Uit al haar leden en uit elk gebaar.

– William Shakespeare, *Troilus en Cressida*

Wat voor lichaamstaal gebruiken vrouwen om belangstelling uit te drukken?

Mae West heeft ooit van zichzelf gezegd dat ze twee talen vloeiend sprak: Engels en de taal van het lichaam. Mae wist dat lichaamstaal evenveel, zo niet meer zegt dan het gesproken woord. En haar mannen begrepen dat. De vrouwen die de meeste aandacht van mannen krijgen, zijn degenen die precies weten hoe ze zich sterk moeten uitdrukken. Sommige lichaamstaal is bewust en weloverwogen, maar veel mensen gebruiken lichaamstaal op een natuurlijke manier en onbewust.

Bij een geslaagde ontmoeting vindt er altijd eerst oogcontact plaats, zegt Monica Moore, als psycholoog verbonden aan de Webster Universiteit. Volgens Moore zijn er drie manieren van kijken: type I, de blik waarbij je in vijf tot tien seconden de hele kamer in je opneemt (terwijl je je kin omhoogsteekt, je buik inhoudt en een holle rug trekt, zodat je borst naar voren steekt); type II, de korte, scherpe blik, die op één bepaalde man is gericht en die je verschillende keren herhaalt; en type III, de starende, directe blik die langer dan drie seconden duurt. Direct oogcontact kan vergezeld gaan van twee wenkbrauwen die schijnbaar verrast – 'Bedoel je *moi*?' – omhooggaan. Als er bij type III geglimlacht wordt, betekent het vaak dat de zaak al beklonken is. (Zie pagina 144-145.)

Sta je eenmaal oog in oog met een man die jou wel wat lijkt, dan zal hij zich vooral richten op je hoofd en hals. In dit stadium werpen beide partijen op hetzelfde moment veelvuldig het hoofd in de nek en raken ze snel even hun haar aan. In minder dan vijf minuten hef je je hoofd op en zwaai je even met je haar. Sommige vrouwen zwiepen een keer flink met hun haar, andere strelen hun haar alsof het een poes is. Als je jezelf niet liefkoost, kan het zijn dat je onbewust over een voorwerp wrijft, zoals je sleutels, ring of wijnglas. Mogelijk gaan je vingers terloops naar je nek, die ze masseren terwijl je je hoofd in een hoek van vijfenveertig graden buigt, als teken van kwetsbaarheid en quasi-verlegen opwinding.

De opzettelijke lik met de tong over de lippen scoort ook hoog in Moores catalogus van non-verbale manieren om te verlokken. Als je niet aan het woord bent, kun je je lippen een beetje van elkaar houden en je boven- of onderlip een beetje natmaken. Ben je niet echt een subtiel type, dan kun je verschillende keren royaal met je tong over je lippen gaan, of op dezelfde stoutmoedige manier je lippen stiften, terwijl je de man op wie je je oog hebt laten vallen al die tijd diep in de ogen blijft kijken. Je onderlip tuiten is ook een mogelijkheid. Felgekleurde, volle lippen zijn namelijk een teken van jeugdigheid en een hoog oestrogeengehalte, om nog maar te zwijgen van de erotische parallellen tussen glinsterende, opgewonden lippen en andere lichaamsdelen.

Onbewust ben je geneigd veel te lachen als je in een man geïnteresseerd bent, en knik je vaak. Als je hem aardig vindt, zijn je bewegingen levendiger; vrouwen die belangstelling hebben voor een man, buigen onbewust vrij vaak hun polsen en ellebogen. En dan is er het 'spel', dat bestaat uit knijpen, kietelen, de tong uitsteken of bij mannen op schoot zitten. Als je heel veel lef hebt, kun je proberen met een snelle beweging van je pols je jurk of rok ietsje op te trekken, zodat er meer van je been te zien is. Wat meer gedaan wordt, is in je eentje dansen, waarbij je zittend of staand je lichaam op de maat van de muziek ronddraait. Als de man op dezelfde golflengte zit als jij, kan het zijn dat hij op jouw wenk reageert en vraagt of je met hem wilt dansen, waarbij je zijn hand kunt vastpakken zodat jullie palmen elkaar raken.

Zijn jullie op een plek met harde muziek of veel ander lawaai (of zelfs als het stil is), dan kun je overgaan tot poeslief gefluister. Dan komt hij vanzelf dichter naar je toe, zodat je het rechtstreeks in zijn oor kunt zeggen. Je lichaam raakt het zijne misschien per ongeluk aan. Je gaat met je hand misschien rakelings langs zijn knie of dij, je voet rust boven op zijn voet of je borst komt misschien toevallig even tegen zijn borst aan. Ook al ben je niet zo vrijpostig, de kans is groot dat je je naar hem toe buigt als je hem aardig vindt. Het lijkt wel of er magnetische krachten aan het werk zijn: we worden onbewust aangetrokken door degenen die we aardig vinden en afgestoten door degenen die we niet leuk vinden. Stel jezelf dus voor als een magneet, met een aantrekkingskracht die zo sterk is dat hij die niet kan weerstaan.

Wat is het sterkste signaal dat je kunt gebruiken om iemands aandacht te trekken?

Het belangrijkste signaal dat iemand kan gebruiken om seksuele belangstelling over te brengen (zonder grof te zijn) is een glimlach en een rechtstreekse blik. En dat wil niet zeggen dat je iemand dan met een brede, verlekkerde grijns moet aangapen. Zelfs een Mona Lisa-achtige blik – een flauwe glimlach waarbij de ogen iets toegeknepen zijn – kan al werken, zolang die maar ondubbelzinnig op je doel is gericht. De glimlach zonder oogcontact, of de ogen zonder de glimlach, dat werkt niet. Als je je ogen afwendt, of met een neutrale uitdrukking naar hem staart, zend je gemengde boodschappen uit. De blik en glimlach versterken samen het goede gevoel in de beloningsgebieden in de hersenen van de ontvanger. Als je glimlacht, neemt de amygdala, het deel van de hersenen dat emotionele signalen opvangt, van de andere persoon meteen jouw vriendelijke signaal waar. Volgens een onderzoek door Ben Jones en zijn collega's van het Laboratorium voor Gezichtsonderzoek van de Universiteit van Aberdeen kan je gezicht door een glimlach in combinatie met een directe blik tot wel *acht keer* aantrekkelijker worden voor de andere sekse.

Onbewust geeft je glimlach anderen misschien wel een idee van je hormonale status. Volgens onderzoeken door de psycholoog James Dabbs heeft iemand met een vriendelijke glimlach van oor tot oor waarschijnlijk een lager testosteron- en een hoger oestrogeengehalte, wat voor mannen opwindend moet zijn als de glimlachende figuur een vrouw is. Mannen en vrouwen met een hoog testosterongehalte daarentegen glimlachen niet zo vaak, en als ze het doen, is hun glimlach strak en stroef. (Op pagina 146-147 kun je meer lezen over verschillende manieren van glimlachen.) De deelnemers aan het onderzoek van Dabbs die de glimlachjes van mannen met een hoog testosterongehalte moesten beoordelen, gaven hun een hoger cijfer voor 'potentie' dan de mannen met een laag testosterongehalte, wat duidelijk opwindend is voor vrouwen.

Door naar iemand te glimlachen onderscheid je jezelf volgens Jones en zijn collega's. Een directe blik en glimlach vormen samen een sociaal signaal waardoor je gezicht oplicht en iemand duidelijk maakt dat je hem uitgekozen hebt, al is het maar voor één stralend moment. Vanuit evolutionair oogpunt is het logisch dat een man je aantrekkelijker vindt als je hem een signaal stuurt waaruit blijkt dat je belangstelling voor hem hebt. Als hij op je reageert, heeft hij misschien wel meer succes dan bij een andere vrouw die geen belangstelling lijkt te hebben.

Wat hier opnieuw duidelijk wordt, is dat aantrekkingskracht niet alleen door het uiterlijk wordt beïnvloed, maar ook door de mate waarin je je met iemand bezighoudt. Je kunt adembenemend mooi zijn, maar je schoonheid wordt in de ogen van anderen versterkt wanneer je naar diegene kijkt en de juiste signalen stuurt. Hoe meer je met je ogen je glimlach op je doel richt, hoe krachtiger de indruk is die je maakt en hoe aantrekkelijker je lijkt.

Zend signalen uit

Aantrekkingskracht is een vreemd iets. We maken ons heel erg druk over fysieke schoonheid, maar het onderzoek door de psycholoog Monica Moore wijst erop dat onze handelingen mogelijk nog belangrijker zijn dan ons uiterlijk als we kerels willen aantrekken. Vrouwen die per uur meer dan vijfendertig signalen uitzonden, werden door gemiddeld vier mannen benaderd, terwijl de vrouwen met minder flirtachtige lichaamstaal helemaal niet benaderd werden. In feite werden onaantrekkelijke vrouwen met expressieve lichaamstaal vaker door mannen benaderd dan aantrekkelijke vrouwen die geen signalen uitzonden. Alleen als de lichaamstaal van de vrouwen aangaf dat ze belangstelling hadden, reageerden de mannen enthousiast, omdat ze het onuitgesproken karakter van wat er duidelijk werd gemaakt prettig vonden.

Wat maakt een glimlach aantrekkelijk?

Een glimlach werkt eigenlijk alleen als hij echt is. Hoe hard je ook je best doet, met de brede, gespannen grijns die je voor de camera of een collega trekt, bereik je lang niet zo veel als met de spontane glimlach die op je gezicht verschijnt als je gelukkig bent of lol hebt. Alleen een echte glimlach straalt vreugde uit.

Paul Ekman, psycholoog en deskundige op het gebied van gezichtsemoties, liet verschillende mannen en vrouwen de persoonlijkheidskenmerken van glimlachende mensen op een video beoordelen. Sommige grijnzen waren echt en spontaan, andere waren 'sociale glimlachjes': vriendelijk maar gemaakt. Zonder te weten waarom kregen de deelnemers een veel positievere indruk van de mensen met een echte glimlach, en ze vonden die expressiever, natuurlijker, meer ontspannen en prettiger dan de glimlachjes die niet echt waren. Toen Ekman de deelnemers de echte en de sociale glimlachjes naast elkaar liet zien en ze moesten raden welke echt waren en welke niet, konden ze in bijna vijfenzeventig procent van de gevallen de echte glimlach aanwijzen. Toen ze echter maar één van de twee glimlachjes te zien kregen en ze niet konden vergelijken, konden ze in slechts zesenvijftig procent van de gevallen de echte glimlach aanwijzen. Als je erover nadenkt, is het werkelijk zo: je voelt het vaak als iemand echt gelukkig is, en daardoor voel je je meer tot die persoon aangetrokken. Maar door de sociale glimlach, die we veel vaker zien, raken we waarschijnlijk in de war, maar achteraf weten we wel beter.

Volgens Ekman heeft het verschil tussen een sociale glimlach en een uitdrukking van oprecht plezier te maken met de onbewuste beïnvloeding van de gezichtsspieren. Bij een deelneemster aan een schoonheidswedstrijd of een politicus die een megagrote, stralende namaakglimlach laat zien, beweegt alleen de spier die ervoor zorgt dat de mondhoek omhooggaat, de musculus zygomaticus major of grote jukbeenspier. Bij een echte glimlach stralen ook de ogen plezier uit dankzij de musculus orbicularis oculi, een kringspier rond het oog die ervoor zorgt dat de wangen omhooggaan en er rimpeltjes rond de ogen verschijnen.

Het is moeilijk om een glimlach mét de kringspier van het oog te veinzen, want de meesten van ons hebben alleen controle over het binnendeel van deze spier, vlak bij het oog, en niet over het buitendeel. (Mensen die lange rimpels vanuit hun ooghoeken hebben, hebben misschien heel veel echt gelachen in hun leven.) Deze spier zorgt er ook voor dat de wenkbrauwen in de hoekjes iets naar beneden wijzen. Een echte glimlach is veel soepeler en meer symmetrisch. Hij breekt spontaan door op het gezicht en blijft net zo lang of net zo kort hangen als het gevoel dat de glimlach veroorzaakte.

Een glimlach als oppepper

Een nepglimlach kan in een echte glimlach veranderen. Er is een feedbacklus tussen de gezichtsspieren en emoties, dus elke emotie die op je gezicht verschijnt, beïnvloedt je emoties en omgekeerd. (Daarom voel je je ook meer tot iemand aangetrokken als je diep in zijn of haar ogen kijkt; zie pagina 19). Deze theorie, ook wel gezichtsfeedback genoemd, werd dankzij een uniek experiment onder leiding van de Duitse psycholoog Fritz Strack bewezen. De onderzoekers vertelden de deelnemers aan het experiment dat ze manieren gingen testen waarop mensen met verlamde armen een pen in de mond konden vasthouden. Iedere deelnemer moest de pen op een andere manier tussen de lippen klemmen, waarbij ze bijvoorbeeld gedwongen werden streng te kijken of juist te glimlachen. Daarna moesten ze aangeven hoe grappig ze het stripverhaal vonden dat ze te zien kregen. De mannen en vrouwen die het stripverhaal het grappigst vonden, bleken degenen te zijn die met de pen in hun mond gedwongen waren te glimlachen. De onderzoekers concludeerden dat emoties op het gezicht een emotionele ervaring niet alleen veranderen, maar er ook de aanzet toe kunnen geven. Het is precies zoals de boeddhistische monnik Thich Nhat Hanh het omschreef: 'Soms is je vreugde de bron van je glimlach, maar soms kan de glimlach de bron van je vreugde zijn.'

Waarom denken mannen dat je op ze valt terwijl je alleen maar aardig doet?

Nog niet zo lang geleden zat ik te kletsen met een man die naast me op een bankje in het park zat. Het was een lange man met een groot, roze gezicht en hij was dol op woordpuzzels. We dachten na over de oorsprong van het woord 'buitenissig'. Plotseling stokte het gesprek en hij staarde me met een verrukte uitdrukking op zijn gezicht aan. 'Je bent echt sexy,' zei hij ernstig. Ik dacht: wat heb ik gedaan?

Mannen raken gemakkelijk opgewonden. Martie Haselton, evolutionair psycholoog aan de UCLA, vroeg aan meer dan tweehonderd mannen en vrouwen hoe vaak iemand van de andere sekse abusievelijk veronderstelde dat zij seksuele belangstelling hadden, of deze juist onderschatte.

Het bleek dat vrouwen vaker mannen tegenkwamen die veel méér seksuele belangstelling dachten te bespeuren dan het geval was en mannen zeiden dat ze vaker vrouwen tegenkwamen die niet merkten dat hij seksuele belangstelling had. Hoe hoger de vermeende partnerwaarde van een man – dat wil zeggen, hoe aantrekkelijk men hem vindt op basis van zijn uiterlijk, vroegere relaties en reputatie –, hoe eerder hij dacht dat vrouwen op hem vielen terwijl dat niet het geval was. Hoe komt het dat mannen er zo vaak naast zitten?

Haselton en haar collega's, onder wie de evolutionair psycholoog David Buss, verklaren de zelfbegoocheling van mannen, dus hun neiging om te vaak te denken dat vrouwen seksuele belangstelling hebben, in termen van foutenmanagement. In wezen zijn er twee soorten fouten: een valse realiteit, wanneer je denkt dat iets waar is terwijl dat niet zo is, en een valse irrealiteit, wanneer je denkt dat iets niet waar is terwijl dat wel zo is. De onderzoekers concluderen dat mannen net een brandalarm zijn: ze neigen naar valse realiteiten. Voor brandweerlieden houdt een valse realiteit in dat ze zich naar een plek hebben gehaast waar in feite geen brand was. Voor een hopeloos verliefde man betekent een valse realiteit dat hij zijn oog op een vrouw heeft laten vallen die in feite niet warm of koud van hem wordt. Hoe ergerlijk en zonde van je tijd valse realiteiten ook zijn, ze berokkenen minder schade dan valse irrealiteiten... wat in beide gevallen zou betekenen dat er vlammen zijn die niet ontdekt worden.

De neiging van mannen om te vaak seksuele belangstelling te bespeuren heeft te maken met de selectieve druk op beide seksen. Vrouwen neigen naar valse irrealiteiten, dus de kans is groter dat we denken dat een man geen seksuele belangstelling heeft dan dat we zijn bedoelingen verkeerd opvatten. Voor de verkeerde man vallen en zwanger van hem raken is een enorm risico dat een einde zou kunnen maken aan alle romantische vooruitzichten. Het is beter om een kans te onderschatten dan elke kans die voorbijkomt te grijpen.

Doordat vrouwen zo kieskeurig zijn, wordt het voor mannen meer een wedstrijd, en als ze meer kans willen maken om te winnen, mogen ze geen gelegenheid voorbij laten gaan. In evolutionaire zin krijgen mannen die het bij vrouwen verbruien minder kinderen dan mannen die het niet verbruien, dus ze denken eerder dat er wel iets is dan niet.

Vanuit het (onbewuste) standpunt van een man gezien is het beter om ervoor te gaan en dan te verliezen dan er helemaal niet voor te zijn gegaan. En zo komt het dat mannen vaak afgewezen worden en vrouwen vaak achternagezeten worden.

Opmerkelijk genoeg hebben neurowetenschappers met behulp van hersenscans zelfs aangetoond dat mannen te vaak geneigd zijn seksuele belangstelling waar te nemen. Bij een onderzoek met functionele MRI (fMRI) onder leiding van Stephen Hamann van de Emory Universiteit kregen mannen en vrouwen seksueel expliciete foto's van stellen te zien, en ook neutrale foto's van mannen en vrouwen die niets met seks te maken hadden. Bij de mannen werden de amygdala en hypothalamus sterk geactiveerd toen ze naar de vrijende stellen keken. Dit was niet schokkend: dit circuit van zenuwcellen houdt verband met fysiologische opwinding en het vrijkomen van geslachtshormonen, en het is bekend dat mannen sterker reageren op seksueel getinte foto's. (Zie pagina 172.) Wat de neurowetenschappers niet verwachtten, was dat de amygdala en hypothalamus bij de mannen ook geactiveerd werden, zij het in mindere mate, bij het zien van neutrale contacten tussen mannen en vrouwen. Dat wijst erop dat zelfs niet-seksuele contacten voor een man een seksuele ondertoon kunnen hebben. Zeg tegen je mannelijke, machocollega's op kantoor dat ze 'kosten moeten aftrekken', dat je 'geen zin hebt naar hun pijpen te dansen' of 'zo klaar bent' en de kans is groot dat ze vinden dat je erotische toespelingen maakt.

Gewiekste vrouwen zijn zich natuurlijk bewust van de neiging van mannen overal te veel seks in te zien, en sommige gebruiken het in hun voordeel. Zoals de wetenschappers opmerken, zou een vrouw ervan kunnen profiteren als ze mannen laat denken dat ze seksuele belangstelling heeft terwijl dat niet zo is. Als een man denkt dat er een kans is dat hij je het bed in krijgt, doet hij eerder extra dingen voor je, geeft hij je ego een opkikker en zorgt hij er onbewust voor dat je voor andere mannen aantrekkelijker lijkt. (Zie pagina 232 over zijlijners.) Deze mannen zien niet alleen chronisch overal te veel seks in, ze sloven zich ook nog eens te veel uit.

Wat voor lichaamstaal gebruiken mannen om je aandacht te trekken?

Een paar jaar geleden observeerden onderzoekers van de Bucknell Universiteit en het Ludwig Boltzmann Instituut voor Stadsethologie gezamenlijk de paarrituelen van mensenmannen. Er werden observatiepunten opgezet in geschikte habitats, en voor onze soort zijn dat bars en clubs. Bij deze drinkgelegenheden mengden mannen en vrouwen zich terwijl ze dicht bij elkaar stonden. Ze stonden rechtop, zagen er keurig uit en zonden af en toe non-verbale paarsignalen uit. Aan het eind van het onderzoek hadden de onderzoekers veertig mannen 'betrapt' terwijl ze actief probeerden de aandacht van vrouwen te trekken.

Oogcontact, merkten de onderzoekers op, is de belangrijkste hint, en mannen die op jacht zijn, laten hun blik door de hele ruimte gaan in een poging oogcontact te maken met een vrouw. Ze zoeken een vrouw die even haar blik op hem laat vallen, dan snel wegkijkt, en vervolgens weer naar hem kijkt. (Zie pagina 142.) Een man gaat zelden op een vrouw af als er niet eerst een duidelijk ogenspel heeft plaatsgevonden. Als er voor een toenadering geen sprake is geweest van oogcontact, zijn vrouwen in de war en voelen ze zich niet op hun gemak, wat meestal betekent dat ze de man in kwestie zullen afwijzen. Uit het onderzoek bleek dat vrouwen gemiddeld dertien keer kort en direct naar een man moesten kijken voordat mannen hun remmingen van zich af konden zetten en toenadering durfden te zoeken. (De onderzoekers zagen niet dat vrouwen als eerste toenadering zochten tot mannen, hoewel oogcontact strikt genomen de eerste stap is.)

Tussen het moment dat het eerste oogcontact plaatsvindt en de eigenlijke toenadering maken mannen veel andere onbewuste gebaren om de aandacht te trekken van de vrouw van hun keuze. Een vrijpostige man zal waarschijnlijk de ruimte die hij in beslag neemt zo groot mogelijk maken door als hij zit zijn benen uit elkaar te plaatsen en zijn armen over de rugleuning van de stoelen naast hem of op de schouders van andere mannen te leggen. Mogelijk steekt hij zijn duimen in zijn broekzakken of lusjes van zijn riem, zodat zijn handen een omlijsting vormen om zijn geslachtsdelen. Door deze houdingen aan te nemen valt de man niet alleen veel meer op, hij neemt zo ook een dominante positie in tussen zijn vrienden. Open lichaamshoudingen drukken sociale macht, kracht en een overtuigende persoonlijkheid uit, terwijl gesloten houdingen, zoals de armen over elkaar en gekromde schouders, wijzen op een gebrek aan zelfvertrouwen en een lagere positie in de sociale pikorde. Mannen die uiteindelijk op een vrouw afstapten, maakten van tevoren gemiddeld negentien 'ruimtevergrotende' gebaren, terwijl ze de hele tijd steelse blikken op de vrouw van hun keuze wierpen om er zeker van te zijn dat ze keek en nog steeds interesse had.

Niet iedere man krijgt groen licht of heeft het lef om op een vrouw af te stappen, maar in het onderzoek drukten veel mannen hun belangstelling uit met behulp van automanipulatiesignalen: over de kin strijken, over het gezicht wrijven en de wang krabben. Dat zijn kennelijk de subtiele manieren waarop mannen de aandacht op hun gezicht willen vestigen, vooral op de plekken waar baardgroei plaatsvindt, omdat die op mannelijkheid wijzen en zich onder de invloed van testosteron ontwikkelen. Deze gebaren kunnen ook op nervositeit en angst wijzen, en bedoeld zijn om een ongemakkelijk gevoel af te reageren.

Vrouwen zijn degenen die de keuze maken. Zelfs terwijl je in rap tempo en keihard met je vriendinnen staat te kletsen, met wijnglas én mobieltje in je hand, ben je in staat om te bepalen of die kerel aan de andere kant van de kamer wat is, toch? En dan kijk je dus ook naar het patroon van zijn gebaren. Mannen die veel handgebaren maken, vooral met de palmen naar boven, zouden een communicatieve en prettige persoonlijkheid hebben, waardoor ze meer succes hebben bij de vrouwen. Aanraken is ook belangrijk. De man die zijn vrienden joviaal op de rug slaat, wordt gezien als iemand met meer sociaal cachet dan degene die geslagen wordt, en vrouwen vinden dat over het algemeen aantrekkelijk. Mannen die de ander een klap op de rug teruggeven, hebben een hogere sociale status dan de mannen die niemand aanraken of niet worden aangeraakt door andere mannen. Zet een groep mannen bij elkaar en meteen wordt er een sociale hiërarchie duidelijk.

Gezien al het staren, spreiden van dijen, op de rug slaan en gekrab aan lichamen dat plaatsvindt, is het antropologen opgevallen dat de lichaamstaal van mannen wel heel erg op die van apen lijkt als het om paren gaat. Verander de habitat van het oerwoud in een bar, gooi een paar biertjes naar binnen en je ziet vanzelf hoe mannen op overtuigende wijze in apen veranderen, en hoe heerlijk vrouwen dat vinden.

Hoe overredend is een aanraking?

Wil je je kans om je zin te krijgen vergroten? Raak dan de persoon aan die je kan geven wat je wilt. Toen iemand bij wijze van experiment op straat een muntje nodig had om te bellen, viste slechts negenentwintig procent van de voorbijgangers voor hem in zijn of haar tas. Toen hij terwijl hij zijn verzoek deed echter ook even de arm van de voorbijgangers aanraakte, hielp vijftig procent hem. Bij een ander experiment boden medewerkers van een kruidenierswinkel klanten de kans om nieuwe producten te proeven. Alleen als hun arm even werd aangeraakt waren winkelende mensen eerder geneigd te blijven staan en te proeven van wat er werd aangeboden. Kandidaten die tijdens een sollicitatiegesprek werden aangeraakt, stemden er eerder in toe vrijwilligerswerk te doen. Studenten die in het klaslokaal werden aangeraakt, waren eerder bereid naar het schoolbord te gaan. Klanten die door serveersters werden aangeraakt, bestelden meer alcohol en gaven grotere fooien.

In dit verband is het niet verrassend dat iemand tijdens een afspraakje door een lichte aanraking ook aantrekkelijker wordt. Nicholas Guéguen, sociaal psycholoog aan de Universiteit van Bretagne-Sud in Frankrijk, stuurde een leuke vent van in de twintig, codenaam Antoine, voor drie weken naar een Franse nachtclub. Antoine moest vrouwen benaderen en vragen of ze met hem wilden schuifelen. Bij de helft van de vrouwen moest hij bij deze vraag licht hun onderarm aanraken. Opmerkelijk genoeg wilde vijfenzestig procent van de vrouwen die hij had aangeraakt, met hem dansen, tegenover slechts drieënveertig procent van de vrouwen met wie hij geen fysiek contact had gehad.

Later werd de knappe Antoine erop uitgestuurd om jonge vrouwen op straat te benaderen. Zijn opdracht was om tegen elke vrouw te zeggen dat hij vond dat ze knap was en om haar telefoonnummer te vragen, zodat ze een keer konden afspreken. Opnieuw raakte hij de helft van de vrouwen tijdens de vraag aan. Hoe alarmerend en griezelig Antoines toenaderingswijze ook mag klinken, meer dan negentien procent van de vrouwen die hij aanraakte, gaf hem haar telefoonnummer, tegenover slechts tien procent van de vrouwen met wie hij geen fysiek contact had gemaakt. Vervolgens stapte een vrouwelijke medewerker aan het experiment op dezelfde vrouwen af en vroeg hun wat voor indruk ze van Antoine hadden. Het bleek dat de vrouwen die Antoine had aangeraakt hem seksueel aantrekkelijker, dominanter en krachtiger vonden.

Zelfs een heel korte aanraking heeft veel effect, omdat het een teken is van dominantie en status, zo blijkt uit het onderzoek van Guéguen. Mannen raken vrouwen vaker aan dan andersom, en vaak werkt het in het voordeel van de mannen, omdat vrouwen over het algemeen de voorkeur geven aan dominante mannen met een hoge status. Natuurlijk verandert de aanraking afhankelijk van de context. Een eenvoudige aanraking kan ook vriendelijkheid, oprechtheid en begrip overbrengen. De cultuur is van invloed op hoe de aanraking wordt opgevat: als je uit een cultuur komt waar weinig contact wordt gemaakt, mijd je het misschien. Dat doe je ook als je de persoon die jou aanraakt niet mag, of als je intimiteit uit de weg gaat. Door de neiging van mannen om overal seks in te zien, kan zelfs een korte aanraking met je vingertoppen op de schouder van een man worden geïnterpreteerd als seksuele belangstelling.

Het is begrijpelijk dat aanraking iemand gewoonlijk aantrekkelijker maakt, maar toch is het iets waar we zelden over nadenken. Probeer het de volgende keer eens als je veel indruk wilt maken, maar overdrijf niet. Zoals Voltaire zei: 'Om van het leven te kunnen genieten, moeten we het niet te serieus nemen.'

Zorg dat je de overhand hebt

Wie heeft er in jouw relaties de overhand? En dat bedoel ik letterlijk. Bij stellen is er vaak een onbalans tussen wie aanraakt en wie aangeraakt wordt, wat mogelijk weergeeft hoe de macht in de relatie verdeeld is. Vrouwen worden van kleins af aan meer aangeraakt dan mannen. Zo worden ook mensen met een lagere status meer aangeraakt door mensen met een hogere status dan andersom. Uit een onderzoek onder vijftienduizend heteroseksuele stellen bleek dat wanneer geliefden in het openbaar elkaars hand vasthielden, de hand van de man het vaakst dominant was, dus boven op de hand van de vrouw lag. Een ander onderzoek toonde aan dat de vrouw zich het vaakst bevond aan de kant van de dominante hand van de man (rechts van hem als hij rechtshandig was en links van hem als hij linkshandig was). Of het nu gaat om een afspraakje of een langdurige relatie, wees je ervan bewust wie dominant is als jullie elkaars hand vasthouden, elkaar aanraken, kussen, de blik vasthouden, de liefde gaan bedrijven, en wie bepaalt hoe snel jullie lopen en wanneer een intiem moment begint of eindigt. Dat gezegd hebbende: er zijn andere eeuwenoude vormen van macht die vaak tot het domein van de vrouw behoren, zoals geen intimiteit bieden en intimiteit niet toestaan. Juist!

Wat schuilt er achter de versierbabbels waar mannen mee komen?

Een man komt in een bar schuchter op je toe lopen. In het halfduister kun je niet goed zien hoe hij eruitziet, maar je hoort hem wel... jammer genoeg. Met bulderende stem roept hij: 'Hé daar, ik ben dan misschien geen Fred Flintstone, maar ik wed dat ik je bed kan doen schudden!'

De 'Fred Flintstone' is een van de versierbabbels die werden genoemd in twee onderzoeken naar mannelijk flirtgedrag door de Britse psychologen Matthew Cooper, Rory Morrison, Christopher Bale en hun collega's. Als je hun zou vragen waarom een man ooit een zin als de 'Fred Flintstone' zou gebruiken, zouden ze zeggen dat het om seksueel vertoon gaat. Waarom zou iemand opzettelijk blijk willen geven van een slechte smaak? Wat schuilt hierachter?

Het antwoord is dat de manier waarop je op de versierbabbel van een man reageert, hem iets vertelt over je persoonlijkheid en wat je in een partner zoekt. Hoe controversiëler, seksueler of grappiger de uitnodigingszin is, hoe beter hij als filter werkt. Een man gebruikt deze zinnen, al dan niet bewust, als manier om de vrouwen die niet op zoek zijn naar iemand als hij uit te selecteren (of om in elk geval geen tijd aan ze te verspillen). Een man die de Fred Flintstone-frase gebruikt, is waarschijnlijk op zoek naar een wip en niet naar de liefde van zijn leven, en een vrouw die de neanderthaler niet meteen neer wil knuppelen, is vast ook op zoek naar seks. Net als mijn vriendin Rita. In een bar kwam een man stilletjes naar haar toe en vroeg haar of ze wel eens boven op een wasmachine seks had gehad. Dat was zijn manier om zich voor te stellen. Ze rolde met haar ogen en lachte. De obscene praat kon haar niks schelen. Ze vond hem eigenlijk wel grappig en sexy, en later hadden ze geweldig veel plezier tussen de lakens.

De psychologen vroegen een paar honderd mannen en vrouwen om na te denken over de verschillende openingszinnen die mannen gebruiken als ze een vrouw willen versieren, hoe geslaagd ze over het algemeen zijn, door wat voor type man ze worden gedebiteerd, en wat voor type vrouw ervoor valt. De deelnemers moesten een persoonlijkheidstest doen waarbij hun psychoticisme (opstandigheid of roekeloosheid), extraversie (sociaal gedrag) en neuroticisme (emotionaliteit, depressie en angst) werden gemeten.

Over het algemeen reageerden vrouwen het beste op versierbabbels die een weerspiegeling waren van het karakter van de man, van zijn cultuur, bezittingen, spontane scherpzinnigheid en vermogen om in een situatie de touwtjes in handen te nemen – eigenschappen die staan voor een 'goede partner' (zichzelf aan een vrouw voorstellen nadat hij ervoor gezorgd heeft dat ze comfortabel kan zitten in de bus, tegen haar zeggen dat haar drankje een rondje is van de zaak, waarna hij zich vervolgens voorstelt als de eigenaar van de club, of haar vragen of ze hem wil helpen bij het uitzoeken van een duur horloge). Grappige zinnen ('Je bent me niet vergeten?', of: 'Zal ik een eiland voor je kopen?' vond men wel enig effect hebben, en ze filterden introverte vrouwen eruit, die die zinnetjes minder konden waarderen dan andere persoonlijkheidstypes. Complimentjes ('Ik ben laat en jij bent ongelofelijk mooi', of: 'Je doet me denken aan een bonbon, want je ziet eruit om op te eten') hadden bij de meeste vrouwen niet zo veel succes, en werden waarschijnlijk als te glad beschouwd. Vrouwen die hoog scoorden wat betreft neuroticisme waren echter enthousiaster over deze dweperige zinnen dan de andere persoonlijkheidstypes. De seksueel beladen versierbabbels als de 'Fred Flintstone-leugen' en de recht-voor-z'n-raapvraag 'Heb je zin in seks?' vonden de meeste vrouwen het minst effectief, maar degenen die hoog scoorden wat betreft psychoticisme vonden die weer minder afstotelijk. (Een zwak punt in het onderzoek was dat er niet naar werkelijke situaties gekeken werd, waarin een slechte versierbabbel goed kan klinken door het uiterlijk en de benadering, en andersom.)

Het feit dat vrouwen gewoonlijk kiezen voor openingszinnen die op een goede partner wijzen doordat ze karakter, cultuur, rijkdom en misschien humor weerspiegelen, is in overeenstemming met de theorie dat vrouwen over het algemeen meer van mannen houden die het in zich hebben om een partner voor de lange termijn te zijn. Maar vrouwen zijn niet altijd op zoek naar de liefde van hun leven; sommige zijn bewust op zoek naar stoute, sexy jongens voor een vluchtige relatie. Daarom werken zinnen als de Fred-Flitstonezin soms. Noem mijn vriendin psychotisch, maar ze viel voor de 'seks op de wasmachine'-zin omdat ze op dat moment een sexy, opstandige man in haar leven wilde. Het was geen sterke basis, en dat was ook niet de bedoeling. Maar het bed schudde!

❖

Waarom is blozen sexy?

Freud noemde een blos een verschoven erectie. Je kunt er even weinig aan doen als een puberjongen aan een stijve. Langzaam blozen voltrekt zich onder invloed van het sympathische zenuwstelsel, dat er ook voor zorgt dat je pupillen zich verwijden, je hart pompt, je oksels zweten, dat je kippenvel op je armen krijgt en meer van dat soort onbewuste handelingen.

Als het om aantrekkingskracht gaat, laat je blos, ook wel een 'kleursignaal' genoemd, iets van je gemoedstoestand zien. De bloedtoename in de fijne gezichtsadertjes wordt algemeen gezien als een teken dat iemand opgewonden, verliefd of kwaad is, of zich schaamt. In een seksueel verband betekent het, quasi-verlegen: *Ik ben smoorverliefd en verlegen!* De felroze wangen van een vrouw zijn misschien wel het teken dat mannen nodig hebben om te weten dat ze op een romantische manier belangstelling heeft. Blozen is net zoiets als je hart laten opflikkeren.

Blozen is ook een manier om je jeugdigheid te laten zien. Je langzame, gloeiende blos schreeuwt: *Ik heb genoeg ervaring om te weten wat er gebeurt, maar ben onschuldig genoeg om verlegen of opgewonden te zijn.* Bij een onderzoek van de Universiteit van Californië in Davis zei vierenzestig procent van de mensen van vijfentwintig jaar of jonger dat ze meer dan één keer per week bloosden (en zesendertig procent dagelijks), tegenover slechts achtentwintig procent van de mensen die ouder waren dan vijfentwintig. (Denk eens na: wanneer heb *jij* voor het laatst gebloosd?)

Een blos duidt ook op gezondheid en seksuele opwinding. Als je kunt blozen, is je lichaam tot plotselinge fysiologische veranderingen in staat. Je hart pompt krachtiger dan normaal (weer dankzij het sympathische zenuwstelsel), en het bloed is rijk aan zuurstofrijke hemoglobine. Ook hier geldt weer: hoe ouder je wordt, hoe minder kleur je wangen bereikt.

Er is een interessant evolutietheorietje over blozen. Volgens de neurobiologen van Caltech was blozen zo belangrijk voor onze voorouders, voor primaten, die voor het waarnemen van emoties en seksuele signalen afhankelijk waren van het kleurteken, dat het in verband wordt gebracht met de ontwikkeling van het zien van kleuren. De ogen van de mens zijn geoptimaliseerd om roodachtige golflengten waar te nemen die overeenkomen met subtiele veranderingen in de kleur van de huid. De meeste mensen kunnen een blos waarnemen op gezichten van elke huidskleur.

Evolutionair gezien zou blozen ook een verklaring kunnen zijn waarom mensen – zelfs mannen met een volle baard – geen haar op de wangen hebben. Bij sommige andere primaten wordt opwinding elders op het lichaam zichtbaar gemaakt. Als een chimpansee bronstig is, krijgen de wangen van haar achterste een felrode kleur.

Waarom vinden mensen je aardiger als je ze nabootst?

Denk eens terug aan een leuk afspraakje, aan hoe vanzelf het allemaal ging, hoe het tussen jullie klikte. Alleen als je je heel erg bewust van jezelf was, zou je gemerkt hebben dat je het accent, de intonatie, de pauzes en zelfs de stopwoordjes van je vriendje nabootste. Misschien spiegelde je ook zijn lichaamstaal en zette je bijvoorbeeld met hetzelfde lipbijtende glimlachje je ellebogen op je knieën. En toen hij optimistisch en openhartiger werd, voelde jij je waarschijnlijk ook heel blij en maakte je dezelfde lange, vegende gebaren. Als hij zich ook zo voelde, spiegelde hij jou waarschijnlijk ook.

Tanya Chartrand en John Bargh, psychologen aan respectievelijk Duke en Yale, leidden een bijzonder effectief onderzoek naar nabootsing. Een medewerker aan het experiment ging een paar keer achter elkaar in een ruimte met iemand zitten praten en bootste daarbij subtiel maar bewust de houding van die persoon na. Als diegene naar voren leunde, deed de medewerker dat ook, en als diegene naar achteren leunde, deed de medewerker hetzelfde. Dit ging zo natuurlijk dat die persoon in kwestie niet in de gaten had dat hij of zij tijdens het gesprek werd nagebootst. Later, toen de mensen met wie de gesprekken waren gevoerd het experiment moesten beoordelen, zeiden degenen die waren nagebootst dat ze de medewerker aardig vonden en dat ze het een prettig gesprek hadden gevonden, terwijl deelnemers die niet waren nagebootst een lagere beoordeling gaven. Bij een soortgelijk onderzoek imiteerden deelnemers die graag op goede voet wilden komen met de medewerker, zodat ze samen een taak konden verrichten, onbewust de wiebelbewegingen met de voet en de aanrakingen van het gezicht van de medewerker.

Psychologen beweren dat als je een reden hebt om een band te vormen met iemand – als je bijvoorbeeld samen moet werken of seksuele belangstelling hebt – je eerder zijn of haar uitdrukkingen en lichaamstaal zult nabootsen. Nabootsen gebeurt ook in groepssituaties. Er ontwikkelt zich een soort vloeiende synchroniciteit, zoals dat ook gebeurt bij een zwerm vogels of een school vissen. Vanuit evolutionair oogpunt was het vermogen om na te bootsen uitermate belangrijk in een omgeving waarin de overleving van de mens afhankelijk was van de onderlinge samenhang van een groep. Door onbewust het gedrag van anderen over te nemen, werden onze voorouders meer gelijkgezind en konden ze beter communiceren.

Door bij een afspraakje je vriend na te bootsen charmeer je hem niet alleen, maar op neurologisch niveau toon je ook begrip, inlevingsvermogen en verbondenheid. Het is een vicieuze cirkel: iemand aardig vinden leidt tot nabootsing, en nabootsing leidt tot iemand aardig vinden. Dat komt doordat nabootsing vaak werkelijk van invloed is op onze emoties. Daarom kikkeren blije mensen je op en word je van depressieve mensen down. Neurowetenschappers hebben bewijs gevonden dat emotionele nabootsing veroorzaakt wordt door een bundel neuronen in de rechter inferiore frontale gyrus van de voorste hersenkwab, die het spiegelneuronensysteem wordt genoemd. Dit spiegelneuronensysteem, dat ook is gevonden bij apen en andere dieren, wordt actief als je waarneemt wat iemand anders doet. Spiegelneuronen stellen je in staat de handelingen, bedoelingen en emoties van andere mensen te begrijpen.

Met behulp van functionele MRI (fMRI) hebben neurowetenschappers ontdekt dat als mensen een kwaad, verdrietig of blij gezicht nabootsen, hun spiegelneuronen in de inferiore frontale cortex in wezen de handeling weerspiegelen die ze zien, alsof ze een emotionele ervaring uit de eerste hand meemaken. (Test het zelf maar eens door bewust de uitdrukkingen van iemand anders na te bootsen; je merkt dan misschien wel dat je stemming verandert.) In feite hoeven mensen die zich goed in anderen kunnen inleven zich alleen maar de emotionele situatie van iemand anders voor te stellen en dan vertonen hun eigen hersenen automatisch dezelfde actiepatronen. Nabootsing kan ook te maken hebben met gezichtsfeedback, de theorie dat gezichtsuitdrukkingen onze gevoelens veranderen dankzij een gezamenlijke zenuwbaan tussen de motorische (beweging) en emotionele gebieden van onze hersenen. Bij vrouwen is de spiegelneuronenactiviteit sterker dan bij mannen, en het is aangetoond dat de spiegelneuronen in de hersenen van mensen met autisme minder actief zijn.

Probeer eens een glimp op te vangen van je eigen gezichtsuitdrukkingen als je het gevoel hebt dat het echt klikt met een vriend. Waarschijnlijk boots je zijn uitdrukkingen na, die weer van invloed zijn op jouw stemming. Of misschien boots je zijn stemming na, die weer van invloed is op jouw uitdrukkingen. En als hij jouw uitdrukkingen nabootst, kan dat van invloed zijn op zijn stemming, die weer van invloed is op jouw stemming en jouw uitdrukkingen. Na een tijdje zie je dat alles verband met elkaar houdt: jouw uitdrukkingen en jouw gevoelens, en die van hem.

Zoek een partner met een stemming die bij je past

Hoe empathischer je bent, hoe eerder je de stemmingen van je partner zult waarnemen en weerspiegelen als onderdeel van de manier waarop jullie een band vormen. Uit onderzoeken onder gedeprimeerde mensen met een relatie bleek dat de ongelukkige helft van het stel vaak onbewust een 'stemmingaandrijver' wordt en zijn of haar partner in een soortgelijke maar meer verspreide depressie duwt. Iemands stemming overnemen is een veelvoorkomend verschijnsel; zelfs het nabootsen van iemands angstige gelaatsuitdrukking of stem kan dezelfde toestand in je opwekken. (Het verklaart ook waarom je schrikachtig bent nadat je naar een horrorfilm hebt gekeken of agressief nadat je een discussie hebt bijgewoond.) Het voordeel is dat je ook plaatsvervangend geluk kunt ervaren. Een partner kiezen is dus eigenlijk net zoiets als een tv-zender kiezen. Bepaal waar je van houdt, want daar zul je op afgestemd zijn.

❖

Waarom buig je je hoofd naar rechts als je zoent?

Toen de biopsycholoog Onur Güntürkün stiekem geliefden observeerde op luchthavens, treinstations, in parken, op het strand en andere openbare plaatsen, merkte hij een bepaald patroon op. Als ze zich naar elkaar toe bewogen om te zoenen, bogen de meeste stellen hun hoofd naar rechts in plaats van naar links. Waar Güntürkün ook naartoe ging, de Verenigde Staten, Duitsland, Turkije, het was steeds hetzelfde patroon, en zeventigjarigen deden het net zo vaak als tieners. Van de honderdvierentwintig stellen draaide bijna 65 procent hun hoofd naar rechts voordat ze elkaar met de lippen vonden.

Een paar jaar later deed een groep Ierse psychologen in Belfast het voyeuristische onderzoek van Güntürkün nog eens over. Dit keer boog 81 procent van de honderdvijfentwintig zoenende stellen hun hoofd naar rechts. Om de invloed die de ene zoener op de andere zou kunnen hebben uit te sluiten, lieten de Ierse onderzoekers tweehonderdveertig vrijwilligers een pop kussen. Het patroon bleef hetzelfde: 77,5 procent boog zijn hoofd naar rechts. Het maakte niet uit of iemand links- of rechtshandig was; de kans dat hij of zij naar rechts boog om te zoenen was groter dan naar links.

Volgens Güntürkün zoenen de meeste mensen naar rechts omdat we motorisch gezien een neiging naar rechts hebben. In de baarmoeder draaien de meeste foetussen vanaf de twaalfde week van de zwangerschap hun hoofd naar rechts en bewegen ze ook hun rechterarm meer dan de linkerarm. Omdat er al zo vroeg in de ontwikkeling sprake is van deze motorische neiging naar rechts, concluderen onderzoekers dat het genetisch bepaald is en verband houdt met de ontwikkeling van de spieren en de ruggengraat. De aangeboren voorkeur van de foetus voor bewegingen naar rechts kan een rol spelen bij de verdere ontwikkeling van de zenuwen, waardoor verschillen in waarneming en motorische beheersing tussen de linker- en rechterhelft van de grote hersenen veroorzaakt of versterkt worden (zoals ruimtelijk bewustzijn en links- of rechtshandigheid).

Baby's slapen doorgaans met hun hoofdje naar rechts gedraaid. Twee op de drie mensen gebruiken hun rechtervoet, rechteroog en rechteroor het meest. Acht op de negen mensen zijn rechtshandig. En daarin zijn we niet de enigen: vissen draaien doorgaans naar rechts als een roofdier recht op hen af komt, kuikens draaien hun kopje naar rechts als ze uit hun ei komen en ratten rennen naar rechts als ze uit een doolhof proberen te ontsnappen. (Het interessante is dat ratten die een neiging naar links hebben een zwakker immuunsysteem hebben.)

Emoties lijken er ook voor te zorgen dat we iets meer naar rechts neigen. Uitdrukkingen komen op de linkerhelft van het gezicht het sterkst tot uiting, wat betekent dat als je je hoofd naar rechts draait, je meer van je gevoelskant laat zien. Dat komt doordat de rechterhelft van de grote hersenen, die de linkerkant van het gezicht beheerst, verband houdt met stemmingen, terwijl de linkerhelft van de grote hersenen, die de rechterkant van het gezicht beheerst, de meer analytische kant is.

Sterker nog: toen de onderzoekers Michael Nicholls, Danielle Clode en hun collega's van de Universiteit van Melbourne deelnemers vroegen een houding aan te nemen die ze ook zouden gebruiken voor een familiefoto, waren beide seksen vaker geneigd hun hoofd naar rechts te buigen dan wanneer hun gevraagd werd te poseren als een rationele, zelfverzekerde wetenschapper (ongeveer zestig procent versus veertig procent). Ook uit een studie van 1474 schilderijen bleek dat het onderwerp op bijna zeventig procent van de portretten van vrouwen, zoals de *Mona Lisa*, en zesenvijftig procent van de portretten van mannen het hoofd naar rechts is gedraaid, zodat er dus meer van de gevoelskant van het gezicht wordt getoond.

Toen Nicholls, Clode en hun collega's onderzochten wat het effect van rechter- en linkerposes op de waargenomen emoties was, concludeerden ze dat gezichten die net vijftien graden naar rechts waren gedraaid, zodat ze iets meer van de linkerkant laten zien, beduidend meer emoties toonden dan foto's die frontaal of met het gezicht naar links genomen waren, zelfs als de foto's in spiegelbeeld werden getoond. (De rechterkant van het gezicht wordt echter vaker knapper en krachtiger gevonden; zie pagina 27-28). Als je de emotionele linkerkant van je gezicht zou laten zien, zou dat van invloed kunnen zijn op je zoengedrag – misschien ben je meer geneigd je hoofd naar rechts te draaien als je emotioneel bent en naar links als je zelfbewust bent –, hoewel onderzoekers opperen dat de motorische neiging sterker is. Wanneer mensen een pop zoenen, buigen ze immers bijna even vaak naar rechts als wanneer ze een mens zoenen.

Rechtskennis

De meesten van ons hebben motorisch gezien onbewust een neiging naar rechts. Dat is handig om te weten als je je ooit druk maakt om een eerste zoen (de kans is in elk geval twee op drie dat hij zijn hoofd naar rechts zal buigen, dus dan zou jij dat ook moeten doen). (Het interessante is dat de meeste linkshandigen ook naar rechts zoenen.) De wetenschap dat tweederde van de mensen een neiging naar rechts heeft, kan ook in andere opzichten handig zijn. Als je een theater of andere drukke ruimte binnenloopt, is de kans groter dat je aan de linkerkant van de ruimte een zitplaats vindt, omdat door middel van onderzoeken is aangetoond dat de meeste mensen instinctief naar rechts gaan. (Gewiekste winkelmanagers weten dit en plaatsen hun nieuwste artikelen rechts van de ingang.) Zo kun je ook het best de linkeruitgang kiezen van de metro of een stadion als je niet in de mensenmassa terecht wil komen. Het is ook nuttig om van het emotionele aspect van de neiging naar rechts op de hoogte te zijn. Volgens de onderzoekers van de Universiteit van Melbourne draai je mogelijk onbewust je hoofd naar rechts als je expressief en emotioneel bent, waardoor je meer van je gevoelige linkerkant laat zien. Als je de situatie in de hand hebt of zelfbewust bent, draai je je hoofd mogelijk naar links, zodat je je aantrekkelijke en 'krachtige' rechterkant laat zien. Zelfs de kleinste draai met je hoofd kan de manier waarop mensen je waarnemen enorm beïnvloeden.

Waarom tongzoenen we?

Op het eerste gezicht lijkt tongzoenen helemaal niet zo sexy. Daar sta je dan, met je tong in de mond van je partner, elkaars speeksel en een heleboel bacteriën uit te wisselen. Bij een tongzoen gebruik je vierendertig gezichtsspieren. Je lippen zijn opgezwollen door al het bloed dat door je lichaam vliegt, dankzij je hart, dat misschien wel twee keer zo snel pompt als normaal. Je pupillen verwijden zich, je voelt een tinteling in je onderbuik en je wordt opgewonden.

Tongzoenen klinkt misschien niet zo lekker, maar als het goed is, geeft het beslist een lekker gevoel. Volgens een onderzoek onder meer dan duizend studenten aan de Universiteit van Albany beschouwen veel vrouwen de eerste kus als een beslissend moment. Slechts tien procent van de vrouwen zei dat ze soms dromen dat ze seks hebben met een man zonder eerst te zoenen, terwijl mannen niet vonden dat een dergelijke 'inleiding' nou zo belangrijk was. Toch is zoenen een manier om te testen of je wel goed bij elkaar past. Zijn de lippen van je partner soepel en gevoelig, of strak en gespannen? Hoe houdt hij je vast: hongerig, met hartstocht en bewondering? Of slap en plechtmatig? Is hij wel een echte zoener?

Je lippen zitten vol gevoelsneuronen. Als je de zoen van je vriend lekker vindt, zenden zenuwuiteinden blije signalen naar de cortex van je hersenen dat die neurotransmitters moet afgeven, inclusief dopamine en endorfinen. Dopamine voedt het beloningssysteem in je hersenen, dat je prikkelt om door te gaan met zoenen. Endorfinen, die ook bekendstaan als natuurlijke pijnstillers, vergroten het plezier (wat waarschijnlijk ook verklaart hoe een kikker door een kus in een prins kan veranderen). Het cortisolgehalte gaat omlaag bij stellen die zoenen. Door knuffelen kan het ook gebeuren dat oxytocine door je hersenen gaat stromen, het 'knuffeldrughormoon' dat je band met een andere persoon versterkt en ervoor zorgt dat je je warm en knuffelig voelt. (Zie pagina 132.)

Evolutionair psychologen denken dat zoenen een onderdeel vormt van een ritueel om de lichaamschemie en compatibiliteit van een potentiële partner te beoordelen. Dat is ook de reden waarom het in ten minste negentig procent van de culturen gedaan wordt. Doordat je dicht bij je partner komt en zelfs zijn speeksel proeft, krijg je een idee van zijn 'chemische vingerafdruk'. Zijn speeksel en zweet bevatten potentiële feromonen – androstadiënon en aan MHC verwante geuren –, waar je opgewonden van wordt, of juist niet. Vind je hem lekker smaken, of, zoals een vriendin het na een rampzalige poging uitdrukte: 'Ging er op dat moment iets dood'?

Zoen je gezond

Tongzoenen zorgt er niet alleen voor dat er positieve neurotransmitters en hormonen vrijkomen, het kan ook je immuunsysteem versterken. Hajime Kimata, een Japanse onderzoeker, gaf bijna vijftig patiënten met eczeem en allergische neusverkoudheid de opdracht hun partner een half uur lang te kussen. Voor en na de knuffelsessie mat hij bij iedereen de onderdelen van het immuunsysteem. Door het kussen werden er minder allergeenspecifieke antilichamen geproduceerd, waardoor er minder allergische reacties plaatsvonden die een slechte huid en allergiesymptomen veroorzaken. Als je veel zoent, zie je er gewoon beter uit.

7
Seks en verleiding

Hij keek in mijn ogen, pinde me vast als een waterjuffer
op een kurkplaat.
Hij sprak in mijn oor, met zachte stem, maar niet fluisterend.
'Beweeg je niet. Spreid alleen je benen een beetje,' zei hij.
Zijn lippen raakten mijn oor nauwelijks aan.
Toen vertelde hij me wat hij ging doen, aan me, met me, op me.
– Kelly Clayton, 'Wat ik in hem zag'

Waarom hebben mannen meer vluchtige seks?

Bij een klassiek sociologisch experiment stapten een mooie vrouw en een knappe man op een universiteitscampus op een vreemde van de andere sekse af en vroegen in de loop van het gesprek terloops of de ander zin had in seks. Vijfenzeventig procent van de mannen zei ja, en degenen die de vrouw afwezen, verontschuldigden zich uitgebreid en kwamen met een smoes, bijvoorbeeld dat ze uit eten gingen met de ouders van hun verloofde. Geen enkele vrouw ging echter in op het gulle aanbod van de man. Dat wil niet zeggen dat vrouwen geen vluchtige seks hebben. Die hebben ze natuurlijk wel, maar een groot verschil tussen mannen en vrouwen is dat vrouwen over het algemeen niet zo *veel* korte contacten willen als mannen (die ze soms nog hebben ook).

Het *International Sexuality Description Project*, een overzicht dat wereldwijd de seksualiteit van meer dan zestienduizend mensen beschrijft, bevestigde een bekend feit: ongeacht leeftijd, huwelijkse staat of seksuele voorkeur zijn mannen, meer dan vrouwen, er in het algemeen meer in geïnteresseerd veel scharrels te hebben. Bijna overal ter wereld wilde een op de vier mannen in de volgende maand graag meer dan één sekspartner. Slechts een op de dertien vrouwen wilde hetzelfde, en dat was in Oost-Europa, waar vrouwen naar eigen zeggen de meeste avontuurtjes hebben. Minder dan een op de drieëndertig Amerikaanse vrouwen zei dat ze elke maand met meer dan één man seks zou willen (behalve misschien in hun fantasie). En van de opgewonden mensen over de hele wereld die toegeven dat ze actief op zoek zijn naar partners voor vluchtige seks, is slechts twintig procent van de vrouwen op zoek naar meer dan één minnaar, versus vijftig procent van de mannen (hoewel ze die waarschijnlijk niet zullen krijgen).

Zelfs als je een vrouw bent die op zoek is naar een korte relatie, is de kans statistisch gezien klein dat je met iemand naar bed gaat die je net ontmoet hebt. Bij een onderzoek waaraan honderdvijftig Amerikaanse studenten deelnamen, zei de gemiddelde man dat hij binnen een week nadat hij een vrouw had ontmoet met haar naar bed zou gaan, terwijl vrouwen daar na een paar maanden pas toe geneigd waren. (Uit het grote interculturele onderzoek bleek echter dat de kans dat vrouwen uit West-Europa, Australië en Nieuw-Zeeland binnen een paar weken met een kerel naar bed zouden gaan veel groter was.) Het hangt van de cultuur af hoeveel waarde mannen aan kuisheid van een partner hechten. Mannen in Afrika, het Midden-Oosten en Zuid-Amerika hechten doorgaans de meeste waarde aan kuisheid, terwijl mannen in West-Europa, Australië en Nieuw-Zeeland er de minste waarde aan hechten, wat betekent dat eerdere seksuele ervaring er niet toe doet bij een partner. De meeste culturen zitten hiertussenin.

Vanuit evolutionair oogpunt worden vrouwen bijna niet geprikkeld om hele hordes minnaars te hebben. Een man kan in een jaar tijd seks hebben met honderd vrouwen en honderd kinderen krijgen. Zijn genen kunnen zich enorm verspreiden, en vanuit die optiek wordt hij geprikkeld om de playboy uit te hangen. Als een vrouw seks heeft met honderd mannen, heeft ze aan het eind van haar jaar vol liefdesspel slechts één kind (tenzij ze een tweeling krijgt). Wat de voortplanting betreft heeft het voor de vrouw geen enkel voordeel veel minnaars te hebben; in feite is het een belemmering. Elk van die kerels zou de vader kunnen zijn van het kind dat je negen maanden in je buik moet dragen en voor wie je vervolgens moet zorgen tot het volwassen is, en vaak nog langer. De beste strategie, in elk geval in de tijd voordat er voorbehoedmiddelen bestonden, was je minnaars zorgvuldig uit te kiezen en er dus ook minder te hebben.

Zowel mannen als vrouwen noemen pure, fysieke aantrekkingskracht als belangrijkste reden voor een korte relatie. Als vrouwen vluchtige seks hebben, kiezen ze doorgaans voor een man die sociaal of fysiek gezien dominant is (een baas of hoogleraar) of er goed uitziet (de knappe vent in het kleedhokje naast hen of het lekkere stuk in de sportschool). Vrouwen geven de voorkeur aan lange, goedgebouwde, symmetrische mannen, terwijl mannen vooral kijken naar het gezicht, haar en lichaam van de vrouw. Als het slechts om een avontuurtje gaat, maakt het voor de mannen verder niet zo veel uit, maar vrouwen willen dat hun kortetermijnminnaar ook nog andere eigenschappen bezit: hij moet onder andere creatief, mysterieus, mannelijk, veelzijdig, grappig, charmant en aardig zijn, en iemand die ze niet snel zullen vergeten. Dit heeft mogelijk heel veel te maken met het feit dat de tweede reden voor vluchtige seks voor mannen en vrouwen verschillend is. Vrouwen worden gedreven door de mogelijkheid dat het avontuurtje misschien wel tot iets serieuzers leidt. Voor mannen is reden nummer twee dat het avontuurtje hun een idee geeft van hun partnerwaarde, dat wil zeggen, hoe aantrekkelijk ze zijn vergeleken met andere mannen. (Zie pagina 227.)

Dankzij voorbehoedmiddelen is het aantal kinderen dat uit hartstochtelijke liefdesverhoudingen wordt geboren ongetwijfeld gedaald. Ironisch gezien kunnen orale voorbehoedmiddelen – die de seksuele revolutie in de jaren zestig van de vorige eeuw mogelijk maakten – ook de hormonale invloeden verminderen die ervoor zorgen dat vrouwen zich aangetrokken voelen tot het type man met wie ze vluchtige seks zouden willen hebben. (Zie pagina 43 en 113.)

Waar je naartoe moet voor een avontuurtje

Cultuur is van invloed op de mate waarin mensen openstaan voor vluchtige seks, hoewel wereldwijd veel minder vrouwen dan mannen zich ermee bezighouden. Als je je afvraagt waar ter wereld de mensen het meest promiscue zijn, hoef je er alleen maar het overzicht van het International Sexuality Description Project (ISDP) op na te slaan, waarin de seksualiteit van meer dan zestienduizend jonge mensen over de hele wereld wordt beschreven. Een van de sappige feiten die worden onthuld is dat het percentage mannen dat naar meer dan één sekspartner verlangt het hoogst is in Zuid-Amerika (35,0), het Midden-Oosten (33,1) en Zuidoost-Azië (32,4). Voor vrouwen is dat Oost-Europa (7,1), Zuidoost-Azië (6,4) en Zuid-Amerika (6,0). De enige gebieden in de wereld waar mannen zeiden dat het *onwaarschijnlijk* was dat ze seks zouden hebben als ze iemand pas een maand kenden, waren Oost-Azië (door een conservatieve seksuele houding die de onderzoekers in verband brengen met een scheve seksratio: er zijn daar meer mannen) en Afrika (door de aidsepidemie; plattelandsbewoners en ongeschoolde mensen zijn ondervertegenwoordigd). Mannen bij wie de kans groot is dat ze gelijk met een vreemde het bed in duiken, zijn afkomstig uit Oceanië (Australië, Nieuw-Zeeland), Zuid-Amerika, het Midden-Oosten en West-Europa. West-Europa is het enige gebied waar vrouwen zeggen dat er een kleine kans is dat ze met iemand naar bed gaan die ze nog geen maand kennen, ook al volgt Oceanië op de voet. Zoals men in het overzicht van het ISDP opmerkt, blijven de verschillen tussen de seksen over de hele wereld constant, maar toch spelen er duidelijk culturele factoren mee in de houding van vrouwen tegenover vluchtige seks, waaronder ruimere opvattingen over seks, verhoudingsgewijs meer vrouwen dan mannen, zwakkere religieuze banden en, in het geval van West-Europa en Oceanië, betrekkelijk lage vruchtbaarheidscijfers en een politiek systeem dat gelijkheid tussen de seksen nastreeft.

❖

Waarom zijn er minder biseksuele mannen dan vrouwen?

De seksuele voorkeur van mannen is gewoonlijk binair: homo of hetero. Er zijn maar weinig mannen die zichzelf biseksueel noemen. Dat is wat de psycholoog Richard Lippa van de Staatsuniversiteit van Californië ontdekte toen hij de gegevens van meer dan tweehonderdduizend mensen van alle leeftijden en uit de hele wereld analyseerde. Het is de hetero-vrouw die niet zo rechtlijnig is. Bij haar is de kans *zevenentwintig keer* groter dan bij een man dat ze ervaring heeft op homoseksueel gebied. Hoe groter de geslachtsdrift van een vrouw, hoe groter de kans dat ze veel minnaars heeft en actief bi is. Hoe groter de geslachtsdrift van een man, hoe groter de kans dat hij veel sekspartners van slechts één sekse heeft.

Waarom zijn er zo weinig biseksuele mannen? Om daarachter te komen, vroegen de psychologen Meredith Chivers, Gerulf Rieger en Michael Bailey van de Northwestern Universiteit honderd heteroseksuele mannen en vrouwen en biseksuele mannen mee te werken aan een onderzoek naar patronen van seksuele opwinding. De vrouwen werden ieder naar een apart kamertje gestuurd, waar ze voorzien werden van een tamponachtig apparaatje dat de vaginale bloedstroom zou opmeten, en de mannen kregen een instrumentje om hun penis dat veranderingen in de omvang ervan vastlegde. Toen moesten ze achteroverleunen en naar pornofilms kijken. De porno vertegenwoordigde twee genres: hetero (alleen vrouw-met-vrouw werd getoond; de resultaten zouden vertekend kunnen worden als er een stoere bink bij was) en homo (man-met-man).

De uitkomst? Heteromannen raakten meer seksueel opgewonden door de heteroporno. Homomannen raakten meer opgewonden door de homoporno. Heterovrouwen werden opgewonden en onrustig bij beide genres, een bevestiging van het feit dat seksualiteit bij vrouwen tamelijk veranderlijk is en dat biseksualiteit zelfs gewoon is onder vrouwen die zichzelf hetero noemen. De resultaten bij de biseksuele mannen waren echter zeer verrassend. Terwijl je zou denken dat bimannen opgewonden zouden raken door hetero- *en* homoporno, vertoonde vijfenzeventig procent van hen een opwindingspatroon dat overeenkwam met dat van homomannen, ook al zeiden ze dat ze gevoelsmatig door beide genres opgewonden raakten. Het opwindingspatroon van de overige vijfentwintig procent was hetzelfde als dat van heteromannen.

De onderzoekers deden een vervolgonderzoek met meer dan honderd mannen met alle seksuele voorkeuren en kwamen tot dezelfde conclusie. Hoewel biseksuele mannen een lichte kick kunnen krijgen bij vrouwen, raken de meeste meer opgewonden door mannen.

Dit soort onderzoeken is sindsdien omstreden, omdat ze in twijfel trekken of mannelijke biseksualiteit eigenlijk wel bestaat. Maar alleen dat biseksuele mannen fysiek niet in dezelfde mate opgewonden raken door mannen en door vrouwen, wil nog niet zeggen dat ze geen erkende seksuele voorkeur hebben. Volgens enkele klinisch psychologen voelen mannen die zichzelf bi noemen zich in feite misschien wel tot beide seksen aangetrokken, maar dan gesplitst: fysiek tot mannen en emotioneel en in romantische zin tot vrouwen (of, iets minder gebruikelijk, omgekeerd). Een alternatieve theorie, die echter moeilijk te meten is aan de hand van genitale opwinding bij porno bekijken, is dat biseksuele mannen zich eerder aangetrokken voelen tot het mentale of psychologische dan het fysieke geslacht van een persoon (dat wil zeggen, mensen van beide geslachten die er vrouwelijk uitzien en zich vrouwelijk gedragen).

Seksuele voorkeur wordt bepaald door de genetische opbouw, de anatomie van de hersenen, de blootstelling aan prenatale geslachtshormonen en culturele factoren. Toekomstige onderzoeken naar de hersenen, naar hormonen en de psyche leveren mogelijk inzicht op in de middenweg van biseksualiteit.

❖

Raken mannen meer opgewonden door porno dan vrouwen?

Ja, sexy beelden hebben een grotere invloed op mannen dan op vrouwen, maar het is een misvatting dat pornografie (of erotica) slechts een mannending is. Over het algemeen genieten vrouwen er ook van. Uit onderzoeken waarbij de bloedstroom naar de geslachtsdelen wordt gemeten, blijkt dat vrouwen die naar porno kijken fysiek *meer* opgewonden raken dan mannen die naar porno kijken. Vrouwen bereiken dezelfde piektemperatuur rond de geslachtsdelen en dijen als mannen, in hetzelfde tijdsbestek, en zeggen dat ze gevoelsmatig net zozeer opgewonden raken. (Nog een fabeltje dat wordt doorgeprikt: vrouwen raken wel degelijk net zo snel opgewonden als mannen. Met behulp van een apparaatje dat op een scherm een thermisch beeld weergeeft, hebben onderzoekers ontdekt dat het ongeveer tien minuten duurt voordat zowel mannen als vrouwen hun hoogtepunt bereiken.) Het is natuurlijk riskant om te zeggen dat *alle* vrouwen van porno houden. Cultuur is daarbij een belangrijke factor, net als inhoud en context. Misschien houd je alleen van een pornofilm als de heftig vrijende personages een liefhebbende, gelijkwaardige relatie hebben en het niet gaat om vrouwonvriendelijke paardrift.

Om te meten in hoeverre porno van invloed is op de hersenen maakten de neurowetenschapper Stephen Hamann en zijn collega's aan de Emory Universiteit functionele MRI-scans (fMRI-scans) van heteromannen en heterovrouwen terwijl ze naar erotische foto's van sexy naakte vrouwen en parende stellen keken (en bij wijze van controle ook naar neutrale prikkels). Beide seksen zeiden dat ze opgewonden raakten als ze naar de porno keken, vooral naar de stellen. Bij de fMRI-scans vertoonden de hersenen bij iedereen echter activiteiten in bepaalde gebieden: de cortex cingularis anterior, die verband houdt met aandacht, emoties en seksuele motivatie, en de beloningsgebieden van de nucleus accumbens en het ventraal striatum. Maar daar hielden de overeenkomsten op, want de hersenactiviteit bij de mannen was in twee gebieden, de hypothalamus en het amandelvormige gebied dat bekendstaat als de amygdala, opvallend anders dan die bij de vrouwen. Tijdens het kijken naar erotische beelden vertoonden deze 'begeertecentra' in de hersenen van de mannen duidelijk toegenomen activiteit, terwijl die bij vrouwen betrekkelijk rustig waren.

De hypothalamus is het deel van de hersenen dat ervoor zorgt dat er geslachtshormonen vrijkomen, en het deel dat erotische gevoelens en reacties voedt, zoals een snellere hartslag. Hij reageert op de amygdala, het gebied in de hersenen dat emotionele opwinding, motivatie en spontane beslissingen regelt. Als je amygdala supergestimuleerd wordt, reageer je krachtig en impulsief. De amygdala houdt ook sterk verband met de geslachtsdrift: hoe groter de amygdala, hoe krachtiger je drift.

(Stel je eens voor: als we allemaal fMRI-ogen hadden, konden we een volle kamer scannen op personen met een sterke geslachtsdrift door naar hun amygdala te kijken.) Mannen hebben verhoudingsgewijs een grotere amygdala dan vrouwen, wat één verklaring is voor hun vaak sterkere geslachtsdrift. Volgens de onderzoekers verklaart de activering van de amygdala bij het kijken naar porno (en het effect ervan op de hypothalamus, die geslachtshormonen afgeeft) waarom mannen er meer zin in hebben en een grotere behoefte voelen te reageren op wat ze zien. Als een man een orgasme krijgt, is zijn amygdala niet langer actief en is de erotische film of het blaadje lang niet zo boeiend meer.

Het is nog niet duidelijk of het verschil in de manier waarop mannen en vrouwen sexy beelden verwerken wordt veroorzaakt doordat mannelijke en vrouwelijke hersenen inherent verschillend zijn of doordat we gewoon verschillende ervaringen hebben. Vanuit evolutionair oogpunt is het logisch dat de mannelijke amygdala zo sterk reageert bij de aanblik van seks. Onze mannelijke voorouders kozen tenslotte talloze generaties lang hun partner op basis van visuele kenmerken, zoals leeftijd, uiterlijk, voortplantingsstatus en kenmerken die wijzen op seksuele beschikbaarheid. Vóór het tijdperk van de massamedia waren er slechts zelden seksueel ontvankelijke vrouwen te zien, en de evolutie gaf de voorkeur aan mannen die kans op seks grepen als die zich voordeed.

Het komt erop neer dat, ook al houden jij en je partner evenveel van porno, hij er misschien meer door gemotiveerd wordt, er sterker op reageert en er vaker naar op zoek gaat. Mogelijk zie jij de porno anders. Wat bij hem de amygdala en hypothalamus prikkelt, prikkelt bij jou misschien alleen je fantasie.

Probeer eens vrouwvriendelijke porno

Waarom zoek je zelf niet een erotische film uit die je samen met je partner kunt bekijken? Een reden waarom vrouwen niet van porno houden, is dat het zo vaak alleen maar over anonieme seks gaat, wat gewoon niet zo aantrekkelijk is. (Uit een groot Brits onderzoek bleek dat slechts vijftien procent van de vrouwen over seks met twee of meer mannen tegelijkertijd fantaseerde.) Evolutionair gezien profiteren vrouwen wat betreft de voortplanting weinig van buitensporige seks met vreemden (en riskeren ze veel), terwijl mannen weinig risico's lopen en veel voordelen hebben. Er zijn genoeg sexy films die gericht zijn op de bevrediging van zowel vrouwen als mannen, en die niet zoals de *Playboy*-achtige films alleen maar op mannen gericht zijn. Ga eens op zoek naar erotische films van vrouwelijke regisseurs, zoals Petra Joy, Candida Royalle, Anna Span en Nelly Kaplan.

❖

Kan een romantische film de juiste sfeer voor liefde scheppen?

Ja, films kunnen een bepaalde sfeer scheppen, soms wel urenlang, en dat doen ze onder andere door je hormoongehalte te beïnvloeden. Emoties beïnvloeden hormonen, en hormonen beïnvloeden emoties. Om erachter te komen in welke mate films van invloed zijn op hormonen, lieten de psychologen Oliver Schultheiss en zijn collega's van de Universiteit van Michigan mannen en vrouwen kijken naar fragmenten van een half uur uit drie films: *The Bridges of Madison County* (een romantische film over een getrouwde vrouw die verliefd wordt op een knappe vreemdeling), *The Godfather Part II* (een thriller waarin een maffiabaas op sadistische wijze zijn tegenstanders doodt), en een neutrale documentaire over het regenwoud van de Amazone.

De psychologen wilden vooral weten hoe de verschillende films het testosteron- en progesterongehalte zouden beïnvloeden. Het testosterongehalte houdt verband met sociale dominantie en agressie. Progesteron houdt verband met de vorming van een hechte band en de vermindering van angst, en mogelijk een vermindering van het libido. De onderzoekers lieten de zestig deelnemers naar een van de drie films kijken. Hun testosteron- en progesterongehalte werd direct voor en direct na het kijken gemeten, en drie kwartier later nog een keer. Voor en na het kijken deden de deelnemers ook een psychologische standaardtest, aan de hand waarvan hun motivatietoestand bepaald werd, inclusief hun machtsmotief (behoefte aan dominantie, die in verband wordt gebracht met de aanmaak van testosteron) en hechtingsmotief (behoefte om een hechte band te vormen, die in verband wordt gebracht met de aanmaak van progesteron). De films moesten deze motivatietoestanden opwekken en hun invloed op de hormoongehalten meten.

De resultaten tonen aan dat je een film kunt uitkiezen om bij een afspraakje een bepaalde sfeer te scheppen. Maar bedenk eerst wat voor soort nacht je wilt beleven.

Als je het testosteron van een man wilt verhogen, kies dan een film zoals *The Godfather*. Binnen drie kwartier na het kijken naar bloederige en gewelddadige scènes uit die film schoot het testosterongehalte bij mannen die al een hoog basisgehalte van dat hormoon hadden, met wel dertig procent omhoog. Bij het onderzoek werd de agressie of persoonlijkheid niet gemeten, maar het schijnt dat gewelddadige thrillers bij vechtersbazen voor nóg meer opwinding zorgen. Mannen met een hoog machtsmotief herkenden zich duidelijk in de drang van de maffioso naar dominantie, wat hun hormonen stimuleerde. Dat is waarschijnlijk fantastisch nieuws als je van strijdlustige, dominante mannen houdt; misschien raakt hij er opgewonden door en heb je die nacht geweldige seks. Maar het is waarschijnlijk minder goed nieuws als je na de aftiteling zin hebt in een beetje romantiek. Andere onderzoeken hebben aangetoond dat krachtige toespraken en sportgebeurtenissen hetzelfde testosteronverhogende effect hebben.

Op mannen en vrouwen met een laag testosterongehalte had *The Godfather* niet veel effect. Het vreemde was dat bij vrouwen die een hoog basisgehalte hadden, het testosterongehalte in feite daalde, ook al nam hun machtsmotief relatief gezien toe. Waarom het gehalte daalde is niet duidelijk. Misschien is het kijken naar twee op macht beluste mannen die op de vuist gaan bedreigend voor vrouwen die normaal gesproken de touwtjes in handen willen hebben, of misschien juist niet opwindend genoeg. Verder onderzoek met behulp van films waarin vrouwen om dominantie strijden zou een beter inzicht in het geheel geven. (De documentaire over het regenwoud was niet van invloed op de hormonen, maar wie weet zou dat wel het geval zijn bij fanatieke milieuactivisten.)

Als je wilt knuffelen, probeer dan een film als *The Bridges of Madison County*. Binnen drie kwartier nadat de deelnemers Meryl Streep en Clint Eastwood in die film hadden zien vrijen, kelderde het testosterongehalte van mannen met een hoog testosterongehalte (hoewel het aantal mannen met een hoog testosterongehalte dat naar de film keek te klein was om een gemiddelde te kunnen geven). Volgens de onderzoekers is die daling logisch. Het testosterongehalte daalt bij mannen doorgaans ook als ze verliefd worden. (Zie pagina 136.) Bovendien vertoonden de mannen en vrouwen bij wie na het kijken naar *The Bridges* een toegenomen hechtingsmotief werd geconstateerd, een toename in het progesterongehalte van tien procent. Omdat progesteron mogelijk een hechtend en kalmerend effect heeft, zou dit de romantiek kunnen bevorderen.

In het licht van dit onderzoek is het een goed idee om een tedere, milde, dweperige, sexy, sentimentele film uit te kiezen als je samen met je vriend een avondje op de bank wilt doorbrengen. Hij protesteert misschien heftig dat hij geen zin heeft in een 'chickfilm', maar hij wordt er wel veel liever van dan van een huiveringwekkende thriller.

Zijn goede dansers ook goed in bed?

'Niets onthult meer dan dansen,' merkte Martha Graham spitsvondig op. Nietsvermoedend zei ze hiermee bijna hetzelfde als Charles Darwin, die het dansen, met al het gedraai en bewegen met de heupen, zag als de manier waarop iemand zijn of haar 'goede genen' aan potentiële partners kon laten zien.

Om de relatie tussen dansen en het lichaam te onderzoeken gingen antropologen van de Rutgers Universiteit naar Jamaica, waar veel afspraakjes plaatsvinden in dansclubs. Ze filmden bijna tweehonderd tieners terwijl die op een popnummer dansten. De onderzoekers Lee Cronk, William Brown en hun collega's maakten de dansers onherkenbaar met behulp van motion-capturetechnologie waarmee computeranimaties gemaakt kunnen worden. Daarna lieten ze leeftijdsgenoten elke danser boordelen. De onderzoekers namen ook de maat op van bijna elk lichaamsonderdeel waarvan we er twee hebben: armen, benen, ellebogen, polsen, knieën, enkels, voeten, vingers en oren. Sommige dansers waren zeer symmetrisch, met een linker- en rechterkant die bijna hetzelfde waren, terwijl andere schever waren.

Darwin zou niet geschokt zijn geweest als men hem had verteld dat de meest symmetrische mannen en vrouwen de beste dansers bleken te zijn. Anatomisch gezien is het logisch: symmetrische mensen hebben mogelijk een betere coördinatie en hebben nog andere eigenschappen die op de dansvloer goed uitkomen. Onder mannelijke dansers was het verschil in dansvaardigheid voor bijna vijftig procent toe te schrijven aan symmetrie, terwijl dit bij vrouwelijke dansers slechts achtentwintig procent was (ervaring en lessen dienen misschien als tegenwicht). De vrouwelijke beoordelaars waren het kieskeurigst en scherpzinnigst. Ongeacht hun eigen vaardigheid in het dansen waren ze experts in het beoordelen van de coördinatie, het evenwicht, de timing en ritmegevoel van de mannen. Alleen mannen die zelf symmetrisch waren, waren er ook goed in het talent bij vrouwen op te merken.

Symmetrie duidt op genetische kwaliteit. Als de linker- en rechterkant van je lichaam gelijkvormig zijn, is dat een teken van een stabiele ontwikkeling: een lichaam dat is opgegroeid zonder parasieten, giftige stoffen, ziekten of genetische mutaties. Het is logisch dat vrouwen symmetrie beter kunnen waarnemen dan mannen. Als we op zoek zijn naar een sekspartner letten we op dingen die wijzen op 'goede genen', en als een man danst kunnen we daar wel een beetje uit opmaken of hij een goede ontwikkeling heeft doorgemaakt.

Hoe komt het nu dat een man die op de dansvloer prima kan stoten met het bekken en heupwiegen, ook goed is in bed? Het blijkt dat symmetrie, de aangeboren fysieke eigenschap van goede dansers, ook op seksuele vaardigheid duidt. In een onderzoek naar symmetrie en sexappeal trokken de evolutionair biologen Randy Thornhill en Steven Gangestad van de Universiteit van New Mexico bijna vijfenzeventig mannen aan, bij wie ze, net zoals de antropologen in Jamaica met de dansers deden, met een schuifmaat de lengte en breedte van de lichaamsdelen maten en de verschillen berekenden tussen de linker- en rechterhelft. Toen lieten ze vrouwen de aantrekkingskracht van de mannen beoordelen. Zonder de maten van de mannen te weten gaf een overgrote meerderheid van de dames de voorkeur aan de meest symmetrische mannen. Bij de meest sexy mannen week de symmetrie rond één à twee procent per lichaamsdeel af, terwijl de minst mooie mannen een verschil vertoonden van vijf à zeven procent per lichaamsdeel.

Als groep blijken symmetrische mannen ook de meeste seksuele ervaring te hebben. Uit een onderzoek door Thornhill en Gangestad onder honderdtweeëntwintig mannen en vrouwen bleek dat mannen met een symmetrisch lichaam doorgaans drie tot vier jaar eerder seks hadden en in hun hele leven twee tot drie keer zo veel sekspartners hadden dan mannen met een onregelmatiger lichaam. (Ze gaan ook vaker vreemd, omdat ze zeggen dat ze meer verhoudingen hebben.)

Doorslaggevend is de uitkomst van het vervolgonderzoek door Thornhill en Gangestad naar symmetrie en seksuele vaardigheid. Van bijna negentig stellen beweerden vrouwen met een vriend met een zeer symmetrisch lichaam dat ze gemiddeld vijfenzeventig procent van de tijd een orgasme kregen en dat ze doorgaans gelijktijdig met hun partner klaarkwamen. Vrouwen met een vriend met een ongeproportioneerd lichaam zeiden dat ze slechts dertig procent van de tijd een orgasme kregen. (Terwijl je dit leest, vraag je je waarschijnlijk af waar je een schuifmaat kunt kopen.) Liefde had overigens niets te maken met de mate van opwinding van de vrouwen met een symmetrische minnaar. Ook de duur van de relatie, de mate van intimiteit, seksuele ervaring of gebruik van voorbehoedmiddelen speelde geen enkele rol.

Wetenschappers waren natuurlijk niet de eersten die een bijzondere 'symmetrie' opmerkten tussen dansen, een sexy lichaam en de keuze van een sekspartner, maar ze hebben nu wel het bewijs geleverd. Dat wil echter niet zeggen dat alle goede dansers ook goede minnaars zijn, maar hun onovertroffen gevoel voor ritme, coördinatie en timing kan geen kwaad. Ze staan in contact met hun eigen lichaam, en dat voorspelt dat ze ook in contact komen met het jouwe.

Ga samen dansen

Zorg dat hij met zijn kont schudt. Hoe meer onderzoekers zich verdiepen in de fysieke eigenschappen die in verband worden gebracht met danstalent, hoe meer ze beseffen dat Darwin gelijk had: dansen is een manier om je sexy genen te tonen. Mannen die de mooiste bewegingen maken zijn doorgaans ook degenen met een zeer symmetrisch lichaam. Vrouwen kunnen beter dan mannen de beste dansers eruit pikken, maar symmetrische mannen kunnen beter dan de gemiddelde man aan de dansbewegingen van een vrouw zien of ze talent heeft (dus werk aan je tango als je de aandacht van een sexy man wilt trekken). Dit doet me denken aan een stel dat ik ken. Ze leerden elkaar kennen in een dansgelegenheid in Manhattan. Zij merkte hem het eerst op, terwijl hij rondjes draaide met een andere vrouw. Hij beweegt zich van nature soepel op de dansvloer, met een ongedwongen ritme en een energie waar je van achteroverslaat. Tussen de nummers door viel zijn blik op haar, en hij vroeg of ze met hem wilde dansen. Na een jaar van sensueel de samba dansen op vrijdagavond, gevolgd door een heerlijk lang etentje in een met kaarsen verlicht nachtcafé, vroeg hij haar ten huwelijk.

Twijfel je of je wel genoeg talent hebt? Volgens de antropoloog Lee Cronk, die ook aan het onderzoek meewerkte, wordt dansen overal gezien als een vorm van hofmakerij en kun je er maar beter mee aan de slag gaan in plaats van het te ontwijken. Zoals make-up een bleke gelaatskleur kan verdoezelen, zo kunnen danslessen een slechte coördinatie verhullen. O, hier is nog een tip: misschien voel je je aangetrokken tot een man die zich beweegt als Fred Astaire of Mikhail Baryshnikov als hij vrij danst. Maar voordat je de theorie 'goed op de dansvloer, goed in bed' aan een test onderwerpt, moet je wel zeker weten dat hij met jou samen net zo goed danst als wanneer hij alleen danst.

Vinden vrouwen chocola lekkerder dan seks?

Vraag mensen waar ze niet vanaf kunnen blijven en het antwoord is waarschijnlijk chocola. Mensen die dol zijn op chocola noemen we *chocoholics*. Wanneer ze met veel smaak een reep chocola of een beker warme chocolademelk verorberen, hebben ze een *chocasme*. Het verlangen naar chocola is zo intens dat uit onofficiële onderzoeken in Europa en de VS is gebleken dat ongeveer de helft van de vrouwelijke deelnemers chocola lekkerder vindt dan seks.

Eén goede verklaring hiervoor is dat chocola eten vaak wordt geassocieerd met geslachtsgemeenschap of voorspel. Je kunt de Azteken er de schuld van geven dat chocola als een afrodisiacum wordt gezien. Volgens een legende viel de cacao-oogst samen met een Azteeks festival met wilde orgieën, en doordat hij daarmee in verband werd gebracht, werd de boon een vruchtbaarheidssymbool. In Amerika is de chocolagekte helemaal doorgeslagen. In *Chocolat*, een Hollywood-kraker, raakt een heel dorp onder de erotische invloed van deze krachtige eetwaar.

Jammer genoeg is niet bewezen dat chocola libidoverhogend werkt. Als de lekkernij al erotische eigenschappen heeft, zijn die beperkt en variëren ze van persoon tot persoon. Chocola bevat twee neurotransmitters die de hersenen mogelijk een klein beetje beïnvloeden: tryptofaan en fenylethylamine. Tryptofaan, een aminozuur dat ook in kalkoen voorkomt, staat erom bekend dat je er een tevreden en slaperig gevoel van krijgt. Fenylethylamine is een opwekkend middel dat je hetzelfde euforische gevoel geeft als wanneer je verliefd bent. De geringe hoeveelheid van deze stof die in chocola zit, wordt snel omgezet in je lichaam. Slechts een klein deel bereikt je hersenen (en nog minder je geslachtsorganen).

Pure chocola, bereid zonder zuivelproducten, bevat bepaalde stoffen die in elk geval van invloed zijn op het hart. Een ervan is theobromine, een cafeïneachtig opwekkend middel. De andere stof is flavonol, waarvan wordt gezegd dat het de bloedstroom bevordert en stolling tegengaat, en dus beroerten helpt voorkomen. Chocola mag dan goed zijn voor je hart, maar onderzoekers hebben geen verschil ontdekt in seksuele opwinding tussen vrouwen die elke dag één tot drie porties chocola eten en vrouwen die helemaal geen chocola eten.

Waarom zeggen veel vrouwen dus dat ze liever een reep chocola eten dan tussen de lakens rollebollen? Chocola stelt nooit teleur is een gemakkelijk antwoord en een nimmer falend opkikkertje is nooit weg. Het spul is, net als seks en andere belonende ervaringen, van invloed op de beloningscentra in de hersenen: de cortex cingularis en het ventraal striatum. Uit onderzoeken is gebleken dat mensen die een heel sterke behoefte hebben aan suiker, een ander genetisch profiel en stofwisselingsprofiel hebben dan mensen die niet zo veel om zoete eetwaren geven. Mogelijk hebben vrouwen die chocola echt lekkerder vinden dan seks een sterkere behoefte aan suiker dan normaal. (Of ze hebben minder behoefte aan seks!)

Door de suikers en vetten in chocoladerepen kan je serotonine- en dopaminegehalte omhooggaan, waardoor je stemming en energiegehalte weer flink stijgen. Eén theorie waarom meer vrouwen dan mannen van chocola houden, is dat het serotoninegehalte vóór de menstruatie laag is, en dat chocola eten een aangename manier is om jezelf op te vrolijken. Vrouwen geven inderdaad aan dat ze voor hun menstruatie meer chocola eten. Maar waarom is dan niet alles met koolhydraten goed? Waarom verlangen we dan zo naar chocola en niet naar ander snoepgoed?

Het antwoord zou kunnen zijn dat chocola uniek is. Het is sensueel, met een niet te evenaren textuur en aroma. Bovendien voelt het heerlijk aan in de mond. Cultureel gezien wordt het geassocieerd met luxe en verwennerij. Door de toevoeging van melk en boter is het ook iets wonderlijks om aan te raken: het smelt letterlijk in je hand. Het is rijk, complex en sensueel.

Waarom je chocola mogelijk lekkerder vindt dan seks is misschien niet de juiste vraag. Vraag liever op welke manier je minnaars meer op chocola zouden kunnen gaan lijken.

❖

Hoe beïnvloedt alcohol je seksleven?

Zoals de schrijver Kinky Friedman het uitdrukte: 'In de ogen van de bierdrinker is iedere vrouw mooi.' Hoe meer je drinkt, hoe groter de kans dat je seks hebt met iemand die je nog niet eens zou kussen, misschien nog niet eens zou aanraken, als je broodnuchter was. Dat komt mede doordat alcohol van invloed is op je cognitieve vermogen. Wanneer je drinkt, wordt het beloningsgebied van de hersenen dat seksuele aantrekkingskracht overbrengt – de nucleus accumbens en het ventraal striatum – supergestimuleerd met dopamine, waardoor je je goed voelt en anderen er in jouw ogen goed uitzien. Door alcohol komen er ook meer endorfinen vrij, die pijn onderdrukken, en werken de serotoninereceptoren efficiënter, waardoor je je gelukkiger voelt zolang er alcohol in je lichaam zit.

Alcohol is ook van invloed op je testosterongehalte, en dat kan een grappig effect hebben op je geslachtsdrift. Bij vrouwen kan een piepklein drankje zelfs al een stijging in het testosterongehalte veroorzaken, waardoor sommigen van ons opdringeriger worden op seksueel gebied. Bij mannen veroorzaakt te veel alcohol juist een *daling* in het testosterongehalte, doordat die de testosteronproductie in de zaadballen onderdrukt. Het klopt: dronken mannen zeggen tegen vrouwen hoe erg ze naar hen verlangen en ze lijken opgewonden, maar dat komt alleen door een plotselinge toename van het luteïniserend hormoon, een secundair hormoon dat de testosteronproductie op gang brengt als het gehalte laag is. Hoe hard een dronkenlap ook zijn best doet, een erectie zal hij niet lang volhouden. Chronisch alcoholisten kunnen 'mannentieten', verschrompelde zaadballen, bredere heupen en een bolle, gladde kin ontwikkelen door een langdurig gebrek aan testosteron. Bij sommige mannen is de schade blijvend.

Terwijl er van het libido van je vriend niet veel overblijft als hij ladderzat is, neemt het jouwe juist toe, en schiet mogelijk onverwachts omhoog, afhankelijk van waar je je in de menstruatiecyclus bevindt. Bij een Fins onderzoek naar alcoholconsumptie en hormoongehalten lieten de psycholoog Ralf Lindman en zijn collega's vrouwen een maand lang een dagboek bijhouden waarin ze over hun seksuele gevoelens en activiteiten schreven, en waarin ze ook bijhielden hoeveel drankjes ze achteroversloegen. Het bleek dat vrouwen zich het meest opgewonden voelden en de meeste seks hadden als ze tijdens de folliculaire en vruchtbare fase van hun cyclus (vlak voor en tijdens de ovulatie) alcohol dronken. Op dit moment in de cyclus is het testosterongehalte al hoog, en door de alcohol stijgt het nog meer.

Door de dubbele dosis testosteron die je ervaart als je drinkt tijdens je vruchtbare fase kun je gemakkelijk opgewonden raken en je zelfverzekerd voelen op seksueel gebied. Dat kan helemaal geen kwaad, tenzij je merkt dat je dingen doet die je eigenlijk niet wilt doen. Het is dus belangrijk dat je weet in welke fase van je menstruatiecyclus je zit voordat je aan de boemel gaat. Als je 's avonds alles door een roze bierbril ziet, ziet het er de volgende ochtend misschien niet zo mooi voor je uit.

Kan sperma je gelukkiger maken?

De samenstelling van sperma is heel eenvoudig: een paar suikers, aminozuren, cholesterol, enzymen, proteïnen, slijm en natuurlijk een beetje spermatozoïde. Het bevat ook hormonen, inclusief testosteron, estradiol, opioïden, oxytocine, prolactine en prostagladinen, die allemaal mogelijk positieve effecten hebben. Als je zonder condoom vrijt, worden deze hormonen door de wanden van je vagina geabsorbeerd. Binnen een uur of twee verschijnen ze in je bloedstroom, en mogelijk je hersenen. Ook al bereiken sommige hormonen niet direct je hersenpan, de effecten die ze op de rest van je lichaam hebben, kunnen er indirect op van invloed zijn. Estradiol (oestrogeen), testosteron en vooral prolactine kunnen je stemming verbeteren.

'Door sperma word je minder depressief' is waarschijnlijk de zin waarmee een man het sterkst zijn eigenbelang kan uitdrukken. Toch zit er een kern van waarheid in, zo blijkt uit een onderzoek door Gordon Gallup Jr. en zijn collega's van de Staatsuniversiteit van New York in Albany. De psychologen stelden driehonderd vrouwen vragen over hun seksleven: hoe vaak ze seks hadden, hoe lang geleden hun laatste afspraakje was, hoe lang ze al een relatie hadden en wat voor voorbehoedmiddel ze eventueel gebruikten. De deelnemers deden ook een depressiviteitstest waarbij hun emotionele welzijn werd gemeten.

Het bleek dat de vrouwen die het zonder condoom deden als groep als minder depressief uit de bus kwamen bij een psychologische standaardtest dan de vrouwen die wel condooms gebruikten, ongeacht de duur van de relatie, de frequentie waarmee ze seks hadden, of de emotionele band die ze met hun partner hadden. De condoomgebruikers genoten wel van de seks en ervaarden de bevrediging die de intimiteit en een orgasme geven, maar ze leken niet te profiteren van het langdurige kalmerende effect dat vrouwen die weigeren met een condoom te vrijen wel ervaren. Bij vrouwen die regelmatig een condoom gebruikten was de kans dat ze zeiden ooit een zelfmoordpoging te hebben gedaan groter dan bij vrouwen die nooit of sporadisch een condoom gebruikten. Bij de depressiviteitstest scoorden de vrouwen die vaak een condoom gebruikten ongeveer hetzelfde als de vrouwen die alleen lesbische of helemaal geen seks hadden.

Het interessante was ook dat alleen vrouwen die nooit of slechts sporadisch een condoom gebruikten, depressiever werden als ze geen seks meer hadden. Hoe meer dagen er sinds hun laatste seksuele ontmoeting voorbijgingen, hoe meer symptomen van depressiviteit ze zeiden te vertonen. In scherp contrast hiermee staat het feit dat vrouwen die altijd of bijna altijd een condoom gebruikten, meldden dat ze niet depressiever waren als ze een even lange periode geen seks hadden. Volgens Gallup hadden de vrouwen die onbeschermde seks gewend waren, last van spermaontwenning. Vanuit evolutionair oogpunt zou een spermaverslaving begrijpelijk zijn: als er iets in zit waardoor je je goed voelt, wil je meer. De hormonen in sperma – testosteron, prolactine, oestrogeen en/of andere hormonen – die het in een mogelijk kalmeringsmiddel veranderen, kunnen er ook voor zorgen dat de stellen gemakkelijker een band vormen, dat de vrouw gemakkelijker zwanger wordt en dat de seks voor haar ook bevredigender wordt.

Is dit onderzoek waterdicht? Niet helemaal. Sceptici vragen zich af of vrouwen die geen condooms gebruiken van nature misschien blijer en vrolijker zijn dan de voorzichtigere vrouwen (in het onderzoek werd geen psychologisch profiel van de vrouwen opgesteld). Hoewel de onderzoekers wel de kracht, duur en aard van de relatie beoordeelden en natrokken, zijn enkele van deze variabelen moeilijk te meten.

Het komt erop neer dat als je minder depressief bent nadat je onbeschermde seks met een man hebt gehad, dat kan liggen aan de hormonen in zijn sperma, of misschien ook wel aan je vrijgevochten persoonlijkheid. Eén ding is zeker: als er in de toekomst nog meer onderzoek verricht wordt, zal het niet moeilijk zijn mannelijke vrijwilligers te vinden.

Weg met het condoom (maar vrij wel veilig)

Hormonen in sperma die door het vaginale weefsel worden geabsorbeerd, worden waarschijnlijk net zo gemakkelijk geabsorbeerd door de weefsels van de mond en het rectum. Daarom kunnen orale en anale seks volgens Gordon Gallup Jr. dezelfde kalmerende werking hebben als vaginale seks, hoewel hier geen onderzoek naar is gedaan.

Dat sperma mogelijk een kalmerende werking heeft, is een prettige gedachte, maar geen reden voor onbeschermde seks. Eventuele prettige effecten van hormonen wegen absoluut niet op tegen ongewenste zwangerschappen en seksueel overdraagbare aandoeningen (soa's). Maar als je je prettig voelt bij je partner, en je bent beiden monogaam, toegewijd en vrij van soa's, dan zou je het kunnen proberen – voor wetenschappelijke doeleinden, natuurlijk. Voorbehoedmiddelen kunnen een probleem zijn. Onderzoekers zijn er nog niet achter of de hormonen in sperma dezelfde uitwerking op je hebben als de hormonen die in de pil zitten. Onderzoek heeft echter wel aangetoond dat de pil van invloed is op de vrouw wat betreft haar gevoeligheid voor geuren, de mate waarin ze zich aangetrokken voelt tot mannelijke gezichten en lichaamsgeuren, en de schoonheidsvoordelen die verband houden met de ovulatie. (Zie pagina 43.) Mannen die gesteriliseerd zijn, hebben sperma met een veel lager testosterongehalte, wat ook het effect kan verkleinen.

❖

Waarom komen vrouwen klaar?

Als je wetenschappers enthousiast wilt zien worden, breng dan de discussie over het vrouwelijke orgasme ter sprake. Het ligt voor de hand waarom mannen een hoogtepunt bereiken, maar er is geen duidelijke reden waarom vrouwen dat doen. Iedereen weet dat een vrouw zelfs zwanger kan worden van orgasmeloze seks.

Er is een groep wetenschappers die concludeert dat het vrouwelijke orgasme niets meer is dan een evolutionair neveneffect. In de eerste paar maanden na de conceptie hebben mannelijke en vrouwelijke embryo's dezelfde basisanatomie. Later spoelt er een golf van testosteron over de mannelijke foetus; er groeit een penis op de plaats waar bij het meisje de clitoris zit, en in het gebied rond de geslachtsorganen ontwikkelen zich zenuwbanen die een orgasme, zaadlozing, mogelijk maken. In wezen krijgen jongens alles wat er nodig is om te schieten, terwijl meisjes alleen de trekker houden, en is het vrouwelijke orgasme een prettige toevallige bijkomstigheid.

Andere anatomen en biologen geloven echter dat de natuur altijd een doel voor ogen heeft. Sommigen zeggen dat het vrouwelijke orgasme de vorming van een hechte band tussen de partners gemakkelijker maakt. Misschien helpen orgasmen een vrouw een goede partner te kiezen, omdat ze ervoor zorgen dat ze een voorkeur heeft voor mannen die fit genoeg zijn om goed te zijn in bed en die attent genoeg zijn om zich ervan te verzekeren dat zij tevreden is. Of misschien is een orgasme een beweegreden om seks te hebben. Zoölogen hebben gemerkt dat vrouwelijke apen en mensapen genot ervaren dat lijkt op een orgasme bij een vrouw.

Het overtuigendste argument voor het vrouwelijke orgasme is dat het een onbewuste manier is van de vrouw om te beïnvloeden wanneer en van wie ze zwanger raakt. Dit doet denken aan een verhaal uit de jaren zestig van de vorige eeuw. Een vrouw had seks met een zeeman, maar het condoom bleef achter in haar baarmoederhalskanaal. De gynaecoloog die het verwijderde, vermoedde dat de samentrekkingen van de baarmoeder en vagina bij de vrouw zo sterk moesten zijn geweest dat ze het condoom gewoon van de penis van de zeeman af hadden gerukt.

De 'opzuigtheorie' ontstond: het vrouwelijke orgasme zuigt als een vacuüm het sperma de baarmoederhals in, waardoor de kans op zwangerschap groter wordt.

Om de opzuigtheorie te testen vroegen de Britse biologen Robin Baker en Mark Bellis aan vrouwen om te bepalen wanneer ze precies klaarkwamen tijdens de seks en om het sperma dat naderhand naar buiten lekte op te vangen. Ze analyseerden de overblijfselen van meer dan driehonderd keer seks en ontdekten dat als een vrouw ongeveer op hetzelfde moment als haar partner een orgasme krijgt, of maximaal drie kwartier later, ze beduidend meer sperma in haar lichaam houdt dan wanneer ze niet klaar zou komen. Hoe meer sperma in haar blijft, hoe groter de kans dat een van de zaadcellen het eitje bereikt.

Op basis hiervan stelden Baker en Bellis dat het vrouwelijke orgasme een heimelijke, geniepige en geheel onbewuste manier van de vrouw is om het sperma te selecteren van mannen met betere genen, die ze op die manier aan hun kinderen kunnen doorgeven. Het is net een oorlog van de baarmoeder waarbij de heer die de dame klaar kan laten komen de winnaar is. Bij een onderzoek van de Universiteit van Texas in Austin ontdekte men dat het aantal keren dat een vrouw een orgasme beleeft met haar partner, aangeeft hoezeer ze ernaar verlangt samen met hem een kind te krijgen (nadat ze de invloed van huwelijksgeluk, voorspel en andere factoren hadden uitgesloten). Vrouwen die zwanger wilden worden, zeiden ook dat ze intensiever deelnamen aan de geslachtsdaad; door actief te zijn kan een vrouw haar orgasme laten samenvallen met dat van haar partner, waardoor de kans op bevruchting groter wordt. Niet dat ze dat bewust doet om zwanger te worden.

De kans is groter dat vrouwen een orgasme krijgen bij mannen die symmetrisch zijn, een teken dat ze 'goede genen' hebben. Volgens een onderzoek van de Universiteit van New Mexico beweren vrouwen dat ze bij zeer symmetrische mannen vijfenzeventig procent van de tijd klaarkomen, een verbazingwekkend getal, tegenover slechts dertig procent bij zeer asymmetrische mannen. (De liefde van een vrouw voor haar sekspartner heeft overigens niets te maken met het aantal orgasmen dat ze bij hem heeft.)

❖

Zijn orgasmen genetisch bepaald?

Bijna een op de drie vrouwen zegt dat ze nooit of heel zelden klaarkomt, zij het alleen of met een partner. Sommige vrouwen kunnen helemaal geen orgasme krijgen, nooit. Een deel van de schuld ligt in elk geval bij de genen. Je genen kunnen je net een zetje geven of juist terugroepen.

Hoeveel invloed genen precies hebben lijkt af te hangen van de context. Een team gedragsgenetici van de Universiteit van Chicago, onder leiding van Khytam Dawood, vroeg meer dan drieduizend vrouwelijke tweelingen hoe vaak ze in verschillende situaties een orgasme bereikten. Elk stel zussen groeide in hetzelfde gezin op en kreeg dezelfde opvoeding. Identieke tweelingen, bij wie de genen voor honderd procent hetzelfde zijn, bleken meer dezelfde ervaringen op het gebied van orgasmen te hebben dan twee-eiige tweelingen, die slechts vijftig procent van de genen gemeen hebben. Het verschil in uitkomst tussen identieke en niet-identieke tweelingen zegt ons veel over de invloed van genen versus omgeving. Door de gegevens van de twee soorten tweelingen te vergelijken, bepaalden de onderzoekers dat genen voor eenendertig procent verantwoordelijk zijn voor het bereiken van een orgasme bij gemeenschap, zevenendertig procent bij seks zonder penetratie, zoals orale seks, en eenenvijftig procent bij masturbatie.

Welke genen precies te maken hebben met een orgasme blijft echter een volslagen raadsel, en dan hebben we het nog niet eens over het feit dat het bij klaarkomen door masturberen waarschijnlijk om andere genen gaat dan bij klaarkomen met een partner. Genen hebben verschillende functies in verschillende contexten. 'Orgasme-genen' houden mogelijk verband met je voortplantingssysteem, zenuwstelsel, limbale (emotionele) systeem, endocriene (hormonale) systeem, of die allemaal samen, terwijl die op ingewikkelde wijze met elkaar en de omgeving reageren. Genen die van invloed kunnen zijn op je persoonlijkheid, die bijvoorbeeld bepalen of je extravert of zelfverzekerd, prikkelbaar of kalm bent, kunnen mogelijk ook een rol spelen.

Genen die de anatomie van je geslachtsorganen en zenuwstelsel beïnvloeden, spelen mogelijk een bijzonder grote rol in je vermogen om klaar te komen. De fabelachtige 'g-plek' is een erogene zone in de vagina die, als die geprikkeld wordt, tot een krachtig vaginaal orgasme leidt zonder dat de clitoris erbij betrokken wordt. Er zijn anatomische verschillen tussen vrouwen die in staat zijn een vaginaal orgasme te hebben, naar schatting dertig procent, en de meerderheid die niet kan klaarkomen zonder ten minste een beetje uitwendige wrijving. Met behulp van ultrasone golven hebben onderzoekers van de Universiteit van L'Aquila in Italië ontdekt dat het weefsel van de vagina en het urinekanaal bij vrouwen met een g-plek dikker is. Dit weefsel bevat veel bloedvaten, spiervezels en klieren. Tel bij deze anatomische verschillen ook nog eens psychosociale factoren op zoals persoonlijk welzijn, opleiding, godsdienst en de achtergrond van het gezin waarin iemand is opgegroeid, en je beseft dat orgasmen verschrikkelijk ingewikkeld zijn.

Er is mogelijk een evolutionaire verklaring voor de vraag waarom vrouwen genetisch van elkaar verschillen wat betreft het vermogen klaar te komen. Een orgasme kan een vrouw helpen sperma vast te houden, wat de kans op zwangerschap vergroot. Het is mogelijk dat genen die de orgasmedrempel een beetje verhogen sommige vrouwen een handje helpen omdat de kans groter is dat ze alleen klaarkomen bij mannen die ze seksueel aantrekkelijk vinden. Op die manier vergroten ze de kans dat ze kinderen krijgen met dezelfde wenselijke eigenschappen. Genen die van invloed zijn op seksuele ontvankelijkheid stimuleren vrouwen mogelijk om vaker seks te hebben en zorgen ervoor dat ze meer kinderen krijgen.

Het hoe en waarom is nog onbekend. Een orgasme mag dan voor sommige vrouwen maar moeilijk te bereiken zijn, voor wetenschappers is het nog iets veel ongrijpbaarders.

Zoek je g-plek

Italiaanse onderzoekers hebben ontdekt dat bij vrouwen die een vaginaal orgasme kunnen krijgen, dus zonder dat de clitoris geprikkeld wordt, de vaginawand aan de voorkant dikker is dan bij vrouwen die afhankelijk zijn van uitwendige wrijving. Vrouwen beschrijven een vaginaal orgasme als diep en opzwellend, in tegenstelling tot het oppervlakkiger orgasme door stimulatie van de clitoris. De magische erogene zone, die *g-plek* wordt genoemd, naar de Duitse gynaecoloog Ernst Gräfenberg, is vrij bijzonder; onderzoekers denken dat slechts een op de drie vrouwen er een heeft. Je kunt er met behulp van ultrasoon onderzoek achterkomen of je een g-plek hebt, maar dat kun je ook heel simpel zelf controleren door druk uit te oefenen op de binnenbuikzijde van je vagina (achter je schaambot), zo'n vijf tot zeveneneenhalve centimeter naar boven, en door die plek te masseren. Het is misschien gemakkelijker als je je partner leert deze plek tijdens de seks te raken of er met zijn vingers in een wenkende beweging overheen te wrijven. Er is zware druk nodig om een orgasme te krijgen door stimulatie van de g-plek. Als je op die manier een orgasme krijgt, heb je dat misschien wel te danken aan geluks-genen. Sommige onderzoekers opperen dat de g-plek een soort spier is: met de juiste training wordt hij sterker. Voor mannen is de erotische equivalent van de g-plek de prostaatklier, een weefselverdikking zo'n tweeënhalve centimeter in het rectum, die op dezelfde manier kan worden gestimuleerd als de g-plek.

Bereiken vrouwen echt hun seksuele piek als ze in de dertig zijn?

Veel vrouwen denken dat ze als ze in de dertig zijn overspoeld worden door een golf van wellust, maar deze theorie, die populair werd door de gedreven seksonderzoeker Alfred Kinsey, wordt betwist. Kinsey verrichtte na de Tweede Wereldoorlog in heel Amerika onderzoek en ontdekte dat vrouwen van tussen de dertig en vierendertig jaar meer orgasmen beweerden te hebben dan vrouwen van elke andere leeftijd. Toch is niet overtuigend bewezen dat een hoge orgasmefrequentie zich vertaalt in een grotere geslachtsdrift. Hedendaagse psychologen wijzen erop dat orgasmen in feite slechts één manier zijn om een seksuele piek te meten.

Er zijn er nog meer, waaronder seksueel verlangen ('lustmotivatie'), dat iemand ertoe drijft meer seks te hebben.

Om erachter te komen of er een verband is tussen leeftijd en seksueel verlangen verrichtten David Schmitt en zijn collega's van de Bradley Universiteit onderzoek onder ongeveer achthonderd vrouwen van alle leeftijden. Ze vroegen de vrouwen onder andere hun seksualiteit te beoordelen wat betreft lust, verleidelijkheid, onthouding, promiscuïteit en ontrouw. Vergeleken met andere leeftijdsgroepen gaf de (betrekkelijk kleine) groep vrouwen van tussen de dertig en vierendertig jaar op dat ze een zeer kleine toename van lust, verleidelijkheid en seksuele activiteit hadden ervaren.

Het valt niet mee een biologische reden te bedenken waarom de geslachtsdrift bij vrouwen van begin dertig een piekje vertoont. Bij het onderzoek van Schmitt gaven vrouwen van alle leeftijden dezelfde mate van promiscuïteit en ontrouw op. Vrouwen hebben niet meer buitenechtelijke seks nadat ze kinderen hebben gekregen, en het is ook niet waarschijnlijk dat ze meer vluchtige seks hebben naarmate ze ouder worden. Het is niet aangetoond dat de hoeveelheid libidoprikkelende hormonen zoals testosteron toeneemt als we ouder worden. Als Moeder Natuur al een reden heeft voor een piek bij vrouwen van begin dertig, zo concluderen de onderzoekers, dan is het dat daardoor de voortplanting en de vorming van een hechte band met je partner bevorderd worden voordat het risico op een baby met genetische afwijkingen vanaf ongeveer je vijfendertigste flink toeneemt. Het kan ook zijn dat de fabelachtige piek bij vrouwen van begin dertig niets te maken heeft met hun seksuele verlangen, maar slechts in verband staat met de afname van de geslachtsdrift bij mannen (wat echt gebeurt als mannen de dertig passeren en hun testosterongehalte van nature afneemt).

Niemand ontkent dat hormonen een rol spelen bij het libido en dat het oestrogeengehalte na de overgang daalt, maar het schijnt dat de geslachtsdrift bij vrouwen ook sterk wordt beïnvloed door emoties en context (wat weer van invloed kan zijn op de hormonen). De gedachte dat je *geacht* wordt op deze leeftijd een piek te voelen, kan je verwachtingen opschroeven. Volgens de psycholoog Roy Baumeister is de seksualiteit van de vrouw plooibaar en reageert ze net zozeer, zo niet meer, op cultuur en omstandigheden als op hormonale drift. Vrouwen, zegt hij, ervaren meer variatie in hun seksdriften dan mannen; godsdienst, opleiding, politiek en leeftijdgenoten zijn meer van invloed op het seksuele gedrag van vrouwen dan van mannen, en vrouwen zijn minder consistent in hun seksuele opvattingen.

Als het om seks gaat, lijken vrouwen zich eenvoudigweg meer te bekommeren om betekenis en context, wat een enorme invloed heeft op het libido. Dat betekent dat een piek in het seksuele verlangen en handelen bij vrouwen van begin dertig een combinatie kan zijn van culturele verwachtingen en het feit dat ze zich meer op hun gemak voelen met hun lichaam, seks en relaties. Als dat zo is, dan hoef je er niet bang voor te zijn dat je geslachtsdrift naar een lagere versnelling gaat als je tegen de veertig loopt. Waarom schroef je je verwachtingen niet op en zorg je ervoor dat je piek langer aanhoudt?

Waarom geeft gemeenschap meer bevrediging dan masturbatie?

'Kraak masturbatie niet af,' zei Woody Allen. 'Dat is seks met iemand van wie ik houd.' Arme Woody. Ook al verdedigt hij masturbatie, op basis van een hormoon is aangetoond dat seks met een andere persoon echt meer voor je doet.

Het desbetreffende hormoon heet prolactine. Hoe meer prolactine je bloedstroom bevat als je klaarkomt, hoe groter het verzadigingsgevoel na de seks. Prolactine moet de effecten van dopamine, een hormoon dat verband houdt met genot, compenseren. Tijdens gemeenschap is je dopaminegehalte hoger dan wanneer je masturbeert, omdat je meer opgewonden bent en er op fysiologisch en emotioneel gebied meer gebeurt. Als de dopamine direct na het orgasme keldert, wordt de rem van de prolactine af gehaald, waardoor deze meer stijgt dan normaal. Het is net als water dat stijgt achter een stuwdam: als de dam eenmaal opengaat, stort het water met meer kracht naar beneden. Je prolactinegehalte na een orgasme geeft mogelijk aan hoe hoog je dopaminegehalte voor het orgasme was.

Omdat de medisch psycholoog Stuart Brody meende dat er iets speciaals was aan orgasmen door gemeenschap, vroeg hij bijna veertig heteroseksuele mannen en vrouwen in een laboratorium klaar te komen. De helft van de deelnemers moest met hun partner vrijen, op de rug, met de partner bovenop, terwijl er bloed bij hen werd afgenomen. De andere helft moest naar een film kijken, maar wel alleen, want iedere deelnemer werd in een aparte ruimte gezet. Op een andere dag namen dezelfde mensen deel aan een controlesituatie, waarbij niet aan seks werd gedaan, maar ze naar een neutrale film keken en geen orgasme bereikten. Toen het bloed van iedereen werd gecontroleerd, bleek dat het prolactinegehalte bij de mannen en vrouwen die gemeenschap met hun partner hadden gehad viermaal hoger was dan bij mensen die hadden gemasturbeerd en/of niet waren klaargekomen (de controlesituatie). Het voordeel bleek bij mannen en vrouwen hetzelfde te zijn.

Vergeleken met masturbatie levert een orgasme door gemeenschap een hoger prolactinegehalte op en daardoor een gevoel van grote verzadiging. Het vuur is gedoofd. Je voelt je leeg, op een positieve manier. Hoe meer dagen per maand je vaginale seks hebt, en geen andere vorm van seks, hoe groter je algemeen welzijn, zegt Brody. Hetzelfde onderzoek moet echter nog worden gedaan naar anale en orale seks en masturbatie met een partner, evenals gemeenschap zonder orgasme. (Het is duidelijk dat je emotionele tevredenheid ook van andere factoren afhangt, onder meer van de band die je met je partner hebt.)

De bewering dat orgasmen door vaginale gemeenschap meer bevrediging geven dan die door elke andere vorm van seks, is omstreden, maar Brody heeft een theorie. Door diepe penetratie, in combinatie met de versterkte emotionele en fysiologische aspecten van gemeenschap, zou de nervus vagus – een zenuw die onder aan de hersenen begint en evenwijdig aan de ruggengraat langs de borst, buik en het bekken naar beneden loopt – mogelijk effectiever gestimuleerd worden. De nervus vagus levert 'elektriciteit' aan spieren en het sympathisch zenuwstelsel. Hij is van invloed op het hart, inclusief de hartslag, en zorgt er mede voor dat je je na het eten verzadigd voelt. Deze onder stroom staande draad die van de hersenen naar je hart en vervolgens naar de geslachtsorganen loopt, stelt het hele lichaam af. Sommige onderzoekers denken dat de nervus vagus er mogelijk voor zorgt dat er meer van het kalmerende en 'bandvormende' hormoon oxytocine vrijkomt.

Met of zonder hulp van de nervus vagus stijgt je oxytocinegehalte bij een orgasme, en misschien zorgt het hormoon ervoor dat je wilt knuffelen. Helaas is je minnaar daar misschien niet meer toe in staat, en dat komt dan door de prolactine. Prolactine heeft namelijk nog een bijwerking, waar vooral mannen last van schijnen te hebben: ze vallen in een diepe, tevreden slaap.

Ervaren mannen en vrouwen een orgasme op dezelfde manier?

Bij een klassiek onderzoek uit de jaren zeventig van de vorige eeuw vroegen psychologen van de Universiteit van Washington bijna vijftig mannelijke en vrouwelijke studenten een gedetailleerde beschrijving te geven van hun orgasmen, zonder dat ze geslachtsorganen noemden. 'Een heerlijk gevoel. Krachtige spiersamentrekkingen door het hele lichaam,' schreef iemand. Of: 'Een enorme opbouw van druk, vurig verlangen en spanning gevolgd door een moment waarop je helemaal niets voelt, dan een geweldige uitbarsting die gepaard gaat met een gevoel van verbazing en opluchting.' Dit pikante proza werd gelezen door een panel van zeventig mannelijke en vrouwelijke gynaecologen, verloskundigen en medisch studenten. Ze moesten bepalen of de schrijver van elk fragment een man of een vrouw was, en daar slaagden ze niet in. Als ze op de beschrijvingen afgingen, leken beide seksen het orgasme subjectief gezien precies hetzelfde te ervaren.

Er zijn natuurlijk voor de hand liggende fysieke verschillen tussen de momenten van verrukking bij mannen en bij vrouwen. De vagina en penis hebben een verschillende fysiologie. Bij een vrouw bestaat een orgasme uit drie tot vijftien ritmische samentrekkingen, die ongeveer vijftien seconden duren, hoewel sommige orgasmen wel twee minuten duren. Vrouwen kunnen ook meerdere orgasmen krijgen. Het gemiddelde orgasme (zaadlozing) bij de man bestaat uit ongeveer tien tot vijftien samentrekkingen en wordt na zo'n zeventien seconden minder.

Sommigen vergelijken het gevoel van een mannelijk orgasme met niezen en het vrouwelijke orgasme met rillen. Beide seksen ervaren een snellere hartslag, snellere ademhaling, verwijding van de pupillen en verhoogde bloeddruk.

Dan is er nog het cognitieve orgasme. Bij vrouwen heeft het orgasme effect op de genotsplek die ook nucleus accumbens wordt genoemd, en bij mannen op het ventraal tegmentum, dat het positieve hormoon dopamine produceert. (Zie pagina 245 voor meer informatie over het ventraal tegmentum.) Bij het orgasme stijgt ook het oxytocinegehalte flink, wat een kalmerend effect kan hebben en een hechte band kan bevorderen. Direct na het orgasme stijgt je prolactinegehalte ineens, wat voor een verzadigd gevoel zorgt.

De geest is wel degelijk bij een orgasme betrokken. Als neurowetenschappers de hersenen bekijken van mensen die een orgasme hebben, nemen ze activiteit waar in het gebied dat de insula wordt genoemd. Hierin worden emotionele ervaringen en verlangens verwerkt en naar bewuste gevoelens vertaald. De insula kan zich mogelijk ook seksuele ervaringen uit het verleden 'herinneren' en vooruitlopen op een beloning. (Hij kan ook gestimuleerd worden door chocola te eten.) De pariëtale hersenkwab wordt ook ingeschakeld; dit gebied regelt de ruimtelijke navigatie en houdt verband met abstracte ideeën zoals zelfrepresentatie en zelfexpansie. Tijdens een orgasme wordt ook de prefrontale cortex geactiveerd, een gebied dat in verband wordt gebracht met hogere cognitieve functies die te maken hebben met beoordelingen, verwachtingen, doelstellingen en sociaal gezag. Alle vurige stoten en krampen worden mogelijk gemaakt door de kleine hersenen, ook wel 'reptielenhersenen' genoemd, het gebied dat bewegingen beheerst. De linkeramygdala, die in verband wordt gebracht met begeerte, komt tot rust, evenals de temporaalkwab, die een rol speelt bij onze spraak en ons gehoor.

Dit wil niet zeggen dat er geen mogelijke verschillen zijn tussen de orgastische ervaring bij de man en de vrouw. Bij mannen vindt er meer activiteit plaats in de occipitale cortex, het centrum in de hersenen waar visuele waarnemingen worden verwerkt. Dit versterkt het bewijs dat mannen tijdens seks meer op het uitwendige zijn gericht, zelfs op het moment dat ze klaarkomen. (Als een stel tijdens het vrijen gebruikmaakt van spiegels en porno, zal dat eerder voor het plezier van de man dan voor dat van de vrouw zijn.) Neurowetenschappers hebben ontdekt dat er bij vrouwen, en niet bij mannen, activiteit plaatsvindt in de hypothalamus en de amygdala, centra die in verband worden gebracht met emoties, driften en de afscheiding van geslachtshormonen inclusief oxytocine. (Bij mannen is er echter wel activiteit in deze gebieden waar-

Doe aan seks voor een stressvolle gebeurtenis

Als er een stressvolle gebeurtenis in het verschiet ligt, zorg dan dat je van tevoren aan seks doet. In een onderzoek naar seks en stress vroeg de medisch psycholoog Stuart Brody tweeëntwintig mannen en vierentwintig vrouwen een toespraak te houden voor een panel dat niet echt geïnteresseerd was, gevolgd door een test met verbale rekenvraagstukken. Voor en direct na de toespraak werd bij iedereen de bloeddruk gemeten. Het bleek dat mannen en vrouwen die in de week voor de toespraak alleen vaginale gemeenschap hadden gehad en geen andere vorm van seks, een beduidend lagere bloeddruk en minder last van stress hadden dan mensen die welke andere vorm van seks dan ook hadden gehad, zoals verschillende vormen van gemeenschap, masturbatie en/of seks met een partner waarbij geen vaginale gemeenschap plaatsvond.

Je vraagt je misschien af waarom masturbatie, orale en anale seks niet dezelfde vermeende voordelen hebben als vaginale gemeenschap. Daar is geen duidelijk antwoord op te geven en ook door verder onderzoek kan men het resultaat niet herhalen. Volgens Brody heeft het mogelijk te maken met hoe ons lichaam tot een week na gemeenschap (waarbij de nervus vagus wordt beïnvloed, die ervoor zorgt dat het hart tot rust komt) is 'afgesteld', en de gunstige effecten worden verstoord wanneer je andere zenuwbanen stimuleert die in verband worden gebracht met masturbatie of orale seks.

genomen in de fase voor het orgasme, dus de afwezigheid van activiteit tijdens een orgasme zou te wijten kunnen zijn aan technische problemen bij de fMRI. De technologie is mogelijk te langzaam om alles wat er tijdens een orgasme gebeurt vast te leggen, en bovendien moeten de deelnemers hun hoofd stilhouden.)

Tenzij je je kunt verstoppen in de hersenen van anderen terwijl ze klaarkomen, is het onmogelijk om *precies* te zeggen wat voor gevoel hun orgasmen geven. Maar als je het orgasme zou kunnen voelen van iemand van de andere sekse, zou het gelukzalige en bevrijdende gevoel je waarschijnlijk bekend voorkomen. Misschien kun je het orgasme zien als genot: er is niet iets als mannelijk genot en vrouwelijk genot. Er is in feite waarschijnlijk meer variatie binnen elke sekse dan tussen de seksen. Als er al verschil is tussen een mannelijk en een vrouwelijk orgasme, dan zit dat waarschijnlijk in de manier waarop ze naar het hoogtepunt toe gaan en hoe ze zich naderhand voelen. Op het hoogtepunt zelf ziet alles er in wezen hetzelfde uit.

Houd je voeten warm

Bij een onderzoek van de Universiteit van Groningen naar orgasmen moesten deelnemers om de beurt met het hoofd in een scanner gaan liggen, terwijl hun partner hen liet klaarkomen. Om de juiste sfeer te scheppen waren de deuren gesloten en de lichten gedimd. Het enige probleem was dat het koud was in de kamer. Slechts vijftig procent van de stellen slaagde erin een orgasme te bereiken. Toen ze echter sokken kregen om aan te doen, steeg dat percentage naar tachtig procent. Dus: als je echt klaar wilt komen, zorg dan dat je geen koude voeten krijgt. (Je hoeft natuurlijk geen sokken te dragen, als je er maar voor zorgt dat de omgeving lekker warm is.)

Waarom masturberen mensen met een bevredigend seksleven nog?

In een filosofische bui vraag je je misschien af waarom mensen die veel met hun partner vrijen nog de moeite zouden nemen om te masturberen. Dit is vooral van toepassing op mannen, die vaker masturberen dan vrouwen. (Volgens een grootschalig onderzoek onder Amerikaanse volwassenen, zei vijfenvijftig procent van de mannen het regelmatig te doen, ten minste een paar keer per maand, vergeleken met slechts achtendertig procent van de vrouwen.) Als seks bedoeld is om ons voort te planten, waarom masturberen zo veel mensen dan zo vaak?

Sommige antwoorden liggen voor de hand. Mensen masturberen uit verveling, als vorm van veilige seks, om in slaap te komen, voor de variatie en het gemak, om een seksuele stoornis te verhelpen, om stress te verminderen of om hun vurige drift te verlichten. In de context van een relatie beschouwen stellen masturbatie meer iets als een vitamine dan als een maaltijd: met mate kan het geen kwaad, en is het misschien zelfs goed.

Dit zijn de bestaande theorieën over het waarom van masturbatie, en niet veel wetenschappers hebben de moeite genomen met nieuwe theorieën te komen sinds is vastgesteld dat het niet de oorzaak is van blindheid en harige handpalmen. Een uitzondering vormen de Britse biologen Mark Bellis en Robin Baker. Nadat ze de masturbatiegewoonten van andere dieren hadden bestudeerd, kwamen Bellis en Baker met een evolutionaire verklaring waarom mannen zo veel masturberen: zo is de kans groter dat ze een vrouw zwanger maken. Ja, het klopt dat mannen die regelmatig masturberen minder zaadcellen in hun sperma hebben, waardoor je zou denken dat de kans op bevruchting kleiner wordt. Maar minder zaadcellen kan in feite goed zijn. Het blijkt dat het spul een 'houdbaarheidsdatum' heeft, en door masturbatie wordt de oude voorraad weggespoeld. Een man die heeft gemasturbeerd vlak voordat hij met een vrouw vrijt, heeft een zaadlozing met jongere, vitalere, fellere zaadcellen die een vrouw eerder zwanger zullen maken. Ze blijven langer in leven in haar vagina, wat betekent dat ze meer tijd hebben om rond te zwemmen op zoek naar een rijpend eitje. Ze zouden ook een fellere strijd leveren met sperma van een rivaal, mocht een vrouw meerdere minnaars hebben.

Om deze theorie te testen vroegen Baker en Bellis hun vrouwelijke deelnemers om de 'terugvloei' – het sperma en vaginale vocht dat na seks weer uit de vagina vloeit – op te vangen. Ze vergeleken het spermagehalte in de terugvloei van vrouwen van wie de partner vlak voor de gemeenschap had gemasturbeerd met die van vrouwen van wie de partner niet vlak daarvoor had gemasturbeerd. Opvallend genoeg ontdekten ze dat vrouwen net zo veel sperma vasthielden na seks met een man die pas had gemasturbeerd, ook al bevatte zijn zaadlozing minder zaadcellen. Verser sperma bleef binnen, terwijl ouder sperma naar buiten vloeide. (Het feitelijke spermagehalte hangt van veel factoren af, onder andere van de leeftijd, de gezondheid en de genetische opbouw van de man, en van het aantal dagen of uren nadat hij had gemasturbeerd. Mannen vullen hun voorraad snel aan, met een gemiddelde snelheid van 2,41 miljoen zaadcellen per uur.)

Voor vrouwen is masturbatie ook een vorm van 'zelfonderhoud'. Masturbatie bevordert de bloedstroom naar de geslachtsorganen, zorgt ervoor dat de vagina elastisch blijft en bevordert afscheiding. In dit verband zit er een kern van waarheid in de andere opmerking van Woody Allen over masturbatie: 'Ik ben zo'n goede minnaar omdat ik veel in mijn eentje oefen.'

Waarom voel je je niet seksueel aangetrokken tot mensen met wie je bent opgegroeid?

Als je met een man bent opgegroeid, is de kans groot dat je alleen al de gedachte hem op de mond te moeten kussen weerzinwekkend vindt. Zelfs als je hem aantrekkelijk vindt, is dat waarschijnlijk niet op een seksuele manier. Volgens de antropoloog Debra Lieberman van de Universiteit van Californië in Santa Barbara komt dat doordat je een ingebouwd verwantschapsmechanisme hebt. Toen je nog klein was, schakelde dat mechanisme zich vanzelf in als je je moeder voor een nieuwe baby zag zorgen, of als je met andere kinderen in hetzelfde gezin of dezelfde gemeenschap leefde. Hoe langer je dicht bij andere kinderen woonde, hoe sterker de invloed van verwantschap was. Veel andere dieren hebben ook een verwantschapsmechanisme, en het heeft een belangrijk evolutionair doel. Als ouders nauw verwant zijn, is er een grotere kans dat er nakomelingen worden geboren met genetische afwijkingen. Inteelt is genetisch gezien een taboe.

Ook al weet je dat degene met wie je bent opgegroeid een stiefbroer, adoptiebroer of een vriend van het gezin is, of anderszins niet genetisch verwant is, je kunt dat mechanisme dat je tegen incest beschermt niet onderdrukken. Het is een onuitwisbare neurale inprenting. Bewijs hiervoor is gevonden in onderzoeken naar Israëlische kibboetsen, waar kinderen gezamenlijk in kleine groepen worden opgevoed. Uit een overzicht van bijna achtentwintighonderd huwelijken bleek dat er slechts veertien huwelijken waren gesloten tussen kibboetsleden die in dezelfde leeftijdsgroep waren opgegroeid, en negen van die stellen hadden in de eerste zes jaar van hun leven niet bij elkaar gewoond. Ongeveer hetzelfde verschijnsel deed zich voor in China, toen meisjes als baby werden geadopteerd door het gezin van de jongen met wie ze later zouden trouwen. Doordat deze jongens en meisjes samen opgroeiden, ontwikkelden ze een seksuele afkeer van elkaar. Vergeleken met Chinese vrouwen in andere gearrangeerde huwelijken hadden ze tweemaal zo veel buitenechtelijke relaties, kenden ze een beduidend hoger scheidingspercentage en een vruchtbaarheidscijfer dat dertig procent lager lag.

Onderzoekers weten nog niet welke specifieke omgevingssignalen, zoals aanraken, kussen, eten of samen slapen, ons verwantschapsmechanisme in werking stellen, wat de precieze genetische basis is of welk neuraal mechanisme eraan ten grondslag ligt. Maar aangezien in de meeste situaties kinderen die samen opgroeien in feite genetisch verwant zijn, is het verlies van een potentiële partner vanuit evolutionair oogpunt minder kostbaar dan het risico op inteelt.

Het komt erop neer dat je je zo ontwikkeld hebt dat je je seksleven buiten de familiekring houdt. Daarom is tegen een man zeggen dat je van hem houdt als van een broer een manier om te zeggen dat je nóóit van je leven met hem het bed in zult duiken.

DEEL III

HERSENEN

8
Hoe we denken als we daten

Ben jij de nieuwe persoon die zich tot me aangetrokken voelt?
Om te beginnen: wees gewaarschuwd, ik ben beslist
heel anders dan je veronderstelt;
Veronderstel je dat je in mij je ideaal zult vinden?
Denk je dat het zo gemakkelijk is om mij als minnaar te krijgen?
Denk je dat mijn vriendschap pure bevrediging zou zijn?
Denk je dat ik betrouwbaar en trouw ben?
Kijk je niet verder dan deze façade, deze gladde en
verdraagzame manier van me?
Veronderstel je dat je werkelijk toenadering zoekt
tot een echte, heroïsche man?
Komt het niet in je op, o dromer, dat het allemaal
misschien Maya is, een illusie?
– Walt Whitman, 'Ben jij de nieuwe persoon die zich
tot me aangetrokken voelt?'

Wat vinden vrouwen en mannen belangrijk in een partner?

Als we door een evolutionaire lens van minstens tienduizend jaar dik kijken, is het volkomen begrijpelijk dat vrouwen, net als het personage dat Marilyn Monroe in *Gentlemen Prefer Blondes* speelde, een zwak hebben voor mannen met geld en status, en dat mannen een zwak hebben voor knappe vrouwen. Het verhaal is al talloze keren verteld: vrouwen hebben een voorkeur ontwikkeld voor een partner die hen goed kan beschermen en verzorgen. Mannen hebben zich zo ontwikkeld dat ze hun eigendommen investeren in vrouwen die goede eigenschappen hebben met betrekking tot vruchtbaarheid. En het alarmerende is dat deze partnervoorkeuren zelfs in de eenentwintigste eeuw nog steeds bestaan, *overal ter wereld*. De tijden zijn veranderd, maar wij niet.

Dat was de conclusie van een belangrijk onderzoek door de psycholoog David Buss. Hij inventariseerde de partnervoorkeur van meer dan tienduizend mensen van zevenendertig verschillende culturen over de hele wereld. Van Amerika tot Zambia vinden vrouwen, veel meer dan mannen, een 'groot inkomenspotentieel' en 'goede financiële vooruitzichten' belangrijk bij een partner. Dat geldt vooral voor landen zoals Indonesië, Nigeria, Japan en Zambia, waar vrouwen weinig financiële vooruitzichten hebben. Maar het geldt ook voor heel Noord- en Zuid-Amerika en Azië, en het is statistisch gezien belangrijk in de meest egalitaire landen in West-Europa (met uitzondering van Spanje, waar vrouwen zich nog wel iets gelegen lieten liggen aan het inkomen van de man, maar niet zo heel veel). Verder hechten vrouwen meer waarde aan ambitie en ijver in een man dan andersom (een grote uitzondering vormen de Zuid-Afrikaanse Zoeloes, bij wie de vrouwen het meeste werk verrichten als er huizen gebouwd moeten worden of water gehaald moet worden, terwijl de mannen lange afstanden moeten afleggen om werk te vinden). Het inkomenspotentieel van een man zou een vrouw status en bescherming kunnen geven, maar zou ook kunnen betekenen dat hij 'goede genen' heeft die hij kan doorgeven aan hun kinderen.

Ondertussen hoeven we er niet van staan te kijken dat mannen over de hele wereld meer belang hechten aan de leeftijd en het uiterlijk van hun partner dan vrouwen. In elk van de zevenendertig culturen geven mannen de voorkeur aan een jongere vrouw. Gemiddeld trouwen mannen het liefst als ze zevenentwintigenhalf jaar oud zijn, met een vijfentwintigjarige vrouw. Vrouwen hebben ook liever een man die iets ouder is en die zich vermoedelijk al wat meer gesetteld heeft; een leeftijdsverschil van drieënhalf jaar wordt in feite als ideaal beschouwd. Als de man scheidt en hertrouwt, neemt het leeftijdsverschil bij het tweede huwelijk toe tot vijf jaar en bij een derde huwelijk tot acht jaar. Dat is waarschijnlijk meer toe te schrijven aan de verlangens van de man dan aan die van de vrouw. In de ogen van vrouwen heeft een oudere man waarschijnlijk meer bezittingen. In de ogen van mannen is een jongere vrouw waarschijnlijk vruchtbaarder.

De nadruk die mannen leggen op jeugdigheid en vruchtbaarheid gaat hand in hand met hun algemene voorkeur voor een knap uiterlijk: glanzend haar, een zuivere huid, symmetrische gelaatstrekken, een lage taille-heupratio en ga zo maar door. In vierendertig van de zevenendertig culturen vonden mannen een fysiek aantrekkelijke partner veel belangrijker dan vrouwen. Alleen in India, Polen en Zweden vonden mannen naar verluidt het uiterlijk van hun vrouw niet zo heel veel belangrijker dan de vrouwen dat van hun man vonden. (Waarom deze landen? In India worden huwelijken door families gearrangeerd. Polen en Zweden zijn moeilijker te verklaren; misschien is elke vrouw er een schoonheid.)

In hoeverre een vrouw naar een knappe partner verlangt, hangt mogelijk deels af van haar eigen uiterlijk. Uit een onderzoek onder bijna honderdvijftig Poolse vrouwen bleek dat vrouwen met een hoge taille-heupratio (dikkere taille) meer waarde hechtten aan fysieke aantrekkelijkheid in een partner dan vrouwen met een lage THR (lichaamstype met weelderige vormen). (Weelderige, vrouwelijk uitziende vrouwen legden in plaats daarvan meer nadruk op de bezittingen en het inkomenspotentieel van hun aanstaande partner.) De onderzoekers, de biologisch antropologen Boguslaw Pawlowski en Grażyna Jasieńska, opperen dat als een vrouw niet als knap wordt beschouwd, ze onbewust waarde hecht aan genen die verband houden met aantrekkelijkheid om ervoor te zorgen dat haar kinderen zich gemakkelijker voortplanten. Een onderzoek naar huwelijksgeluk door de psychologen van de UCLA toonde aan dat als de man knapper is dan de vrouw, het huwelijk meer onder druk staat. Je hebt de grootste kans op een goed huwelijk, ontdekten ze, als de vrouw veel sexyer is dan haar man. Vermoedelijk doet de man beter zijn best in de relatie en zal hij minder gauw vreemdgaan, en voelt de vrouw zich zekerder.

Toch willen de mooiste vrouwen alles hebben in een man, zo beweren David Buss en Todd Shackelford in een onderzoek naar Amerikaanse getrouwde stellen. De evolutionair psychologen stelden een roulerend team samen van mannelijke en vrouwelijke interviewers, die twee aan twee meer dan tweehonderd getrouwde deelnemers in het Midwesten beoordeelden. Alle deelnemers werden beoordeeld op fysieke aantrekkelijkheid en in drie aparte sessies werd vastgesteld welke factoren ze waardeerden en per se wilden terugzien in een partner. De mooiste vrouwen stelden de hoogste eisen: ze wilden en verwachtten dat hun partner mannelijk, fit, fysiek aantrekkelijk, liefhebbend, ontwikkeld, een paar jaar ouder dan zijzelf was, naar huisje-boompje-beestje verlangde en een groot inkomenspotentieel had. Tot de verbazing van de onderzoekers was er slechts één eigenschap waar door mooie vrouwen niet meer nadruk op werd gelegd dan door minder aantrekkelijke vrouwen: intelligentie. (De meest sexy mannen stelden overigens geen hogere eisen dan minder aantrekkelijke mannen. Een rijke man kan daarentegen wel kieskeuriger zijn.)

Buss en Shackelford concludeerden dat, terwijl uitzonderlijk knappe vrouwen alles misschien wel in één man zouden kunnen krijgen, de meerderheid het niet klaarspeelt die ideale man aan te trekken en vast te houden, dus nemen ze genoegen met de beste combinatie van eigenschappen in een partner. Misschien ruilen ze mannelijkheid in voor een verlangen naar het vaderschap, of bezittingen voor trouw, afhankelijk van de persoonlijke keuze en omstandigheden. Een minderheid van de vrouwen hanteert een strategie van 'dubbele partners', wat inhoudt dat ze de voordelen genieten van een partner voor de lange termijn en afspraakjes hebben met mannen die er aantrekkelijk uitzien of bepaalde eigenschappen hebben die hun belangrijkste partner niet heeft.

Hoezeer mannen ook in beslag worden genomen door jeugdigheid en een knap uiterlijk, als ze op zoek zijn naar een echtgenote kijken ze naar andere criteria. Bij een onderzoek door de evolutionair psycholoog Norman Li en zijn collega's van de Staatsuniversiteit van Arizona en de Northwestern Universiteit kregen volwassen deelnemers (voornamelijk dertigers) een klein aantal 'partnerdollars' die ze moesten 'uitgeven' aan diverse eigenschappen, zoals inkomen, vriendelijkheid of een interessante persoonlijkheid. Toen ze werden gedwongen te kiezen wat voor hen de belangrijkste eigenschappen in een partner waren, bleken de mannen fysieke aantrekkingskracht het meest te waarderen, direct gevolgd door intelligentie. Intelligentie is volgens de onderzoekers een soort parapluterm, waaronder eigenschappen vallen als moederkwaliteiten, sociale gewiekstheid en het vermogen een huishouden te runnen of een interessant gesprek te voeren. (Opmerkelijk genoeg beschouwden de vrouwen in dit onderzoek intelligentie als de belangrijkste eigenschap in een partner, direct gevolgd door het jaarinkomen. Het feit dat alle vrouwen zo veel waarde hechten aan intelligentie zou kunnen verklaren waarom het de enige kwaliteit is in een partner die door adembenemende vrouwen niet méér wordt benadrukt dan door minder aantrekkelijke vrouwen. Toen de onderzoekers in een vervolgonderzoek, waarbij de deelnemers uit studenten bestonden, vriendelijkheid als eigenschap introduceerden, kozen zowel mannen als vrouwen deze als tweede belangrijke eigenschap in een partner (na respectievelijk fysieke aantrekkingskracht en sociale status).

Wat deze onderzoeken aantonen, is dat mannen meer waarde hechten aan schoonheid en jeugdigheid dan vrouwen, en dat vrouwen hun uiterlijk benutten om de partner te krijgen die hun het meest te bieden heeft. Er is enige hoop voor de mensheid, in die zin dat we ook beweren dat we vriendelijkheid en intelligentie belangrijk vinden als het om langdurige relaties gaat. Jammer dat dat niet helpt voorkomen dat één op de twee huwelijken strandt.

❖

Wat voor geheime voorkeuren kunnen we opmaken uit gegevens van datingsites?

Onderzoekers zijn dol op datingsites, omdat die hun een schat aan gegevens verschaffen over wie wie aantrekt, en waarom. Het zijn echte gegevens, verhalen van echte mensen die echte beslissingen hebben genomen. Ze zijn gebaseerd op actie, niet op theorie. Stel je eens voor hoe blij het team van economen en hoogleraren van de business school van het MIT en de Universiteit van Chicago moet zijn geweest dat ze toegang hadden tot de voorkeuren van meer dan drieëntwintigduizend alleenstaanden in Boston en San Francisco die van een grote datingsite gebruikmaakten. Als speleologen doorzochten ze de gegevens en haalden de voorkeuren naar boven waarvan mannen en vrouwen niet willen toegeven dat ze ze hebben, zelfs niet tegenover zichzelf.

We hoeven er niet van staan te kijken dat een van de grote vooroordelen die naar boven kwamen de aantrekkingskracht betrof. Ja, je weet het al: mannen geven beduidend meer om uiterlijk dan vrouwen. Maar nu weten we hoe belangrijk ze het vinden, we kunnen het in getallen uitdrukken. De kans dat je de aandacht van een man trekt is bijvoorbeeld twee keer zo groot als je op zo'n site een foto van jezelf plaatst. Op basis van je foto en beschrijving van jezelf krijgen mannen een idee van je gezicht, haar en lichaam, waar ze duidelijk veel belang aan hechten. Te oordelen naar het aantal e-mails waarmee het eerste contact wordt gelegd, houden mannen van lang, steil haar. Ze vinden blond het mooist en grijs of peper-en-zoutkleurig het minst mooi. Ongeacht hun eigen lengte gaven mannen de voorkeur aan vrouwen die langer waren dan 1,75 meter.

Mannen houden ook van vrouwen die te licht zijn voor hun lengte. Als je een *body mass index* (BMI) had van 16-18, de gewicht-lengteratio voor iemand met anorexia (ongeveer 50-56 kilo bij een lengte van 1,67 meter), zou je negentig procent meer eerste e-mailtjes ontvangen dan een vrouw met een BMI van 24, wat aan de bovengrens zit van wat normaal is. Het interessante was dat het gemiddelde gewicht van een vrouw die van de datingsite gebruikmaakte drie kilo lager lag dan het landelijk gemiddelde van vrouwen jonger dan dertig jaar, negen kilo lager voor vrouwen tussen de dertig en negenendertig jaar en tien kilo lager voor vrouwen tussen de veertig en vijfenveertig jaar. Een vriend van me, die veel ervaring heeft met online afspraakjes, vertelde me dat alle mannen natuurlijk weten dat vrouwen in hun profiel liegen over hun gewicht. 'Dat is de knoeifactor,' zei hij, terwijl hij bitter naar me glimlachte. 'Als een man zegt dat hij het liefst een BMI heeft die iets lager is dan het gemiddelde, weet hij dat hij in feite een vrouw krijgt met een gemiddeld gewicht. Als een vrouw zegt dat ze een gemiddeld gewicht heeft, betekent het dat ze een beetje mollig is.' Uit een vervolgonderzoek van de Cornell Universiteit naar misleiding op datingsites bleek inderdaad dat vrouwen een te laag gewicht opgeven; vierenzestig procent van de vrouwen gaf tweeënhalve kilo minder op in het profiel op de site.

Ondertussen richtten de vrouwen zich bij de mannen op het deel van het profiel waar gegevens staan over hun inkomen. Mannen die zeiden dat ze jaarlijks 250.000 dollar of meer verdienden, ontvingen 34 tot 151 procent meer eerste e-mailtjes van vrouwen dan mannen met een gemiddeld salaris van 62.500 dollar. (Een hoger salaris opgeven is blijkbaar net zo gebruikelijk als een lager gewicht opgeven.) Hoeveel meer belangstelling iemand met een goed salaris kreeg dan de gemiddelde werknemer in loondienst was afhankelijk van fysieke details, bijvoorbeeld hoe knap of hoe lang iemand was.

De onderzoekers maakten gebruik van simulatie om de uitkomsten van diverse scenario's te voorspellen. Op basis van afspraakpatronen bleek dat een man die fysiek gezien tot de minst aantrekkelijke tien procent van de mannen op de site wordt gerekend, elk jaar 186.000 dollar extra zou moeten verdienen om even aantrekkelijk te worden gevonden als een knappe bink met een gemiddeld inkomen van 62.500 dollar. Een man van slechts 1,67 meter zou 175.000 dollar extra moeten verdienen om even aantrekkelijk te worden gevonden als een man die 1,77 meter lang is en verder in alle opzichten gemiddeld is. Natuurlijk krijgen de mannen die zich voorstellen als lang, rijk en knap de meeste aandacht. (Mannen liegen trouwens ook over hun lengte; drieënvijftig procent smokkelt er ruim een centimeter of meer bij.)

Wat ras betreft zijn vrouwen veel kieskeuriger dan mannen. Ze geven de voorkeur aan hun eigen huidskleur. Zelfs als dames beweren dat ze geen etnische voorkeur hebben, is dat wel zo. Amerikanen die ten zuiden van de lijn Mason-Dixon opgroeiden, hadden een grotere voorkeur voor hun eigen ras, zo bleek uit een onderzoek naar speeddating van de Columbia Universiteit, onder leiding van de econoom Raymond Fisman en de psycholoog Sheena Iyengar. Van de vierhonderd speeddaters uit New York die aan hun onderzoek meededen, waren zwarte vrouwen het kieskeurigst: ze gaven sterk de voorkeur aan zwarte mannen boven mannen van elk ander ras. Wat betreft een tweede afspraakje zeiden zwarte vrouwen ongeveer vijfenzestig procent minder vaak ja tegen Aziatische mannen, vijfenveertig procent minder vaak tegen blanke mannen en dertig procent minder vaak tegen Latijns-Amerikaanse mannen. Blanke vrouwen gaven de voorkeur aan blanke mannen en zeiden vijfenzestig procent minder vaak ja tegen Aziatische mannen en dertig procent minder vaak tegen zwarte en Latijns-Amerikaanse mannen. Latijns-Amerikaanse vrouwen gaven de voorkeur aan Latijns-Amerikaanse mannen en zeiden vijftig procent minder vaak ja tegen Aziatische mannen en twintig procent minder vaak tegen zwarte en blanke mannen. Aziatische vrouwen waren het minst kieskeurig en zeiden slechts iets vaker ja tegen Aziatische mannen en blanke mannen dan tegen zwarte en Latijns-Amerikaanse mannen.

Opnieuw kan het inkomen van mannen zwaarder wegen dan de voorkeur van de vrouwen, volgens de hoogleraren van de Universiteit van Chicago en het MIT die de gegevens van de datingsite analyseerden. Voor blanke vrouwen zou een zwarte man elk jaar 154.000 dollar extra moeten verdienen om even aantrekkelijk te worden gevonden als een blanke man met een gemiddeld inkomen van 62.500 dollar, Latijns-Amerikaanse mannen 77.000 dollar extra en Aziatische mannen 247.000 dollar extra. Voor zwarte vrouwen zou een blanke man 220.000 dollar extra moeten verdienen om even aantrekkelijk te worden gevonden als een zwarte man, en een Latijns-Amerikaanse man zou 184.000 dollar extra moeten verdienen. Voor Latijns-Amerikaanse vrouwen zou een zwarte man 30.000 dollar extra moeten verdienen om even aantrekkelijk te worden gevonden als een Latijns-Amerikaanse man, en een blanke man zou 59.000 dollar extra moeten verdienen. Aziatische vrouwen waren het minst kieskeurig.

(De onderzoeken bieden geen inzicht in de vraag waarom vrouwen de minste voorkeur hebben voor Aziatische mannen, maar buiten het onderzoek vertellen vrouwen graag hoe het zit. Toen ik een informeel onderzoekje instelde, kreeg ik onder andere te horen dat men meende dat Aziatische mannen niet dezelfde interesses en waarden hebben, dat ze een hechte gemeenschap vormen en niet met iemand van een ander ras trouwen, dat er in de Aziatische gemeenschap sprake is van seksisme, dat Aziatische mannen over het algemeen kleiner zijn en op seksueel gebied niet zo geweldig zijn. Vrouwen zijn nogal schaapachtig als het om stereotypen gaat en zeggen dat ze uiteraard een uitzondering maken voor de juiste man.)

Hoewel een flink salaris een bepaalde tekortkoming bij een man kan compenseren, vinden vrouwen het ook belangrijk *hoe* een man zijn geld verdient. Advocaten, brandweerlieden, militairen en beroepen in de gezondheidszorg (waarschijnlijk doktoren en chirurgen) trekken meer vrouwen aan. Mannen die in een fabriek werken ontvingen minder e-mails van vrouwen. Het inkomen of het beroep van een vrouw kan een man in wezen niet schelen, zolang haar succes hem maar niet afschrikt. Mannen nemen in feite iets vaker contact op met vrouwelijke studenten dan met werkende vrouwen. Het onderzoek van de Columbia Universiteit toonde aan dat mannen misschien wel van slimme vrouwen houden, maar niet als die vrouwen hen wat betreft intelligentie of ambitie voorbij streven. Gezien dit gegeven is het geen wonder dat vrouwelijke chirurgen en advocaten zeggen dat ze verpleegkundige of secretaresse zijn, alleen maar om een afspraakje te kunnen maken, en dat ze, als ze een man mee naar huis nemen, hun designertassen en andere dingen waaruit hun rijkdom blijkt verstoppen.

De onderzoekers ontdekten nog een aantal andere voorkeuren die jammer, maar niet zo verwonderlijk zijn. Mannen halen hun neus op voor oudere vrouwen, en oudere vrouwen halen hun neus op voor jongere mannen. Vrouwen geven de voorkeur aan mannen met hetzelfde opleidingsniveau, en mannen met alleen een middelbareschooldiploma vermijden vrouwen met meer opleiding. Vrouwen met kinderen zijn minder aantrekkelijk voor mannen, of die mannen nu kinderen hebben of niet, en vrouwen zonder kinderen geven de voorkeur aan mannen die nog geen kinderen hebben. Gescheiden vrouwen geven de voorkeur aan gescheiden mannen, terwijl gescheiden mannen liever vrouwen hebben die nog nooit getrouwd zijn.

Omdat er veel meer mensen bij zo'n datingsite staan ingeschreven dan in welke bar of club ook, en omdat een datingsite zo veilig en zo abstract is, is het gemakkelijk om superkieskeurig te zijn. Maar de getallenkauwende onderzoekers hebben nog niet diep genoeg gegraven om te weten hoe onze persoonlijkheid onze kansen beïnvloedt, hoe de meest pietluttigen onder ons het bij een afspraakje doen, hoeveel afspraakjes er tot een huwelijk leiden en hoeveel daarvan er gelukkig zijn. Terug naar de loopgraven.

Schijn kan bedriegen

Als je je tot iemand aangetrokken voelt, waarom probeer je die persoon dan niet beter te leren kennen, in plaats van ervan uit te gaan dat jullie niks gemeen hebben? Raymond Fisman en Sheena Iyengar, hoogleraren aan de Columbia Universiteit, en hun collega's van Harvard en Stanford, kwamen voorkeuren voor bepaalde rassen tegen bij hun experimentele onderzoek naar speeddaten. Tot hun verbazing bestonden die ook duidelijk binnen een ontwikkelde en betrekkelijk vooruitstrevende, stedelijke gemeenschap van afgestudeerden van de Columbia Universiteit in Manhattan. Vrouwen gaven als reden voor hun vóórkeur voor een partner van hetzelfde ras op dat ze het gevoel hebben dat ze met hem meer gemeen hebben. Heel oneerlijk, zou je kunnen zeggen, want hoeveel zinnigs kan een vrouw nu binnen vier minuten zeggen over de smaak van een man? Heel veel zinnigs, dus, mits hij spullen meeneemt. Opmerkelijk genoeg ontdekten de onderzoekers dat de voorkeur bij vrouwen voor iemand van hun eigen ras afnam toen ze de mannen een tijdschrift of werk uit de klassieke literatuur mee lieten nemen naar hun speeddate. Het bleek dat het leesmateriaal het onderwerp van gesprek werd en dat het de vrouwen hielp de gedachte dat ze niets gemeen hadden met mannen van een ander ras uit hun hoofd te zetten. Dat deed ze waarschijnlijk denken aan de algemene regel dat je een boek niet kunt beoordelen op de kaft.

❖

Waarom zouden alleenstaande mannen meer uitgeven en alleenstaande vrouwen meer vrijwilligerswerk doen?

Mannen en vrouwen hebben verschillende manieren om met hun spullen te pronken, beweren de evolutionair psycholoog Geoffrey Miller en doctoraal onderzoeker Vladas Griskevicius. Mannen tonen hun status en rijkdom door met geld te smijten: ze kopen een luxe auto, een luxe huis en dure cadeaus. Vrouwen doen dat door heel opvallend goed te doen, door zich op te offeren of door middel van liefdadigheid. De tweede belangrijke eigenschap die mannen in een vrouw zoeken, na fysieke aantrekkingskracht, is immers vriendelijkheid, en een van de belangrijkste eigenschappen die vrouwen in een man zoeken, is sociale status/bezittingen.

De psychologen besloten deze theorie te testen door mannelijke en vrouwelijke deelnemers in twee groepen te splitsen. Eén groep werd in een romantische bui gebracht met foto's van aantrekkelijke alleenstaanden van de andere sekse. Ze moesten daar een sexy persoon uit kiezen en opschrijven wat er bij een afspraakje met die persoon zou gebeuren. De andere groep, een controlegroep, kreeg foto's van gebouwen te zien en moest iets over het weer schrijven. Daarna kregen beide groepen te horen dat ze 5000 dollar op hun bankrekening hadden staan en dat ze moesten aangeven hoeveel ze daarvan zouden uitgeven. Hun werd ook verteld dat ze elke maand zestig uur vrije tijd hadden om in een opvanghuis te helpen, huizen te bouwen of in een ziekenhuis te werken. Ze moesten zeggen waar ze als vrijwilliger zouden werken en hoeveel uur ze daarin zouden steken.

Er was een opvallend verschil tussen de groep die in een romantische bui was gebracht en de controlegroep. De deelnemers in de controlegroep gaven aan weinig belangstelling te hebben voor vrijwilligerswerk of het uitgeven van geld. Dat was bij de 'romantische' groep wel anders: de mannen zeiden dat ze meer geld zouden uitgeven aan spullen (en tijd, maar alleen als dat inhield dat ze iets heldhaftigs konden doen, zoals levens redden), en de vrouwen zeiden dat ze meer vrijwilligerswerk zouden doen.

Volgens de onderzoekers is het vertoon van rijkdom of liefdadigheid alleen nuttig bij het aantrekken van een partner als anderen het kunnen zien. Zo zitten we nu eenmaal in elkaar. Omdat beide seksen in een langdurige relatie over het algemeen verschillende eigenschappen waarderen, hebben vrouwen er het meeste baat bij als ze laten zien dat ze behulpzaam zijn en zichzelf opofferen, terwijl mannen laten zien hoe rijk en heldhaftig ze zijn.

Culturele verwachtingen, inclusief godsdienst en sociale positie, hebben ongetwijfeld veel te maken met de reden waarom mannen uitgeven en vrouwen geven. Maar de evolutionaire theorie biedt meer inzicht, aangezien vrouwen een man zoeken met bezittingen en status, en mannen, hoewel ze minder kieskeurig zijn, de voorkeur geven aan een vrouw die niet alleen aantrekkelijk is, maar ook een goede moeder die veel geeft. Dit alles werpt een nieuw licht op allerlei zaken, van liefdadigheidsfeesten en optochten met brandweerlieden tot programma's van weldoeners. Heel weinig mensen schijnen anoniem tijd of geld te doneren. Als ze dat doen, dan worden ze vaak ingedeeld in een aparte, aseksuele categorie. Zij worden heiligen genoemd.

Ga samen vrijwilligerswerk doen

Een afspraakje bestaat vaak uit een etentje bij kaarslicht, maar waarom ga je niet eens een keer samen vrijwilligerwerk doen? Zoek een geschikte activiteit, zoals een gemeenschapstuin aanleggen, een lunch serveren in een opvanghuis, of een kind mee naar een museum nemen. Je kunt laten zien dat je een goed hart hebt, krijgt een idee van hoe je vriend zich in een normale, dagelijkse omgeving gedraagt en je doet iets goeds. (Je kunt proberen iemand te ontmoeten bij vrijwilligerswerk, maar vergeet niet dat er veel meer filantropisch ingestelde vrouwen zijn dan mannen.) Door vrijwilligerswerk gaan ook de positieve endorfinen door jullie lichamen stromen, kom je in een geweldige stemming en ontstaat er een intimiteit die je ook 's avonds nog voelt, als jullie allebei een rugmassage nodig hebben. Op www.vrijwilligerswerk.nl vind je vrijwilligerswerk per provincie.

❖

Waarom geven mannen vrouwen luxe etentjes en vakanties in plaats van nuttige cadeaus?

Om een vrouwtjesdansvlieg zover te krijgen dat ze wil paren, moet de mannetjesvlieg haar een huwelijkscadeau geven. Dat is in het ideale geval een klein insect in zijn geheel, of ten minste een in zijde verpakt stukje ervan. Hoe groter het cadeau, hoe langer het paren duurt. Het werkt niet precies hetzelfde als bij mannen en vrouwen, maar er zijn overeenkomsten. Zowel vrouwen als vrouwtjesdansvliegen investeren meer dan mannen in hun nakomelingen, dus ze zorgen er wel voor dat ze de best mogelijke partner uitkiezen. Cadeaus van mannen geven een indruk van hun rijkdom en bedoelingen. Als de man kostbare cadeaus geeft, zendt hij een signaal uit dat hij eerbaar is en, als het om een mensenman gaat, dat hij een langdurige relatie wil. Als hij je goedkope cadeaus geeft, of cadeaus waar niet over is nagedacht, geeft hij niet zo veel om je, of slaagt hij er niet in indruk te maken.

Vanuit het oogpunt van de mensenman is het probleem met cadeaus geven dat het vrouwen misschien alleen maar daarom te doen is. Hoe brengt een man de juiste boodschap over en krijgt hij wat hij wil zonder aan het lijntje gehouden te worden? Dit dilemma trok de belangstelling van de Britse wiskundige Peter Sozou, die hoorde over een man die steeds de huur voor zijn vriendin had betaald, en er vervolgens achter kwam dat ze hem met andere mannen had bedrogen. Sozou en zijn collega Robert Seymour van het University College in Londen namen een model uit de speltheorie dat bekendstaat als een Nash-evenwicht (genoemd naar de bedenker ervan, de wiskundige John Nash, op wie de film *A Beautiful Mind* is gebaseerd) en pasten dit toe op optimale gift-geven-strategieën.

Het Nash-evenwicht is een wiskundig model dat verwijst naar een spelsituatie waarbij spelers de best mogelijke strategie voor henzelf volgen en hun eigenbelang zo groot mogelijk maken, terwijl ze rekening houden met de beslissing en strategieën van de andere spelers. Als het Nash-evenwicht op het versieren wordt toegepast, waarbij de evolutionaire en sociale druk op mannen en vrouwen een gegeven is, is de beste strategie voor mannen om erover op te scheppen dat ze veel geld uit kunnen geven en om dure cadeaus voor vrouwen te kopen waaruit hun goede bedoelingen blijken. Maar de buit zou in wezen waardeloos moeten zijn, in die zin dat hij buiten de context van het versieren geen waarde heeft. Het is logisch dat mannen er de meeste baat bij hebben als ze je op etentjes trakteren en je meenemen naar Hawaii in plaats van dat ze je een auto of computer geven of je rekeningen betalen. Als je niet echt in die man geïnteresseerd bent, is de kans groot dat je 'nee' zegt tegen een eindeloze reeks etentjes, uitjes en vakanties met hem. Vrouwen die geen interesse hebben, worden niet echt geprikkeld om waardeloze (of experimentele) cadeaus aan te nemen, en mannen hoeven niet zo veel te investeren in het versieren van vrouwen die niet willen. Door deze strategie worden vrouwen die oprecht belangstelling hebben en de goudzoekers van elkaar gescheiden.

Duurdoenerij is al lang dagelijkse kost in de versierwereld, zelfs als we de speltheorie er niet bij halen om de goede punten te verklaren. Bloemen, bonbons, drankjes, etentjes en uitstapjes zijn beproefde versierrituelen. Vanuit evolutionair oogpunt geven vrouwen de voorkeur aan mannen die met geld smijten – ongeacht of ze onbenullige of praktische dingen kopen –, omdat ze zo laten zien dat ze rijk zijn en goede bedoelingen hebben. Hoe meer hij investeert, hoe sterker het signaal dat hij haar en hun potentiële kinderen niet zal verlaten. Zonderlinge cadeaus zijn misschien zelfs beter omdat ze laten zien dat de man bereid is zijn middelen in een vrouw te investeren, zonder zich er druk over te maken of het nu praktisch is of niet. (Sieraden zitten duidelijk ergens in het midden, omdat ze minder praktische waarde hebben dan een huis of auto.)

Zoals bij de meeste wiskundige modellen gooit de werkelijkheid echter op een bepaald punt roet in het eten. Er zijn vrouwen die het niet prettig vinden om cadeaus te krijgen, of die ze manipulatief of vrouwonvriendelijk vinden. Anderen houden een minnaar aan het lijntje alleen maar vanwege de leuke uitjes. Als dat het geval is, komen ze misschien hun mannelijke tegenhanger wel tegen: fors geschapen playboys die meerdere vrouwen verwennen met buitensporige uitjes en etentjes, zonder enige goede bedoelingen.

Waarom helpt creativiteit mannen aan een wip?

Creativiteit – of die nu tot uiting komt in kunst, muziek, taal, humor of nieuwe ideeën – heeft zich in elk geval ten dele ontwikkeld vanuit de mannelijke drang om – nou ja, een wip te maken. In zijn boek *De parende geest* beweert Geoffrey Miller dat kieskeurige vrouwen zich vrijwel op dezelfde manier tot mannen met een levendig brein aangetrokken voelen als pauwhennen zich tot mannetjespauwen met een kleurige staart aangetrokken voelen. Door de generaties heen zijn pauwenstaarten groter en feller van kleur geworden dan nodig was om alleen maar te overleven, en dat is in wezen ook met het menselijk brein gebeurd. Beide hebben hun bestaan te danken aan wellustige mannen die wedijveren om de seksuele aandacht van kritische vrouwen. Zoals Jean-Paul Sartre toegaf: 'Als ik filosoof werd [...] was dat in wezen alleen om vrouwen te verleiden.'

Onbewust verlangen we naar mannen met goede genen ('sexy genen') die kunnen worden doorgegeven aan onze kinderen. Hieruit volgt dat we naar de creatieve uitdrukkingskracht van mannen kijken, die erop duidt dat ze over kenmerken beschikken die in elk geval ten dele genetisch kunnen zijn: intelligentie, de bereidheid om zich te ontwikkelen, probleemoplossend vermogen, flexibiliteit, risicobereidheid, doorzettingsvermogen, culturele kennis, een goed geheugen en goede kwaliteiten op verbaal, rekenkundig, zintuiglijk, ruimtelijk, sociaal en emotioneel gebied. Als een man opschept met zijn intellectuele vermogen door van jou zijn muze te maken – door lieve woordjes tegen je te zeggen, je een romantisch briefje te schrijven, moppen goed te vertellen, een lied te zingen of een verhaal te vertellen – word je misschien smoorverliefd. Volgens Miller is het geen toeval dat mannen het creatiefst zijn als ze tussen de twintig en vijfendertig jaar oud zijn: hun vruchtbaarste jaren.

Als groep zijn creatieve mannen mogelijk ook actiever als minnaar. Bij een onderzoek onder meer dan vierhonderd Britse dichters, beeldend kunstenaars en andere creatieve types ontdekte de antropoloog David Nettle dat artistieke mannen en vrouwen die zeggen dat ze 'ongewone ervaringen' hebben en 'impulsief non-conformist' zijn, een groter aantal sekspartners voor het leven en misschien ook een sterkere geslachtsdrift hebben dan mensen die niet creatief zijn. Mogelijk is het voor hen bijzonder gemakkelijk om een vrouw het bed in te krijgen als ze zich in de vruchtbare fase van haar cyclus bevindt. Bij een onderzoek kregen vrouwen twee karakterschetsen te lezen, een over een creatieve maar arme man en een over een niet-creatieve maar rijke man. Daarna moesten ze zeggen aan wie ze de voorkeur gaven. Voor een korte relatie gaf de meerderheid van de vrouwen die ovuleerden op het moment van het onderzoek de voorkeur aan de berooide, creatieve man boven de saaie, rijke man.

Creativiteit is duidelijk sexy en helpt mannen aan een wip. Maar het is moeilijk te zeggen hoeveel waarde vrouwen echt aan creativiteit hechten in een langdurige relatie, omdat het overlapt met intelligentie, sociale status, humor en andere sexy eigenschappen waar vrouwen veel om geven. In een onderzoek door de Universiteit van Texas naar partnervoorkeuren stond creativiteit ongeveer halverwege op de lijst. Vrouwelijke studenten vonden creativiteit minder belangrijk dan vriendelijkheid, een knap uiterlijk en een goede gezondheid, maar belangrijker dan goede erfelijke eigenschappen en (ironisch genoeg) afgestudeerd zijn. Aan de andere kant is het niet zo raar dat Amerikaanse studenten creativiteit belangrijk vinden, aangezien ze in een cultuur leven waarin kunstenaars, entertainers en ondernemers een hoge status genieten, in elk geval in theorie.

Toen echter bijna tachtig Amerikanen van middelbare leeftijd uit de gegoede burgerij werd gevraagd hoe belangrijk ze creativiteit vinden in een partner, hadden ze totaal andere prioriteiten. De evolutionair psycholoog Norman Li en zijn collega's van de Staatsuniversiteit van Arizona en de Northwestern Universiteit vertelden de deelnemers dat ze hun ideale partner konden 'samenstellen'. De uitdaging bestond erin dat ze een beperkt 'partnerbudget' hadden en gedwongen werden hun 'partnerdollars' te verdelen over de eigenschappen waar ze de meeste waarde aan hechtten. Bij een zeer laag partnerbudget bungelde creativiteit bij zowel mannen als vrouwen ergens onderaan, maar toen elke speler meer partnerdollars te besteden had en aan vereisten zoals persoonlijkheid, romantiek en een basisinkomen was voldaan, nam bij vrouwen het budget voor creativiteit toe met acht procent. (Mannen gaven meer partnerdollars uit aan de creativiteit van een partner, vooral bij een krap budget, deels omdat ze niet zo veel budget reserveerden voor inkomen of arbeidsethos als vrouwen.) Vrouwen vinden creativiteit belangrijker als hun 'budget' groter is en als aan de andere partnercriteria is voldaan.

Zou het kunnen zijn dat creativiteit een luxe is en dat je je meer tot creatieve types aangetrokken voelt als je jonger bent, uit een rijk gezin komt, als aan al je praktische behoeften wordt voldaan of als je gewoon zin hebt in een hartstochtelijk avontuurtje? Misschien; de wetenschappers schijnen te denken van wel. Maar zo veel dingen zijn persoonlijk en hangen af van de omstandigheden en het toeval. Zoals de grote kunstenaar en minnaar Pablo Picasso opmerkte: 'Je weet nooit wat je gaat doen. Je begint te schilderen en dan wordt het iets heel anders.' Hetzelfde kunnen we zeggen over daten, dat op zich al een kunst is.

Waarom zijn er niet meer mannelijke muzen?

Net toen het huwelijk van de dichteres Edna St. Vincent Millay schijnbaar het meest stabiel was, werd ze hartstochtelijk verliefd op George Dillon, een veertien jaar jongere dichter en winnaar van de Pulitzerprijs. Ze schreef gedichten voor hem, waarin ze 'deze liefde, dit verlangen, dit onbewuste ding' verheerlijkte. De jonge man werd zowel aangetrokken als afgestoten door haar intensiteit. Ze ontmoetten elkaar, dan trok hij zich weer terug, en zocht zij weer toenadering. Nadat ze weer een keer op heftige wijze uit elkaar waren gegaan, werd ze door woede geïnspireerd en schreef ze 'Fatal Interview', een verzameling gedichten die critici als haar beste werk beschouwen. Ze schreef ze om hem het hof te maken, om haar wonden te helen, om hem in haar klauwen te houden.

George Dillon moest zich eigenlijk heel speciaal voelen. Evolutionair psychologen hebben zich het hoofd gebroken over hoe het kan dat, gezien beide seksen even creatief zijn, mannen hun creatieve talent vaker lijken te gebruiken dan vrouwen om mogelijke geliefden te verlokken. Wat zouden Dalí, Picasso, Dante en Nietzsche hebben klaargespeeld zonder hun vele minnares-muzen? Waar zijn alle minnaarmuzen?

Het antwoord, vanuit evolutionair oogpunt, is dat vrouwen minder behoefte hebben om 'goede genen' aan mannen te tonen dan mannen aan vrouwen. De meeste mannen zijn niet zo kieskeurig als vrouwen in hun partnerkeus, en mannen reageren sterker op seksuele en esthetische dan op creatieve kenmerken. Mannen vinden creativiteit, humor en intelligentie wel belangrijk in een vrouw, maar meestal alleen als het gaat om een relatie voor de lange termijn. Daarom bewaren vrouwen hun uitingen van creativiteit eerder voor mannen die belangstelling hebben voor een langdurige relatie.

Hoe dan ook, deze theorie werd door de Staatsuniversiteit van Arizona getest in een onderzoek naar de effecten van romantische motieven op creativiteit. Het werd uitgevoerd door de psychologen Douglas Kenrick en Robert Cialdini en de onderzoeker Vladas Griskevicius. Ze vroegen meer dan zeshonderd mannen en vrouwen verschillende creatieve schrijfopdrachten uit te voeren en een creativiteitstest te doen. Sommige deelnemers werden 'bewerkt' met diverse romantische scenario's – waarbij het ging om korte relaties, bijvoorbeeld een avontuurtje op de laatste dag van een vakantie op een eiland, of langdurige relaties, bijvoorbeeld een studentenliefde die nooit meer overging – terwijl een controlegroep niet werd bewerkt met gedachten over liefde. Zoals voorspeld was het verschil tussen mannen en vrouwen indrukwekkend. Bij mannen die waren bewerkt met een of andere liefdesverhouding, kort of lang, bleek de creativiteit te zijn toegenomen. De vrouwen scoorden echter alleen hoger bij de creativiteitstest als ze waren bewerkt met het idee van een langdurige relatie met een gevoelige en toegewijde man. De gedachte aan een sexy avontuurtje op de laatste dag van de vakantie prikkelde hun fantasie misschien wel, maar ze werden er niet creatiever door. Te oordelen naar deze resultaten hebben vrouwen liever dat hun muzen meer iets hebben van een permanente installatie dan van een voorbijgaande peepshow.

Maar soms fladdert de muze weg, zoals George Dillon deed bij Edna

St. Vincent Millay. Dus stortte Millay die hartstocht in haar laatste enorme epische werk. Op het eind had ze geen muze of meneer, maar wel een meesterwerk:

Ik ben je dus kwijtgeraakt; en dat deed ik vrijwel
Op mijn eigen manier, met mijn volledige instemming.
Als ik je minder had liefgehad of sluwer had bespeeld
Had ik je misschien nog een zomer mogen vasthouden,
Maar ten koste van woorden die ik zeer hoog acht [...]

– Edna St. Vincent Millay, 'Fatal Interview'

Waarom is humor zo opwindend?

Als er iets is dat ons door een ongemakkelijke situatie heen helpt, is dat humor. Stel je voor dat een man je bij jullie eerste afspraakje een verhaal begint te vertellen over zijn familie, waarbij hij zijn rare opa nadoet. Je ligt in een deuk. Je doet net alsof je het antieke horloge dat hij om heeft heel erg mooi vindt. Hij lacht en speelt een gladde verkoper die het aan je probeert te verkopen voor meer dan het waard is. Je doet net alsof je een onnozele koper bent die wordt opgelicht. Jullie lachen allebei en kijken elkaar ondeugend aan.

Humor werkt op veel niveaus. Het zorgt ervoor dat we psychologisch gezien afstand kunnen nemen van praktische zaken en dat we onszelf iets minder serieus kunnen nemen, en het vermindert de spanning bij een eerste ontmoeting. Het is ook een krachtig middel dat helpt een hechte band te vormen. Of het nu gaat om jouw gevatheid of om die van hem, je deelt iets over jezelf en zendt een signaal uit van waardering en solidariteit.

Om de invloed van humor op aantrekkingskracht te testen vormden de psychologen Barbara Fraley en Arthur Aron van de Staatsuniversiteit van New York in Stony Brook een groep van bijna honderd mensen die elkaar niet kenden. Ze maakten willekeurige paren en gaven hun een aantal gezamenlijke opdrachten. De helft van de paren voerde taken uit waarbij ze werden gestimuleerd grappig te zijn; ze moesten bijvoorbeeld een stunt uithalen terwijl ze geblinddoekt waren en niets konden zeggen, een tv-reclame uitbeelden in een taal die ze ter plekke verzonnen, of poppenkast spelen enzovoort. De andere helft van de groep kreeg opdrachten waarbij ze samen moesten werken maar waarbij geen humor werd uitgelokt. Toen de deelnemers later naar hun mening over hun partner werd gevraagd, voelden degenen die samen hadden gelachen duidelijk een nauwere band en ze voelden zich fysiek ook meer tot elkaar aangetrokken dan degenen die geen lol hadden gehad.

Hoewel beide seksen een goed gevoel voor humor als een van de meest gewenste eigenschappen in een partner beschouwen, zeggen vrouwen vaker dat ze een partner willen die hen aan het lachen kan maken, terwijl mannen een vrouw zoeken die 'hun gevoel voor humor begrijpt'. Bij vrouwen staat humor ook hoger op de lijst van gewenste eigenschappen van een partner dan bij mannen. De evolutionair psycholoog Geoffrey Miller stelt dat dit vanuit evolutionair oogpunt logisch is. Mannen pronken met hun 'sexy genen' – eigenschappen die duiden op intelligentie en persoonlijkheid, die deels erfelijk kunnen zijn – terwijl vrouwen, de meer kieskeurige sekse, leuk vinden wat de man doet of zegt, en onder de indruk zijn, of niet. Psychologen hebben ook ontdekt dat als een man en een vrouw samen lachen, haar gelach een duidelijker teken is van romantische interesse dan dat van hem.

Zou het kunnen zijn dat mannen en vrouwen humor op een andere manier verwerken en dat vrouwen van nature ontvankelijker toehoorders zijn? Neurowetenschappers van de Universiteit van Stanford probeerden die vraag te beantwoorden door met behulp van fMRI te kijken naar wat er in de hersenen van mannen en vrouwen gebeurde terwijl ze tekenfilms bekeken en beoordeelden. Het bleek dat beide seksen er even lang over deden om de humor eruit te pikken en erop te reageren, maar bij vrouwen vond er meer activiteit plaats in de linker prefrontale cortex, het gebied dat verantwoordelijk is voor taalverwerking, en in de nucleus accumbens, het 'beloningscentrum' van de hersenen. Dit duidt erop dat vrouwen op een ingewikkelder manier grappen kunnen verwerken dan mannen (waarbij ze mogelijk ook rekening houden met de sociale context) en mogelijk meer waardering hebben voor humor. Het kan ook zijn dat vrouwen zich zo ontwikkeld hebben dat ze humor meer de moeite waard vinden, omdat ze eraan gewend zijn om mannelijke uitingen van humor te zien als een teken dat ze over goede genen beschikken.

Mannen gebruiken humor misschien vaker dan vrouwen om iemand te versieren, maar beide seksen waarderen het in een relatie. Als de versierfase voorbij is, komt de humor in evenwicht en maken man en vrouw elkaar aan het lachen. (Denk maar aan Myrna Loy en William Powell, het dolkomische man-vrouwduo in de klassieke *Thin Man*-films, of aan Katharine Hepburn en Spencer Tracy.) Een gevatte repliek kan een stel bij elkaar houden als het gebloos en gegiechel allang voorbij zijn. Zoals Fraley en Aron het beschrijven is humor een proces van zelfontplooiing. Het is een vluchtluik naar een andere werkelijkheid waar je je krom om lacht, al is het maar voor even.

Zoek iemand met hetzelfde gevoel voor humor

Zoek een partner die hetzelfde gevoel voor humor heeft als jij, maak veel grappen, verzin *running gags* en praat regelmatig over de lol die jullie samen hebben. Uit een onderzoek door de psycholoog Doris Bazzini van de Appalachian Staatsuniversiteit blijkt dat stellen die grapjes maken die alleen zij kunnen snappen en daar regelmatig over praten, tevredener zijn met hun relatie dan stellen die dat niet doen. Dat soort vertrouwelijke grapjes is niet alleen een manier om een hechte band te vormen, ze zorgen ook dat er endorfinen vrijkomen, die je een goed gevoel geven.

Deze les werd voor mij werkelijkheid toen ik jaren geleden als vrijwilliger met alzheimerpatiënten en hun partner aan de slag ging. Het was hartverscheurend voor deze partners om hun geliefde weg te zien glijden. Het gezamenlijke gevoel voor humor bleef bij die stellen echter vaak intact, zelfs als de alzheimerpatiënt zich de namen van zijn of haar partner en kinderen niet eens meer kon herinneren. Voor deze partners was humor een kleine zegen bij deze tragische ziekte, en het laatste draadje dat hen met hun geliefde verbond. (Ik herinner me dat een man met alzheimer zijn vrouw liefdevol 'de dierenverzorger' noemde en zichzelf 'de aap', 'tijger' of 'slang', afhankelijk van hoe hij zich die dag voelde. Zij giechelde dan en speelde het spelletje mee.) Onderzoeken tonen aan dat mensen humor in een langdurige relatie heel belangrijk vinden, maar nu zag ik in de praktijk hoe diepgeworteld humor bij een stel kan zijn; het trekt ons niet alleen tot onze partner aan, maar kan ons ook samen houden als veel andere dingen uit elkaar zijn gevallen.

❖

Waarom voel je je meer aangetrokken tot kieskeurige mensen (en zij tot jou)?

Voor de honderdvijftig mensen die vol verwachting meededen aan de vier minuten durende speeddatesessies op de Northwestern Universiteit en het MIT hing succes af van hoe kieskeurig ze waren. Wie de ruimte in liep met een onbevooroordeelde, romantische belangstelling voor veel van de mensen die er waren, had een grote kans dat hij of zij weer vertrok zonder tweede afspraakje. Wat een enkeling misschien zou kunnen beschouwen als een hartelijke benadering van het datingproces, werd door anderen onbewust gezien als wanhopig, flirtziek, of, als het al aansprak, dan alleen voor vriendschap. De les die we hieruit kunnen leren is dat niemand met je wil aanpappen als jij met iedereen aanpapt.

Uit het onderzoek, dat werd geleid door de psycholoog Eli Finkel en de onderzoeker Paul Eastwick van de Northwestern Universiteit, bleek dat het goed is om kieskeurig te zijn, en het is nog beter als je dat bent met een bepaald doel voor ogen. Alleenstaanden maakten een grotere kans op een tweede afspraakje als ze zich slechts op *één* persoon richtten. De deelnemers die het meeste succes hadden, zorgden ervoor dat degene op wie ze zich richtten zich uniek voelde, zelfs tijdens die paar momenten dat de ontmoeting duurde. Het is net als wat mensen zeggen van de voormalige president Bill Clinton: hij zoomde op je in, alleen op jou, waardoor het leek alsof jij het middelpunt van zijn universum was als je bij hem was. De beste politici en minnaars weten dat je kunt krijgen wat je wilt als je mensen het gevoel geeft dat ze uniek zijn: één uit zes miljard.

Het verlangen je bijzonder te voelen is bij beide seksen hetzelfde. Vooral voor vrouwen die een langdurige relatie willen, heeft promiscuïteit geen enkele aantrekkingskracht. (Mannen hebben ook geen zin om te investeren in een vrouw die vreemd zal gaan.) Van een echte rokkenjager, het type dat lukraak met elk meisje in de kamer flirt, zul je niet zo gauw denken dat hij de ware jakob is. Maar als een man jou in een grote groep mensen uitkiest en duidelijk maakt dat hij voor niemand anders belangstelling heeft, denk je waarschijnlijk dat hij ook behoorlijk bijzonder is. En ook al voldoet hij niet helemaal aan je eisen, je kunt eigenlijk best een uitzondering maken, wat vaak gebeurt bij speeddaten en toevallige ontmoetingen.

Als je kieskeurig bent, vergroot je met jouw belangstelling niet alleen het zelfrespect van een man, maar ook zijn partnerwaarde. Je partnerwaarde geeft aan hoe aantrekkelijk je bent voor potentiële partners, en weerspiegelt je persoonlijke geschiedenis van daten, dumpen en gedumpt worden. Zie de partnerwaarde maar als een aandeel dat stijgt en daalt op de datingaandelenmarkt. Je partnerwaarde stijgt als je wordt gezien als kieskeurig en bedachtzaam, als je gewild bent, afspraakjes maakt met aantrekkelijke mensen en zelden wordt gedumpt; andersom daalt je partnerwaarde als je niet zo kieskeurig en niet zo aantrekkelijk bent en vaak wordt gedumpt. Is het je nooit opgevallen dat, als je eenmaal verliefd begint te worden, er zich op magisch wijze andere kansen lijken voor te doen? Dat komt waarschijnlijk deels door subtiele veranderingen in je gedrag, hormonen en persoonlijkheid, die je aantrekkelijk maken. Maar het heeft vermoedelijk ook te maken met een flinke piek in je partnerwaarde.

Mensen lijken de partnerwaarde heel belangrijk te vinden, omdat die alles te maken heeft met status en ego. We willen alles weten over de geschiedenis van de ander: met hoeveel mensen hij of zij naar bed is geweest, hoe de exen waren, hoe lang hun relaties duurden, en ga zo maar door. Mannen vinden hun partnerwaarde in feite zo belangrijk dat 'erachter zien te komen wat mijn partnerwaarde is' de tweede reden is waarom ze vluchtige seks hebben (na fysieke aantrekkingskracht). Als een man vindt dat jij een hoge partnerwaarde hebt, valt hij meer op je. Als je er immers goed uitziet en kieskeurig bent, dan *moet* je partnerwaarde wel hoog zijn, anders is alle logica zoek. Veel te vaak horen we verhalen over een man die zijn belangstelling voor een vrouw verliest, of haar kleineert, of niet verder wil met de relatie nadat hij heeft ontdekt dat ze in het verleden niet erg kieskeurig was in het uitzoeken van haar vriendjes. Het is bekend dat vrouwen hetzelfde doen met mannen.

Het komt erop neer dat je wilt dat je vrijer kieskeurig is, en dat hij wil dat jij net zo kieskeurig bent. Dit doet me denken aan een uitspraak van Groucho Marx: je wilt geen lid worden van een club die je maar al te graag wil hebben – en word je wel lid, dan wil je dat er maar twee leden zijn.

Als ik het niet waard ben het hof gemaakt te worden,
Dan ben ik het zeker niet waard te worden gewonnen.
– Henry Wadsworth Longfellow

Zorg dat je date zich uniek voelt

Mijn vriendin Zoë had onlangs een afspraakje met een man die ze op een populaire datingsite had ontmoet. Dit was de twaalfde man die ze op internet had leren kennen, en ze was onderhand gewend aan het ritueel van datingverledens uitwisselen. Zoë vond dit soort gesprekken niet alleen saai, maar ook nog eens verschrikkelijk onplezierig; een man noemde haar een 'veteraan' nadat ze hem had verteld hoeveel afspraakjes ze al had gehad die op niets waren uitgelopen, en de moed zakte haar in de schoenen als ze hoorde hoe mannen verhalen opdreunden over hun eigen mislukte ontmoetingen, omdat ze het idee kreeg dat zij daar al snel toe gerekend zou worden. Ze had het gevoel dat ze niets bijzonders was, en deze mannen leken net beschadigde waren. Haar partnerwaarde leek laag en werd nog lager doordat ze werd afgewezen door wat zij zag als mannen met een lage waarde. Zo ging het tot de twaalfde man. Deze date, Dan, zei tegen haar: 'Binnen twee minuten nadat ik je had gezien wist ik al dat dit leuk zou worden, en dat heb ik tot nu toe nog niet meegemaakt.' Door zijn opmerking veranderde alles. Hij koos Zoë uit en gaf haar een hoge waarde, en zij op haar beurt zag dat er een bijzondere chemie tussen hen was. Een self-fulfilling prophecy? Misschien. Maar ze hadden het inderdaad leuk samen, en niet lang daarna gingen ze alleen nog met elkaar uit.

❖

Waarom lijken mensen sexyer wanneer anderen een oogje op hen hebben?

Vrouwtjeszebravinken weten hoe belangrijk het is de juiste partner te kiezen, eentje die over genoeg middelen beschikt en bereid is de kleintjes groot te brengen. Ze weten ook dat het niet gemakkelijk is om die te vinden. Soms besluit een zebravink dat ze het best het goede inzicht van andere vrouwtjes kan volgen. Als ze moest kiezen tussen twee mannetjes, een die geen en een die wel aandacht krijgt van andere vrouwtjes, dan gaat ze waarschijnlijk op het populaire mannetje af, of in elk geval op een andere vogel die op hem lijkt of die een ring in dezelfde kleur draagt.

Toen de psycholoog Ben Jones en zijn collega's van het Laboratorium voor Gezichtsonderzoek in Aberdeen opmerkten hoe vrouwtjeszebravinkjes elkaar nadeden bij het kiezen van een partner, besloten ze te testen of mensenvrouwen hetzelfde doen. 'Wie is aantrekkelijker, en hoeveel dan wel?' vroegen de onderzoekers, terwijl ze steeds twee foto's van mannengezichten naast elkaar lieten zien. De onderzoekers hadden gezichten uitgezocht waarvan ze zelf vonden dat ze ruwweg even aantrekkelijk waren, maar de vrouwen bleken in de meeste gevallen een lichte voorkeur voor het ene of het andere te hebben. In het tweede deel van het experiment kregen de vrouwen een diaserie te zien met dezelfde mannengezichten, maar nu met een kleine wijziging. Tegelijkertijd werd het profiel van een knappe vrouw getoond die naar een van de twee mannen keek, terwijl ze glimlachte en blij keek, of niet glimlachte en een neutrale uitdrukking op haar gezicht had.

De uitdrukking van de vrouw zorgde voor een groot verschil in wat de vrouwen van de man vonden. Als de vrouw lachte, vonden de deelnemers de man sexyer en gaven ze hem een cijfer dat ten minste vijftien procent hoger lag dan in de eerste ronde. Als ze neutraal, stuurs of verveeld keek, vonden de deelnemers de man gewoner en gaven ze hem gemiddeld een cijfer dat tien procent lager lag. Als ze tussen twee mannen moesten kiezen, gaven de deelnemers consequent de voorkeur aan de man naar wie de vrouw glimlachte. De deelnemers vonden ook dat mannen veel knapper waren wanneer ze samen werden getoond met iemand die hen kennelijk bewonderde dan wanneer ze in hun eentje werden getoond. Het lijkt wel of iemand pas knap is als een *ander* dat vindt.

Het grappige is dat toen de onderzoekers aan mannen vroegen dezelfde mannengezichten te beoordelen, de uitkomst precies andersom was. Mannelijke deelnemers vonden een andere man minder aantrekkelijk als een knappe vrouw naar hem glimlachte, en ze gaven de man een hoger cijfer als de vrouw met een neutrale uitdrukking op haar gezicht naar hem keek. Dat is mannelijke wedijver, volgens de onderzoekers. Mannen worden bedreigd door andere mannen die de aandacht van vrouwen naar zich toe trekken. (Dat verklaart ook waarom sommige van je vrienden de mannen met wie je uitgaat nooit wat vinden.)

Je vraagt je misschien ook af in welke mate de aantrekkingskracht van de bewonderaar meetelt. Die telt sterk mee, volgens een vervolgonderzoek onder leiding van Anthony Little aan de Universiteit van Stirling in Engeland. Bovendien blijken mannen beïnvloed te worden door andere mannen, zoals vrouwen worden beïnvloed door andere vrouwen. Toen Little en zijn collega's aan een groep mannen een foto van een vrouw lieten zien samen met een foto van een aantrekkelijke, mannelijke man, vonden ze haar aantrekkelijker dan wanneer ze dezelfde foto van de vrouw te zien kregen samen met een foto van een man die er vrouwelijk uitzag. Hetzelfde gold voor mannen: mannen kregen van vrouwen een hoger cijfer als ze samen met knappe, vrouwelijke vrouwen werden getoond in plaats van met vrouwen die er mannelijk uitzagen. Interessant genoeg waren de cijfers alleen aanzienlijk hoger als de deelnemers de mannen en vrouwen beoordeelden als kandidaten voor een langdurige relatie en niet voor een avontuurtje. We kunnen redelijkerwijs concluderen dat zowel mannen als vrouwen de mening van anderen belangrijker vinden als ze mensen beoordelen als kandidaten voor een serieuze relatie. Voor een avontuurtje zijn we minder afhankelijk van de mening van anderen.

Waarom richten we ons naar andere mensen? Om dezelfde reden als waarom het alleenstaande vrouwtjeszebravinkje zich naar andere zebravinkjes richt, volgens Jones en zijn collega's. Het kost tijd en energie om de beste partner te vinden, en het is niet gemakkelijk. Door de benadering van 'met z'n allen weten we meer dan in ons eentje' toe te passen is de kans groter dat je je tijd en moeite op een kandidaat richt die de moeite waard is en al stilzwijgend is goedgekeurd. Als een man mooie vrouwen aantrekt en ze weet te betoveren, is hij waarschijnlijk een goede partij. Zo kun je zelf ook aantrekkelijker worden voor andere mannen, vooral voor een langdurige relatie, als je een knappe of geslaagde vriend hebt gehad. Je 'partnerwaarde' – hoe aantrekkelijk ben je voor anderen op basis van je datingverleden? – is hoger.

Onderzoekers moeten nog uitzoeken of vrouwen net als de vrouwtjeszebravinkjes genoegen zouden nemen met een man die simpelweg *lijkt* op de man die andere vrouwen willen. (Dat werkt misschien wel voor dubbelgangers van Johnny Depp, maar hoe zit het met dubbelgangers van Woody Allen?) We weten nog niet of een vrouw die met een knappe man omgaat nog steeds aantrekkelijker wordt gevonden als de man bekendstaat als een zak, als hij haar bedriegt. Ten slotte vraag je je misschien af hoe lang je iemand er aantrekkelijker uit vindt zien. Vind je een man alleen knap zolang andere mooie vrouwen belangstelling voor hem lijken te hebben? Of dump je hem zodra hij wordt gedumpt?

Zorg dat je een stel zijlijners hebt

We voelen ons aangetrokken tot mensen die al belangstelling genieten. Dat geldt zowel voor mannen als voor vrouwen. Dat is waarschijnlijk de reden waarom sommige slimme vrouwen altijd een paar mannelijke vrienden met seksuele belangstelling om zich heen hebben, of over hun mannelijke bewonderaars opscheppen, ook al zijn die niet echt in hen geïnteresseerd. Als je aanbidders hebt, ben je aantrekkelijker voor andere mannen en stijgt je partnerwaarde.

Dat betekent ook dat je in aanzien stijgt als je een vriend meeneemt naar bijvoorbeeld een feest of club. Een 'zijlijner' is een alleraardigst, zelfopofferend maatje (vaak van dezelfde, maar het liefst van de andere sekse) dat enkel en alleen mogelijke dates voor je moet aantrekken. Je zijlijner stelt je aan mensen voor, helpt het gesprek op gang te houden, glimlacht naar je, zegt aardige dingen over je en zorgt dat jij het middelpunt van de belangstelling wordt. Hij dient alleen als steun, aan de zijlijn, en laat het hoofdveld voor jou vrij.

❖

Houdt een man minder van je nadat hij naar (andere) mooie vrouwen heeft gekeken?

Een tien jaar oudere vriendin van me heeft ooit eens tegen me gezegd dat ik nooit moest trouwen met een filosoof, een hoogleraar of een man werkzaam in de horeca, mode- of entertainmentindustrie. Ik kon beter een technicus of bouwvakker proberen te versieren. 'Waarom?' vroeg ik onschuldig. Ze keek me ernstig aan en zei dat mannen worden beïnvloed door wat ze om zich heen zien. Als ze de hele tijd alleen maar jonge, aantrekkelijke, schattige meiden zien, heb je een probleem. Het maakt niet uit hoe knap je bent, het feit dat er voortdurend vergeleken wordt, werkt niet in je voordeel. Het was gewoon het goedbedoelde ad-

vrouwen kijken van wie ze de seksuele aantrekkingskracht moesten beoordelen. Daarnaast moesten ze aangeven hoe graag ze met die vrouwen zouden willen uitgaan. Vrouwen beoordeelden ook het uiterlijk van de dames en ze moesten raden hoe aantrekkelijk de mannen de dames zouden vinden. Een andere groep mannen en vrouwen deed hetzelfde met foto's van mannen. Het bleek dat vrouwen de aantrekkingskracht van andere vrouwen zeer overschatten, en dat mannen die van andere mannen overschatten.

Hebben we allemaal problemen met ons zelfvertrouwen? Niet echt. Volgens Hill is het waarschijnlijker dat vrouwen en mannen zich zo hebben ontwikkeld dat ze ten onrechte denken dat anderen aantrekkelijker zijn, omdat dat minder riskant is dan te veel zelfvertrouwen hebben. Als je denkt dat andere vrouwen heel geweldig zijn, zul je meer je best doen om er aantrekkelijker uit te zien, jezelf meer promoten, meer moeite doen om je partner te behouden, meer waarde hechten aan je relaties en geen tijd verspillen aan mensen die ver buiten je bereik liggen. Hierdoor heb je meer kans dat je een partner krijgt en hem houdt. (Hetzelfde geldt voor mannen.) Natuurlijk loop je zo misschien het risico dat je een nog beter iemand laat schieten, maar dat is nog niet zo erg als te veel mensen afwijzen of niet beseffen dat een partner je bedriegt omdat je te verwaand bent.

Overschatting heeft natuurlijk een keerzijde. Door te denken dat anderen heel aantrekkelijk zijn, kun je je een beetje vreemd gaan gedragen. Je gaat te ver als je merkt dat je te veel moeite doet om de aandacht van een man te trekken, dat je je uitslooft en een wanhopige indruk maakt. Je moet de neiging om te overschatten onderdrukken als je in een relatie merkt dat je altijd jaloers bent op andere vrouwen die je partner ontmoet, en doodsbang bent dat hij je voor een van hen zal verlaten. Mannen gaan ook te ver, doordat ze veel te bezitterig over je zijn, je de hele tijd in de gaten houden en je verbieden naar plekken te gaan waar je andere mannen tegenkomt. Stellen die echter eenmaal een stabiele, serieuze relatie hebben, overwinnen mogelijk de neiging tot overschatten en zullen zich niet meer per se willen meten met seksegenoten. Dat is voornamelijk het geval wanneer de partners binnen een relatie de ander zien als zijn of haar gelijke (of mindere).

De beste manier om je onzekerheid bij afspraakjes te overwinnen is op te houden met gissen en een zo nauwkeurig mogelijk beeld van je 'partnerwaarde' zien te krijgen. Dat kun je alleen doen door een afspraakje met iemand te maken, te dumpen, gedumpt te worden, dus overschatten, onderschatten, en het soms precies goed hebben.

Wees je bewust van je neiging tot overschatten

Het is nuttig om te weten dat je diep in je hart waarschijnlijk geneigd bent om je concurrenten te overschatten. Laat je niet van de wijs brengen, want andere vrouwen zijn waarschijnlijk niet zo aantrekkelijk voor mannen als jij denkt. Nu je dit weet, hoop ik dat je het zelfvertrouwen hebt om achter iemand aan te gaan die echt de moeite waard lijkt. Het is handig om te weten dat mannen vaak net zo onzeker zijn, omdat ze denken dat jij andere mannen aantrekkelijker vindt dan in werkelijkheid het geval is.

De neiging tot overschatten werkt toevallig ook op andere gebieden. Of je nu solliciteert op een baan of een potje schaak speelt, je kunt je tegenstanders maar beter overschatten dan onderschatten, op voorwaarde dat je over een gezonde dosis eigenwaarde beschikt. Door te denken dat de concurrentie sterker is dan die in werkelijkheid is, ben je meer gemotiveerd en beter voorbereid, en verklein je de kans om te verliezen.

Met hoeveel mensen moet je daten voordat je de 'ware' ontmoet?

Laten we dat eens theoretisch bekijken. Er zijn honderd mannen die dolgraag met je willen trouwen. Je weet pas hoe goed elk van die mannen is als je ze leert kennen. Als je er de tijd voor neemt om met alle honderd te daten, heb je een stok nodig om op je trouwdag naar het altaar te kunnen lopen. Je bent kieskeurig, maar hebt niet het eeuwige leven. Dus wat doe je?

Om dit probleem op te lossen gebruikte Peter Todd, cognitief wetenschapper en psycholoog van de Universiteit van Indiana, het concept *satisficing* (het Engelse *satisfying* en *sufficing*, respectievelijk 'tevredenstellen' en 'voldoende zijn'). In dit verband houdt satisficing in dat je een norm vaststelt en dan op zoek gaat naar iemand die daar niet gewoon, maar ruimschoots aan voldoet. Dat betekent dat zelfs voordat je aan een vaste relatie denkt, je met een aantal mannen uitgaat om een norm vast te stellen. Hoe kieskeuriger je bent, hoe meer mannen je zult willen ontmoeten voordat je de norm vaststelt. Het probleem is dat je vooraf niet met te veel mannen uit wilt gaan, omdat je dan misschien per ongeluk de ideale man dumpt (in theorie kun je niet teruggaan naar een man nadat je hem hebt gedumpt). Hoe vergroot je dus je kansen om je droomprins te vinden en verklein je het risico dat je hem per ongeluk dumpt?

In het model van Todd, waarbij de juiste partners bij elkaar worden gezocht, zou je, als je een uiterst pietluttig iemand bent die per se de beste man uit de datingvijver wil vissen, je norm vaststellen nadat je bent uitgegaan met zevenendertig procent van de mannen (zevenendertig van de honderd) die voor jou beschikbaar zijn. Als je al met zo veel mannen bent uitgegaan, zou je genoeg zelfvertrouwen moeten hebben om genoegen te nemen met de eerstvolgende man die ruimschoots aan de norm voldoet. Als je een minder strenge norm hanteert en gewoon een van de mannen wilt vinden die voor jou het meest geschikt zijn, ben je al klaar met 'satisficen' nadat je pas met negen procent van de mannen (negen van de honderd) uit jouw datingvijver uit bent geweest. De eerstvolgende man die beter is dan elk van die negen mannen wordt je echtgenoot.

In de echte wereld mogen mannen zelf echter ook kiezen, wat het allemaal wat ingewikkelder maakt. Niet iedere man wil zich aan je binden, en je krijgt te maken met rivalen die de begeerlijke vrijgezellen te pakken proberen te krijgen. Todd en zijn collega Jorge Simão, computerwetenschapper aan de Universiteit van Lissabon, pakten deze harde realiteit aan door een algoritme op te stellen dat een sociaal netwerk van honderd mannen en honderd vrouwen simuleert. Net als in de echte wereld mag je hierbij wel bij de man blijven met wie je uitgaat terwijl je tegelijkertijd andere mannen ontmoet. Terwijl je flirt, uitgaat en wordt gedumpt krijg je een vrij goed idee van je eigen 'partnerwaarde' – dat wil zeggen, hoe aantrekkelijk je bent voor potentiële partners of wat je positie is in de pikorde van alleenstaanden. Als je partnerwaarde eenmaal is vastgesteld, wordt het proces waarbij de juiste partners bij elkaar worden gezocht efficiënt, aangezien je weet dat je niet te veel tijd moet verspillen met achter een Brad Pitt aan gaan, en onaantrekkelijke mannen komen er zelf wel achter dat ze niet te veel tijd aan jou moeten besteden. Je kunt bij een man blijven zonder je aan hem te binden en 'een stapje omhooggaan' als je een geschikter iemand tegenkomt, en dan gaan we er maar even van uit dat hij jou ook aardig vindt. Net als in de echte wereld worden de keuzemogelijkheden na verloop van tijd kleiner, doordat er andere stellen worden gevormd en de druk om je te binden toeneemt.

Op een bepaald punt besluit je waarschijnlijk te 'satisficen' voor de man met wie je op dat moment uitgaat, wat volgens de simulatie gebeurt nadat je met tussen de een en vier mannen uit bent geweest. (Vergeet niet dat deze methode verschilt van de eerdere wiskundige modellen, in die zin dat je andere mannen kunt 'keuren' terwijl je bij de man blijft met wie je op dat moment uitgaat, en zij mogen hetzelfde doen.) Misschien krijg je niet je eerste of vijftiende keus van de honderd mannen, maar de kans is groot dat je uiteindelijk iemand krijgt die min of meer dezelfde partnerwaarde heeft als jij. Zelfs als er nieuwe mensen worden voorgesteld en je lotgenoten trouwen en van het toneel verdwijnen, val je waarschijnlijk binnen de negentig procent van de mensen die een partner vinden. (Volgens cognitief wetenschappers slaagt vijfentachtig tot negentig procent van de mensen in de echte wereld erin ten minste één keer in hun leven een vaste partner te vinden door te 'satisficen' en door te blijven bij degene bij wie ze op dat moment zijn terwijl ze om zich heen kijken.)

Hoe geweldig dit ook klinkt, het is moeilijk, zo niet onmogelijk, om met alle sociale, biologische en psychologische variabelen van menselijke aantrekkingskracht en betrokkenheid een simulatie te maken die precies overeenkomt met de werkelijkheid. Misschien klinkt het omgekeerde beter: de echte wereld aanpassen aan een virtuele wereld. Dan zou het echt kunnen dat er honderd droomprinsen naar je hand dingen, en dat je nog lang en gelukkig leeft.

Wiskundige modellen in de praktijk

De les die we uit wiskundige modellen voor partnerkeuze kunnen trekken, is dat het goed is om kieskeurig te zijn en dat je je het best pas kunt binden als je een beetje om je heen hebt gekeken, maar je moet niet je hele leven blijven zoeken naar die ene ware. Als je niet zeker weet of je je al wilt binden, is het goed om te kijken of je andere leuke mannen tegenkomt, zelfs al heb je een date. Ook is het misschien beter om achter een man aan te gaan (ook al doe je dat subtiel) in plaats van te wachten tot er een toenadering zoekt tot jou. Bij een andere beroemde partnerkeuzesimulatie, het stabielehuwelijkalgoritme van Gale-Shapley, vragen mannen een vrouw, maar vrouwen kunnen geen man vragen, en vrouwen mogen een man alleen afwijzen ten gunste van een andere man die haar ten huwelijk vraagt. Dit blijkt voor mannen het gunstigst te zijn. Gemiddeld trouwen mannen met vrouwen die hoog op hun verlanglijstje staan, terwijl vrouwen gemiddeld uiteindelijk genoegen moeten nemen met mannen die lager op hun verlanglijstje staan. In de echte wereld is het natuurlijk ingewikkelder, maar toch kunnen we hier veel van leren. Kies en wees kieskeurig!

❖

9
Wat liefde met het brein doet

En natuurlijk is het brein in het geheel niet verantwoordelijk voor welk gevoel dan ook. Het gevoel bevindt zich en ontstaat in het gebied rond het hart.

– Aristoteles, *De partibus animalium*

Wat verandert er in je hersenen als je hartstochtelijk verliefd bent?

Als je geluk hebt, word je niet gewoon verliefd, maar word je stapelverliefd. Je kunt niet eten, niet slapen, je nergens anders op concentreren. Je leeft, eet, droomt en ademt voor de liefde. De liefde gooit de 'bedrading' in je hersenen om en brengt schakelingen aan die geladen rillingen en golven van hormonen veroorzaken. Als je verliefd bent, lijken je hersenen op de hersenen van iemand die aan de drugs is of tijdelijk geestelijk gestoord is. Het zijn bezeten, gedreven, verslaafde hersenen. We weten dit omdat onderzoekers functionele MRI hebben gebruikt om erachter te komen hoe waanzinnig liefde eruit kan zien.

Helen Fisher, evolutionair antropoloog aan de Rutgers Universiteit, Lucy Brown, neurowetenschapper aan het Albert Einstein Medical College, en Arthur Aron, psycholoog aan de Stony Brook Universiteit, hebben een van de bekendste onderzoeken uitgevoerd naar het romantische brein. Een aantal jaren geleden ging het trio aan de slag met mannen en vrouwen die hevig verliefd waren. Ze waren ongeveer een jaar of minder samen, dus nog steeds in de eerste, hartstochtelijke fase van hun relatie. Ze werden een voor een in een fMRI-scanner geschoven, en moesten naar een foto van hun geliefde kijken.

Onmiddellijk zagen de onderzoekers op de hersenscans van de verliefde mensen een gloed in verschillende gebieden van de hersenen die op een toegenomen bloedstroom duidde. Daartoe behoorden ook drie belangrijke groepen hersencellen die verband houden met motivatie en beloning. Een grote groep, het ventraal tegmentum, produceert een positieve neurotransmitter die dopamine wordt genoemd. Een andere groep, de mediaal gelegen nucleus caudatus, speelt een rol bij de integratie van leren, geheugen, plezier en communiceren met andere doelgerichte delen van de hersenen. De derde groep, de nucleus accumbens, is een beloningscentrum dat ook wordt geactiveerd als iemand high is van de cocaïne of een andere verslavende stof. De drie groepen zijn met elkaar verbonden als lampen op dezelfde stroomketen.

In die wonderbaarlijke eerste fase van hartstochtelijke verliefdheid stuurt het ventraal tegmentum een golf dopamine naar de nucleus caudatus en nucleus accumbens. Als deze gebieden door dopamine geprikkeld worden, krijg je een geweldig gevoel. Dopamine geeft je bovenmenselijke energie. Je wordt meegevoerd in een zee van euforie, verlangen, zelfs waanzin. Op de hartstochtelijkste momenten word je ook overspoeld door het hormoon norepinefrine (adrenaline), dat er samen met het sympathische zenuwstelsel voor zorgt dat je hart als een dolle tekeergaat, je knieën knikken en je handen gaan zweten. Adrenaline verhoogt ook je concentratie, versterkt je kortetermijngeheugen en wordt in verband gebracht met doelgericht gedrag.

Als deze neurochemische liefdesdrank sterk is, zijn jij en je lief de hele tijd bezig te genieten van de lust, het verlangen en het elkaar aanraken. Jullie zijn onverzadigbaar. Jullie nucleus caudatus en nucleus accumbens sturen signalen naar het ventraal tegmentum dat het meer dopamine hun kant op moet sturen. Dat gebeurt, en vervolgens stuurt het nog meer doordat jullie nog sterker aan de liefde verslaafd raken. De onderzoekers wijzen erop dat deze gebieden van de hersenen geen emotiecentra zijn, het zijn *beloningscentra*. Voor mannen en vrouwen is liefde een drijvende kracht en zelfs een verslaving. Sommige verliefden zouden misschien zeggen dat het de enige reden is om te leven.

Als je verliefd bent, worden mogelijk ook de gebieden van de hersenen geactiveerd die met seksuele motivatie in verband worden gebracht. Dopamine zorgt bij vrouwen voor de productie van het hormoon testosteron, dat de geslachtsdrift versterkt en hen mogelijk wat stoutmoediger maakt. Het fascinerende is dat bij mannen het testosterongehalte juist daalt als ze hevig verliefd worden, wat verklaart waarom veel mannen minder agressief worden en minder vaak de confrontatie opzoeken als ze eenmaal een partner hebben. Als je lief je streelt, word je ook overspoeld door het hormoon oxytocine, een neurotransmitter die wordt afgescheiden door de hypofyse. Oxytocine vergroot je vertrouwen en zorgt ervoor dat je je sterker aan een bepaalde persoon hecht. Het oxytocinegehalte stijgt wanneer je knuffelt en een orgasme beleeft; het hormoon is van invloed op beide seksen, maar is bij vrouwen krachtiger. (Zie pagina 132.) Bij mannen die verliefd worden en seks hebben komt ook vasopressine vrij, een gelijksoortige neurotransmitter die in verband wordt gebracht met de vorming van een hechte band en territoriumdrift. (Zie pagina 262.)

Een team van Italiaanse neurowetenschappers heeft ook aangetoond dat het bloed van mannen en vrouwen tijdens de eerste zes maanden van een hartstochtelijke liefdesverhouding een hoger gehalte aan zenuwgroeifactor bevat. Hoe heviger de verliefdheid, hoe meer hersenei-witten ze produceerden. Het is niet duidelijk wat de zenuwgroeifactor in psychologisch opzicht met je doet, maar het is bekend dat hij de groei en het overleven van neuronen in het hele zenuwstelsel reguleert, inclusief het hart en de hersenen, en dat hij ook hormonen verandert. Wat bijzonder interessant is, is dat de zenuwgroeifactor mogelijk het vasopressinegehalte doet toenemen, dat uiterst belangrijk is voor het vermogen van mannen om een hechte band te vormen met hun partner.

Terwijl sommige delen van je hersenen aan het begin van een verliefdheid worden geactiveerd, worden andere in wezen uitgeschakeld. Voorbeelden hiervan zijn de prefrontale cortex, die verantwoordelijk is voor sociale beoordeling en het nemen van beslissingen, en de amygdala, het deel van de hersenen dat angstgevoelens veroorzaakt. Doordat de prefrontale cortex en amygdala inactief zijn, overwin je gemakkelijker eventuele gevoelens van wantrouwen tegenover je lief. Deze gebieden van de hersenen worden in verband gebracht met bezorgdheid en het 'overanalyseren' van de ander. Bij geliefden wordt het oordeel opgeschort. Het feit dat deze functies inactief worden, samen met al het andere dat in je hersenen gebeurt, verklaart ook waarom je maffe, impulsieve dingen doet als je verliefd bent, zoals door een sneeuwstorm rijden alleen maar om hem te zien, of naar Vegas vliegen om door een Elvis-imitator in de echt te worden verbonden.

En alsof dat nog niet genoeg is, absorberen je hersenen tot wel veertig procent minder van de neurotransmitter serotonine, en een laag serotoninegehalte leidt tot obsessief-dwangmatige gedachten. Je hebt geen zin om te eten of te slapen. Je zit uren te googelen op je nieuwe lief, zijn familie, vrienden, zijn klasgenootjes van de basisschool. Je concentreert je op herinneringen: zijn gebaren, de manier waarop hij je pols in zijn hand nam, die blik in zijn ogen vlak voordat hij je zoent, wat hij zei over dat je de enige voor hem bent enzovoort, enzovoort, tot vervelens toe. (Ik weet nog dat ik als een bezetene mijn e-mails controleerde om te zien of mijn nieuwe man, een fantasierijke schrijver, me geschreven had. En als ik niet in de buurt van mijn computer was – als ik in de sportschool was, moest werken, in de trein zat –, dan kon ik alleen maar denken aan wat hij in zijn laatste lieve, cryptische liefdesbrief had geschreven en aan wat hij in zijn volgende zou kunnen schrijven.) Dat veel verliefde mensen beweren dat ze vijfennegentig procent van de tijd aan hun geliefde denken (wat heel veel is als je ook niet slaapt) komt door een laag serotoninegehalte, dat leidt tot obsessieve gedachten.

De onderzoekers merkten enkele verschillen op in het brein van verliefde mannen en vrouwen. Bij verliefde mannen werd meer activiteit waargenomen in de visuele cortex, wat in overeenstemming is met de theorie dat mannen gevoelig zijn voor visuele signalen, en ook in delen van de hersenen die te maken hebben met erecties. Bij verliefde vrouwen werd meer activiteit waargenomen in delen van de hersenen zoals de posterieure pariëtale cortex, een ietwat mysterieus gebied dat vermoedelijk te maken heeft met aandacht en bewustzijn. De hippocampus, die een rol speelt bij het langetermijngeheugen, gloeit als een kachel bij verliefde vrouwen, maar niet bij mannen. Dat verklaart mogelijk waarom je je alle details van jullie afspraakje levendig voor de

Denk twee keer na voor je antidepressiva neemt

De meest gebruikte antidepressiva (zoals Prozac, Zoloft en Lexapro) zijn selectieve serotonine-heropnameremmers (SSRI's). Serotonine is een neurotransmitter die prikkels en obsessief gedrag regelt en je het gevoel geeft dat je kalm bent en alles onder controle hebt. Dat klinkt alsof je er veel van zou willen hebben, hè? Het probleem is dat het eeuwige obsessieve, indringerige, verwarrende, opwindende en onweerstaanbaar plezierige gemijmer over de kleine dingetjes van je liefdesverhouding alleen mogelijk is als je serotoninegehalte laag en je dopaminegehalte hoog is. Dat betekent dat serotonineverhogende SSRI's slikken niet bevorderlijk is voor de verliefdheid, zo blijkt uit een artikel van Helen Fisher, antropoloog aan de Rutgers Universiteit, en psychiater J. Andrew Thompson.

Volgens Fisher en Thompson kan het zijn dat je de gebruikelijke subtiele signalen om aandacht te trekken niet oppikt of dat je geen sexy signalen naar anderen uitzendt. Mogelijk voel je door het middel niet langer instinctief dat iemand niet geschikt voor je is, omdat je opwindingsniveau daalt als je serotonineniveau stijgt. Door antidepressiva kan het ook zijn dat je moeilijker klaarkomt of zelfs moeilijk seksueel opgewonden raakt, wat de vorming van een hechte band met je partner weer bemoeilijkt. Kortom, antidepressiva kunnen funest voor de hartstocht zijn.

Ook al is het zorgelijk dat antidepressiva de liefde niet echt ten goede komen, ze in de prullenbak gooien is duidelijk niet de oplossing voor mensen die aan een ernstige depressie lijden. De waarschuwing van de onderzoekers is alleen van toepassing op psychiaters die ze te veel voorschrijven aan mensen die anders misschien een veel betere remedie zouden vinden, zoals liefde.

geest kunt halen: welk gerecht jullie bestelden, de hoffelijke opmerkingen van de ober, jullie gesprekken en gezichtsuitdrukkingen, de kleur van het tapijt enzovoort. Je vriend herinnert zich deze details niet, omdat er bij hem minder in zijn hippocampus gebeurde.

Zoals bij elk verslavend middel worden de effecten van de eerste verliefdheid geleidelijk minder (gewoonlijk binnen een jaar), en de chemische tsunami in je hersenen wordt een rustig kabbelende plas, waar nog maar heel af en toe een storm woedt. Onze soort zou niet kunnen overleven als de extase van verliefdheid langer zou duren. Je zou geen eten hebben, geen dak boven je hoofd, geen kleding, geen carrière, alleen je partner. En dat klinkt alleen geweldig als je net waanzinnig heftig verliefd bent.

Waarom vind je je partner zo geweldig, zelfs al vindt niemand anders dat?

'Liefde is een krasse overdrijving van het verschil tussen één bepaalde persoon en alle andere,' zei George Bernard Shaw, en dat hij gelijk heeft blijkt uit de statistieken. Vijfennegentig procent van de mensen denkt dat hun partner bovengemiddeld is wat betreft uiterlijk, intelligentie, warmte en gevoel voor humor. Met zo veel uitzonderlijke minnaars moeten we ons afvragen hoe het kan dat er zo veel relaties stuklopen.

Als je een langdurige relatie met iemand aangaat, moet je ervan overtuigd zijn dat jouw schat beter voor je is dan wie ook, en om daar zo zeker van te kunnen zijn moet je over een gezonde dosis zelfmisleiding beschikken. Als je hem niet zou idealiseren (en als hij jou niet zou idealiseren), zou er geen ideaal zijn, en zonder ideaal lijkt de toekomst maar kleurloos, vind je niet? Hoe meer je je geliefde idealiseert, hoe bevredigender je relatie waarschijnlijk is.

Dat is de essentie van wat psychologen romantische idealisatie noemen. Uit een onderzoek onder leiding van de psycholoog Sandra Murray onder bijna tweehonderd stellen, al dan niet getrouwd, bleek dat je kunt zeggen of een relatie gelukkig is door te bepalen of de partners elkaar idealiseren of niet. Over het algemeen waren de mensen het gelukkigst als ze hun partner idealiseerden en als hun partners hen idealiseerden, zelfs als beide partijen niet dezelfde deugden in zichzelf zagen. Of ze nu wel of niet getrouwd waren, als de mannen en vrouwen hun partner op de onvolmaakte en gebrekkige manier zagen waarop hun partner zichzelf zag, dus niet door een roze bril, ging het tevredenheidscijfer omlaag. Vooral mannen waren het gelukkigst als hun partner hen idealiseerde, ongeacht of dat terecht was. Vleierij doet een relatie kennelijk geen kwaad.

Door liefde verblinde stellen zijn ook gelukkiger dan 'realisten' wanneer ze worden geconfronteerd met de onvermijdelijke tegenslagen waar je in elke relatie mee te maken krijgt. Ze voelen zich zekerder en sterker doordat ze ervan overtuigd zijn dat ze samen zijn met de juiste persoon, ook al heeft hij het ene baantje na het andere of is zij een vreselijke neuroot. Als er iets goeds gebeurt, is dat aan de partner te danken en als er iets ergs gebeurt, ligt dat aan de situatie. In dit roze waas ziet zij hem als een geniale non-conformist en hij haar als poëtisch en gevoelig. Het is natuurlijk belangrijk dat je idealiseert zonder te verafgoden. Je moet niet denken dat je partner altijd overal even goed in is. De onderzoekers ontdekten dat de gelukkigste stellen op een zo positief mogelijke manier omgingen met hun teleurstellingen zonder negativiteit uit de weg te gaan.

Je moet niet vergeten dat romantische idealisering plaatsvindt zonder dat je je ervan bewust bent dat je jezelf voor de gek houdt. Je brein heeft je gehersenspoeld. Met behulp van fMRI hebben neurowetenschappers ontdekt dat wanneer hevig verliefde mensen aan hun partner denken, de gebieden van de hersenen die te maken hebben met de vorming van een sociaal oordeel en negatieve emoties, de prefrontale cortex en amygdala, uitgeschakeld worden. Als de amygdala en prefrontale cortex zich koest houden, kun je je mogelijk geen objectief beeld vormen van de tekortkomingen van je lief of kun je hem niet wantrouwen. (Dat is alleen van toepassing op je partner; je bent nog steeds heel wel in staat kritisch te staan tegenover allerlei andere dingen. Misschien sta je zelfs wel extra kritisch tegenover mensen die hem bekritiseren.) Tegelijkertijd zijn de 'beloningsgebieden' in je hersenen, de nucleus caudatus en het ventraal tegmentum, wel ingeschakeld, en ze stimuleren je om de relatie voort te zetten. En als je kust en knuffelt en de liefde bedrijft, word je overspoeld door oxytocine, die je zenuwstelsel tot rust brengt.

Dus als je vindt dat je minnaar de meest fantastische persoon op aarde is, dan is dat prima en heel natuurlijk, en je hoeft je echt niet druk te maken dat anderen niet hetzelfde in hem zien. En als hij hetzelfde over jou denkt (dit deel is uitermate belangrijk), dan *is* hij waarschijnlijk ook de ware voor jou. Waarschijnlijk is het een self-fulfilling prophecy, en is dat niet heerlijk? Er zijn maar heel weinig dingen waarbij het prima is om er een geïdealiseerde en zelfmisleidende mening op na te houden. Laat de liefde er een van zijn.

Als je verliefd bent, bevind je je slechts in een toestand waarbij je waarnemingen volkomen verdoofd zijn – je ziet een gewone jongeman aan voor een Griekse god, of een gewone jonge vrouw voor een godin.

– H.L. Mencken

Waarom ga je in de loop van de tijd steeds meer op je partner lijken?

De kans is groot dat als jij en je partner een langdurige, liefdevolle relatie hebben, jullie op elkaar gaan lijken. Ik bedoel niet dat dat per se betekent dat je iemand hebt uitgekozen die op je lijkt, alhoewel dat ook gebeurt. Ik bedoel dat jullie gezichten na verloop van tijd steeds meer op elkaar gaan lijken. Ja, in de loop van de jaren kan het zijn dat jullie gelaatstrekken gaan *samenvallen*. Hoe eng klinkt dat?

Bij een belangrijk onderzoek naar het uiterlijk van getrouwde stellen vroegen Robert Zajonc, psycholoog aan de Universiteit van Stanford, en zijn collega's aan twaalf getrouwde stellen om twee series afzonderlijke foto's van henzelf te sturen, een met foto's die waren genomen gedurende het eerste jaar van hun huwelijk (foto's van pasgetrouwden) en een met foto's die na vijfentwintig jaar huwelijk waren genomen (foto's van oudjes). De onderzoekers voegden alle foto's van pasgetrouwden bij elkaar en ze deden hetzelfde met alle foto's van de oudjes. Vervolgens lieten ze bijna tachtig mensen raden welke mannen en vrouwen getrouwd waren en op elkaar leken. Het bleek onmogelijk om de pasgetrouwde stellen bij elkaar te zoeken; de deelnemers deden het niet beter dan wanneer ze gewoon lukraak wat mensen hadden samengevoegd (de stellen waren alle van hetzelfde ras, dezelfde etniciteit, economische klasse en ongeveer even oud). Toen de deelnemers echter de foto's van de oudjes bij elkaar moesten zoeken, deden ze het verrassend goed. Dat komt doordat stellen bij hun zilveren bruiloft meer op elkaar lijken dan als pasgetrouwd stel.

Om te kunnen verklaren wat er gebeurt, baseerden Zajonc en zijn collega's zich op de theorie van emotionele efferentie: mensen die zich in elkaar invoelen bootsen elkaars gelaatsuitdrukkingen na. Nabootsing is een onbewust en onwillekeurig proces. Als je de gelaatsuitdrukkingen van een ander nabootst, voel je persoonlijk die emotie of stemming. (Zie pagina 160 voor informatie over spiegelneuronen.) Afhankelijk van je gelaatsuitdrukkingen groeien of atrofiëren je gezichtsspieren, net zoals je bicepsen of kuiten. Wanneer gelaatsuitdrukkingen worden herhaald en een gewoonte worden, zoals een vlotte glimlach of een voortdurende grijns, tekenen ze een blijvende uitdrukking in het gezicht. Een gerimpeld voorhoofd, ondeugende lippen, spanningsrimpels, lachrimpels, kraaienpootjes en lijntjes tussen de ogen of rond de mond verschijnen in de loop van tientallen jaren, zoals stromend water een rots vormgeeft.

Hoe gelukkiger het huwelijk, hoe meer de echtgenoten op elkaar gaan lijken. Zajonc bestudeerde de twaalf stellen die aan het onderzoek meededen en vroeg hun hoe tevreden ze waren met hun relatie en of ze in die vijfentwintig jaar samen veel gelukkige of tragische dingen hadden meegemaakt. Hij ontdekte dat hoe meer zorgen, interesses en opvattingen ze deelden, hoe meer ze op elkaar leken. Dat kwam doordat ze al zo veel jaren samen hadden gelachen en gehuild en zich zorgen hadden gemaakt.

Andere factoren kunnen er ook toe bijdragen dat gezichten overeenkomsten gaan vertonen. Eetgewoonten zijn zo'n factor, hoewel de mannen en vrouwen in het onderzoek niet op elkaar leken wat betreft de hoeveelheid vetweefsel in het gezicht. Klimaat is een andere factor: de gezichten van stellen die op een warme, zonnige plek wonen kunnen in dezelfde mate verweerd raken. Bovendien kunnen mensen met dezelfde aard ook dezelfde gelaatsuitdrukkingen ontwikkelen. Als we het op die manier bekijken, voelen mensen die op elkaar lijken zich tot elkaar aangetrokken en lijken ze na een tijdje zelfs nog meer op elkaar.

Het beste advies dat je kunt krijgen als je op het punt staat om te trouwen, is dat je zeker moet weten dat je van je partner houdt, en van hoe hij eruitziet als hij zich uitdrukt, want dat is jouw toekomst.

Zorg dat je schat weer glimlacht

Als je partner depressief is, regel dan hulp. Jullie zijn er psychologisch gezien allebei bij gebaat, en je behoudt je schoonheid. Mijn vriendin Ada had een paar jaar een relatie met een man die klinisch depressief was. En het was voor haar heel gemakkelijk om zich in te voelen in zijn ellende en frustraties. Op dat moment was ze zich er niet van bewust – we zijn ons zelden bewust van onze gewone gelaatsuitdrukkingen – maar ze zag er depressief uit. Pas toen de relatie verbroken was, vertelden Ada's vriendinnen haar dat ze er veel gelukkiger en jonger uitzag, en dat ze er zo lang zo ellendig uit had gezien met haar gezicht vol lijnen. Toen ze erover nadacht, besefte ze dat ze het zure gezicht van haar partner niet langer spiegelde. Zelfs binnen een betrekkelijk korte periode kunnen we de gezichtsuitdrukking overnemen van de mensen van wie we houden.

Maakt verliefdheid je blind voor de verliefdheid van anderen?

Psychologen weten allang dat de gemiddelde mens akelig nauwkeurig is als hij snel een oordeel moet vellen op basis van heel weinig informatie. Onpartijdige waarnemers kunnen na het zien van een videoclipje van dertig seconden of nog korter vaak correct aangeven of twee mensen vrienden of minnaars zijn, homo of hetero, of ze een goede verstandhouding hebben, of de mensen extravert zijn, of plichtsgetrouw, en of ze een hoog testosterongehalte hebben. Maar hoe zit het met verliefdheid? Kan iedereen verliefdheid even nauwkeurig waarnemen?

De psycholoog Frank Bernieri en de onderzoeker Maya Aloni dachten dat verliefde mensen beter in staat zouden zijn verliefdheid waar te nemen dan mensen die niet verliefd zijn. Hun stond een verrassing te wachten. Bij een onderzoek aan de Universiteit van Toledo vroegen ze honderdvijftig mannen en vrouwen videoclips van vijfentwintig seconden te bekijken van stellen die in meer of mindere mate een relatie hadden: van gewoon vrienden tot waanzinnig en hartstochtelijk verliefd. De deelnemers, die zelf een relatie hadden (los of vast), of helemaal geen, moesten bepalen of de stellen in de videoclip verliefd waren, en zo ja, in welke mate. Het was niet duidelijk te zien; de stellen op de band voerden plezierige gesprekken over hun levensstijl en wat ze graag deden, maar gaven geen directe aanwijzingen over hoe hevig verliefd ze waren of hoe serieus hun relatie was.

Onder de beoordelaars waren de mensen die het hevigst verliefd waren ook degenen die er het meeste vertrouwen in hadden dat ze andere verliefden konden herkennen. Tot grote verbazing van Bernieri en Aloni waren ze ook het minst nauwkeurig. Dat gold vooral voor mannen. Verliefde mannen waren er beduidend slechter dan andere mannen in verliefdheid bij anderen te herkennen. Verliefde vrouwen waren ook minder nauwkeurig dan andere vrouwen, maar het scheelde niet zo heel veel. Misschien zijn mannen vooral slecht in verliefdheid herkennen omdat ze er niet zo veel over praten als vrouwen, dus herkennen ze die niet in al haar vormen.

De les die we hieruit kunnen trekken is dat liefde *werkelijk* blind is – dat wil zeggen: blind voor alle liefde behalve voor die van jezelf. Er is een blinde vlek in het brein als het gaat om een kritische beoordeling van liefde. Minnaars zijn helemaal op hun eigen liefdesleven gericht en gebruiken het als een mal voor hoe liefde eruit zou moeten zien. Als handjes vasthouden, elkaar diep in de ogen kijken en andere fysieke blijken van genegenheid een groot deel van je relatie vormen, zijn dat misschien ook de enige uitingen die je als liefde herkent. Het maakt niet uit dat de manier waarop jij je liefde uit verschilt van de manier waarop anderen hun liefde uiten. Misschien is het arrogant of egocentrisch van je, maar je probeert alle liefde te dwingen eruit te zien als je eigen liefde, in elk geval onbewust.

Ik denk dat er misschien nog een reden is waarom alleenstaanden nauwkeuriger liefde kunnen bespeuren dan verliefde mensen. Als je alleenstaand bent, kan het wel eens in je eigen belang zijn als je kunt zien hoe een relatie tussen twee anderen ervoor staat. Is dat stel echt verliefd, of maak je een kans bij haar sexy vriend? Er wordt vaak gezegd dat liefde blind is, maar met de ogen van jaloezie is niets mis.

Zijn mensen van nature monogaam?

Ja en nee; het hangt ervan af hoe je het bekijkt. Zoals de actrice Kate Hudson het fijntjes uitdrukte: 'Ik vind niet dat monogamie realistisch is. Maar ik geloof dat we, als volk, de macht hebben om te zorgen dat het gebeurt.' Mensen behoren tot de vier procent van de zoogdieren die een seksuele relatie hebben met één vaste partner, wat een definitie van monogamie is. Maar de regel wordt losjes geïnterpreteerd, zoals we allemaal weten. De meesten van ons blijven niet hun hele leven bij één partner. In plaats daarvan doen we aan 'seriemonogamie', doordat we in ons leven meerdere seksuele relaties achter elkaar hebben. Het kan zijn dat we met anderen flirten of over anderen fantaseren terwijl we een monogame relatie hebben. Het is bekend dat zowel mannen als vrouwen verhoudingen hebben. Zelfs monogamie voor de korte termijn is niet voor iedereen weggelegd.

Ben je er niet van overtuigd dat onze soort monogaam is? Bekijk het dan eens op deze manier: we zijn slechts een *beetje* polygaam. Een beetje, want als je ons vergelijkt met andere soorten zijn we ronduit puriteins. Zuiver promiscue zoogdieren laten ten minste één van de twee duidelijke kenmerken daarvan zien in hun anatomie. Bij soorten waarbij dominante mannetjes complete harems met vrouwtjes hebben, is er een enorm verschil in lichaamsgrootte tussen de seksen. De mannetjesgorilla, bijvoorbeeld, moet het opnemen tegen andere mannetjes om seks te kunnen hebben; daarom is hij soms wel twee keer zo groot als het vrouwtje, wat bij mensen beslist niet het geval is. Het tweede kenmerk is de grootte van het scrotum. Bij een soort waarbij zowel de mannetjes als de vrouwtjes promiscue zijn, hebben mannetjes grotere zaadballen. Hoe groter de zaadballen, hoe meer sperma ze kunnen produceren, en hoe meer kans het sperma van een mannetje heeft om dat van een concurrent de baas te worden. Een zeer levendig bonobomannetje, dat tientallen keren per dag seks heeft met verschillende partners, heeft een balzak zo groot als een grapefruit, terwijl een mensenman een bescheiden scrotum heeft waarvan de grootte varieert van die van een walnoot tot die van een sinaasappel.

Naarmate onze voorouders zich in de loop van de afgelopen paar miljoen jaar ontwikkelden, werden de hersenen van kinderen groter en duurde hun afhankelijkheid van de ouders langer. Vrouwen hadden extra calorieën nodig voor de zwangerschap en borstvoeding, en om een kind te helpen opvoeden. Daarom hadden ze misschien meer behoefte aan een toegewijde partner (in elk geval voor een tijdje).

Dankzij verborgen ovulatie hebben vrouwen mogelijk het recht om een partner te kiezen en te behouden. (Zie pagina 119-121 voor de redenen waarom.) Sommige evolutionair biologen denken dat onze verre voorvaderen *Homo ergaster* paren begonnen te vormen, enige tijd nadat ze zo'n 1,7 miljoen jaar geleden als soort waren ontstaan. De details en duur van deze eerste menselijke liefdesrelaties zijn niet bekend.

Moeders hebben er baat bij dat ze een man in de buurt hebben, maar ook mannen profiteren van deze regeling. Hoewel vaak wordt gezegd dat mannen hun zaad verspreiden terwijl vrouwen het op één plaats oogsten, kan het vaderschap mannen doen besluiten een tuin aan te planten in plaats van een bos. (Zie pagina 136 voor meer informatie over het testosterongehalte bij vaders.) Door zijn tijd uitsluitend met één vrouw door te brengen, vergroot een man de kans dat hij de vader is van haar kinderen en dat hij helpt bij het opvoeden van kinderen die biologisch met hem verwant zijn. Kinderen van wie de vader hen hielp grootbrengen hadden een grotere kans om te overleven.

Wetenschappers hebben de diversiteit van genen in menselijke populaties bestudeerd en daardoor kunnen aantonen dat strikte monogamie bij ons nooit de norm is geweest, maar gebruikelijker werd tussen vijfduizend en tienduizend jaar geleden, toen culturen veranderden in aan één plaats gebonden agrarische gemeenschappen met een huishouden. Deze verschuiving betekende dat meer mannen gingen trouwen, terwijl in polygame gemeenschappen van jager-verzamelaars (hoewel ze niet allemaal polygaam waren), mannen met een hoge status diverse vrouwen en veel kinderen hadden, en veel mannen met een lagere status helemaal geen vrouw en kinderen hadden. In een maatschappij waar geen verdeling plaatsvond van rijkdommen en middelen waren er veel mannen die niet trouwden en geen kinderen kregen. (Vertel dat maar tegen je partner als hij weer eens klaagt dat je hem te strak aan het lijntje houdt.)

In westerse landen komt het niet vaak voor dat twee mensen hun leven lang bij elkaar blijven. In de VS eindigt de helft van alle huwelijken in een echtscheiding. Van Amerikaanse echtparen gaf tweeëntwintig procent van de mannen en veertien procent van de vrouwen toe dat ze ten minste één keer waren vreemdgegaan, en sommige onderzoeken geven veel hogere cijfers aan. Ondanks alle voorbehoedmiddelen die beschikbaar zijn, is ten minste drie tot vier procent van de geboorten het gevolg van buitenechtelijke verhoudingen. In culturen waarin ontrouw wordt getolereerd of zelfs geromantiseerd liggen de cijfers natuurlijk nog hoger. De Franse presidentsvrouw Carla Bruni, een supermodel en zangeres, heeft eens gezegd: 'Ik vind monogamie vreselijk saai… Geef mij maar polygamie en polyandrie.'

Helen Fisher, als antropoloog verbonden aan de Rutgers Universiteit, heeft de monogamiekwestie door een evolutionaire lens bekeken en oppert dat menselijke relaties in de tijd van onze voorouders mogelijk cycli van vier jaar kenden, net lang genoeg voor een baby om op te groeien tot een kleuter (anderen hebben een periode van zeven jaar genoemd). Ouders gaan ieder hun eigen weg en vormen uiteindelijk een nieuw gezin, waarbij de oudere kinderen de jongere mee helpen opvoeden.

Het komt erop neer dat monogamie voor de meeste mensen niet iets is wat hun gemakkelijk afgaat, vooral niet als het betekent dat je slechts één partner hebt in je hele leven. Cultuur en persoonlijke ervaring zijn hierbij altijd belangrijke invloeden geweest, en zijn dat nog steeds. Het spectrum varieert van echte monogamie tot extreme promiscuïteit (wat nog altijd behoorlijk mat is vergeleken met onze wilde zoogdierneefjes), waarbij de meeste mensen in de westerse landen een soort seriemonogamie bedrijven. Waar jij en je partner bij horen, hangt af van de gebruikelijke mix van persoonlijke keuze, genen, achtergrond en cultuur. Laten we hopen dat jullie bij elkaar passen.

Waarom versterkt afwezigheid de liefde van mannen?

Afwezigheid versterkt de liefde van je partner, als je de liefde afmeet aan hoe verliefd hij is nadat hij het een tijdje zonder je heeft moeten stellen. Hij is niet alleen verliefder, hij vindt je waarschijnlijk ook aantrekkelijker dan gewoonlijk, en denkt dat andere mannen dat ook vinden. Hij raakt ook gemakkelijker opgewonden, voelt een sterkere drang om met je te vrijen en is er koppig van overtuigd dat jij ook met hem wilt vrijen. Hij voelt dus niet alleen een sterkere liefde voor je in zijn hart, maar ook daar beneden.

Deze hartstocht van je partner kunnen we niet eenvoudigweg toeschrijven aan het feit dat hij het zonder seks heeft moeten stellen. Als jullie eenzelfde periode van onthouding in elkaars gezelschap hadden doorgebracht, was hij lang niet zo hartstochtelijk geweest. Een man gedraagt zich zo uit onzekerheid, zo beweren de evolutionair psycholoog Todd Shackelford en zijn collega's van de Florida Atlantic Universiteit, die onderzoek verrichtten onder vierhonderd jonge mannen met een vaste relatie. Mogelijk is je partner onbewust bang dat je hem ontrouw bent geweest. Hoe langer jullie elkaar niet hebben gezien, hoe groter de mogelijkheid dat je je hebt vermaakt met een andere man.

Vanuit een zuiver genetisch oogpunt gezien is het een kwalijke zaak voor een man als hij tijd en geld besteedt aan de opvoeding van het kind van een andere man. Dat betekent dat zijn instinct, dat zich gedurende eeuwen van evolutie heeft aangescherpt, in combinatie met een cultuur van excessief viriel gedrag, wel met geagiteerde hartstocht móét reageren op het idee dat je seks gehad zou kunnen hebben met een andere man. Het kan zijn dat hij er daarom op aanstuurt om zo snel mogelijk weer met je te vrijen, zodat zijn sperma de strijd kan aanbinden met dat van je minnaar. Als je zwanger zou worden, was de kans groter dat hij de vader van de baby was. (Vergeet niet dat deze drang zich bij mannen ontwikkelde voordat er voorbehoedmiddelen, ouderschapstests en alimentatie bestonden.)

Hoe groter het risico dat een vrouw ontrouw is geweest, hoe meer sperma een man de eerstvolgende keer dat hij seks met haar heeft loost. Tot die verbazingwekkende conclusie kwamen de biologen Robin Baker en Mark Bellis na hun onderzoek. Ze ontdekten dat een man die honderd procent van de tijd bij zijn partner is geweest, gemiddeld een spermagehalte heeft van ongeveer driehonderdvijftig miljoen, vergeleken met achthonderd miljoen van een man die slechts vijf procent van de tijd bij zijn partner heeft doorgebracht, ongeacht hoeveel tijd er is verstreken sinds de laatste keer dat ze seks hadden gehad. Uit een ander onderzoek bleek dat als mannen masturberen bij foto's van een vrouw die met meerdere mannen tegelijk seks heeft, hun uitgestorte zaad een beduidend hoger percentage beweeglijk sperma bevat.

Het feit dat er bij porno zo vaak pikante scenario's van 'ontrouwe echtgenoten' voorkomen is een bewijs van de theorie van de spermacompetitie, of misschien de oorzaak ervan, of beide. Bekenden van me, een getrouwd stel, spelen rollenspellen waarbij de vrouw haar man bedriegt met een hele stoet denkbeeldige figuren, van de gespierde zeebonken die tijdens de vlootweken door de straten van New York zwerven tot de dakloze met levervlekken en haar samenzweerderige baas. Niets maakt van de man van mijn vriendin zo'n hartstochtelijke en stoutmoedige minnaar als de gedachte dat ze even tevoren met een slecht uitziende vreemde heeft liggen bonken.

Bovendien zijn de mannen die hun vrouw van ontrouw beschuldigen hartstochtelijker – dat wil zeggen, ze dringen bij de seks dieper en harder binnen (volgens de vrouwen). Volgens de psycholoog Gordon Gallup Jr., die het onderzoek leidde, is de reden hiervoor dat mannen door krachtige, agressieve seks onbewust proberen het sperma van een

Houd de 'partnerwacht' in de gaten

Mannen die denken dat hun partner overspelig is, zijn doorgaans waakzaam of gewelddadig, zo blijkt uit een onderzoek onder leiding van de evolutionair psycholoog David Buss. Hoe knapper je bent, hoe groter de kans dat je partner je 'bewaakt'. Mogelijk houdt hij je uit het zicht van rivalen en probeert hij te voorkomen dat je mannen ontmoet die rijker en knapper zijn dan hij. Misschien belt hij je op onverwachte momenten op om te controleren bij wie je bent, wat je doet en waar hij je kan vinden. In het openbaar kan het zijn dat hij zijn jas over je schouders werpt of bezitterig zijn arm om je heen slaat. Misschien zoekt hij wel bonje met andere mannen die een blik op je durven werpen, vooral als hij gekweld wordt door het 'Othello-syndroom', dat inhoudt dat een man ervan overtuigd is dat zijn partner, of de vrouw die hij als partner wil, zo begeerlijk is dat iedere man met haar naar bed wil. Opmerkelijk genoeg blijken mannen hun vrouw vlak voor de ovulatie instinctief het meest intensief te bewaken.

Vrouwen doen ook bezitterig over hun partner, vooral als die een hoge status heeft of zeer ambitieus is. Een gemotiveerde vriendin of echtgenote tut zich op of laat liposuctie uitvoeren om er zeker van te zijn dat ze zich wat betreft uiterlijk met anderen kan meten. In het openbaar wijkt ze niet van de zijde van haar partner en maakt ze andere vrouwen er subtiel op attent dat hij van haar is door hem aan te raken of te strelen. Ze laat hem merken dat ze verontwaardigd of van streek is als hij met andere vrouwen flirt, en wijst hem er behulpzaam op dat ze verslaafd zijn aan dieetpillen of dat ze een slechte smaak hebben. Als ze sluw is, flirt ze misschien zelfs met andere mannen, in de veronderstelling dat als een man verblind is door jaloezie, hij andere vrouwen niet meer opmerkt.

rivaal uit de weg te ruimen. Gallup en zijn collega's van de Staatsuniversiteit van New York in Albany experimenteerden met gesimuleerd zaad, dildo's en synthetische vagina's met diverse vormen en groottes, en ontdekten dat een diepe, krachtige penetratie ten minste tachtig procent van het zaad bij de baarmoederhals van een vrouw kan verwijderen. De eikel van de penis heeft de vorm van een spatel, en als een man stoot, verzamelt zich sperma achter de corona tussen de eikel en de schacht van zijn penis. Door het sperma van een rivaal te verwijderen wordt een zwangerschap voorkomen. De vorm van de penis en zijn vermogen om sperma te verdrijven zijn ook de reden waarom een tweede keer seks in één nacht zo'n natte bedoening is.

Nu je dit weet, wat denk je dan de volgende keer als je partner na een lange periode van afwezigheid voor je deur staat met een bos bloemen en allerlei complimentjes? Misschien wordt zijn hartstocht aangeslingerd door de dreiging van spermacompetitie. Sommige vrouwen vinden primitieve hartstocht verschrikkelijk opwindend. Maar er is ook een liever alternatief: misschien houdt hij gewoon van je en heeft hij je gemist.

Zorgen je genen ervoor dat je trouw bent of juist overspelig?

Zou het niet geweldig zijn als je partner voordat hij een serieuze relatie met je aangaat niet alleen de gewone serie soa-tests zou laten doen, maar zich ook zou laten testen op het 'overspel-gen'? Jammer genoeg voor degenen die graag zouden willen dat de wetenschap een duidelijk antwoord kon geven, bestaat een dergelijke test niet, en een dergelijk gen ook niet. In plaats daarvan spelen er vele genetische, culturele en persoonlijke factoren een rol bij hoe trouw jij en je partner aan elkaar zijn. Het zijn er eigenlijk te veel om op te noemen: de rolmodellen van je ouders, de partnerkeuze, de gelegenheid om te bedriegen, liefdesverhoudingen in het verleden, het stadium waarin je leven zich bevindt, de mate van tevredenheid met je leven, godsdienst, hormoongehalte enzovoort.

Als we alleen naar de genen kijken, weten we al dat de MHC-genen van een vrouw tot op zekere hoogte ontrouw kunnen voorspellen. Hoe meer de genvarianten bij een stel elkaar overlappen, hoe groter de kans dat de vrouw vreemdgaat, of er in elke geval over fantaseert. (Zie pagina 44.) We weten ook dat mannen met een hoog testosterongehalte meer vreemdgaan dan mannen met een lager testosterongehalte. (Zie pagina 136.)

In de afgelopen jaren hebben wetenschappers meer inzicht gekregen in genen die vooral van invloed zijn op mannelijke monogamie. De neurowetenschappers Miranda Lim, Larry Young en hun collega's van de Emory Universiteit hebben een soort 'monogamie-gen' gevonden bij de prairiewoelmuis, een knaagdier dat een partner voor het leven heeft. De mannetjesprairiewoelmuis is het grootste deel van de tijd onder de grond bezig met voor zijn partner zorgen en het bouwen van hun nest, en hij gaat zelden de deur uit. Neurowetenschappers schrijven de enorme toewijding van de woelmuis toe aan een kenmerk van de anatomie van zijn hersenen: vasopressinereceptoren in het ventraal pallidum, een van de genotscentra in de hersenen. Vasopressine is een hormoon dat van invloed is op de activiteit van de positieve neurotransmitter dopamine in het beloningscircuit van de hersenen. (Vrouwtjesprairiewoelmuizen reageren, net als mensenvrouwen, meer op het verwante hormoon oxytocine.)

De levenslange 'liefde' van een mannetjesprairiewoelmuis is duidelijk te danken aan zijn gen voor vasopressinereceptoren. Als de vasopressinereceptoren van deze mannetjes worden geblokkeerd en de dopamine de genotscentra van de hersenen niet kan bereiken, worden de knaagdieren afstandelijk en verliezen ze hun zorgzaamheid. Als de receptoren niet worden geblokkeerd, zijn de mannetjes trouw aan hun vrouwtje, omdat ze haar met genot associëren. Toen de onderzoekers de vasopressinereceptoren van de woelmuis inbrachten in de hersenen van zijn promiscue neefje, de bergwoelmuis, veranderde dit playboyknaagdier in een trouwe huismus.

Vasopressine helpt ook mensenmannen een hechte band te vormen met hun partner. Opvallend genoeg vertonen mannen net als prairiewoelmuizen een grote variatie in hun vasopressinereceptor-genen. Het kan zijn dat deze genen van invloed zijn op het vermogen van mannen om een relatie aan te gaan, hoewel de liefde tussen mensen duidelijk veel ingewikkelder is. Sommige onderzoekers hebben al bewijs gevonden dat het menselijke vasopressinereceptor-gen van invloed kan zijn op het empathisch vermogen. Uit een hersenonderzoek bleek dat er bij mensen die al langer dan twee jaar een relatie hebben toegenomen activiteit waar te nemen is in het beloningsgebied van het ventraal pallidum, waar gewoonlijk veel vasopressinereceptoren zitten. Hebben de mannen met een actief ventraal pallidum daar ook het juiste type vasopressinereceptoren? Dat is mogelijk. Zullen we ooit over een gentherapie beschikken waarmee we de juiste vasopressine-genen naar de beloningsgebieden van de hersenen kunnen sturen, waardoor mannen trouwer worden, en gelukkiger in hun relatie? Misschien; het gaat in elk geval wel die kant op. (Ik heb een paranoïde vriend die meer een sciencefictionachtig scenario voor zich ziet: een door biotechnici ontwikkeld virus waarmee overspelige mannen worden besmet, zodat ze veranderen in trouwe, onnozele huismannen.)

Een ander hormoon dat de vorming van een hechte band bevordert, is oxytocine. (Zie pagina 132.) Het is aangetoond dat oxytocinereceptoren de gehechtheid bij vrouwtjesprairiewoelmuizen op dezelfde manier veranderen als vasopressine dat bij mannetjes doet. Oxytocine bevordert de vorming van een hechte band en wetenschappers hebben ontdekt dat wanneer de oxytocinereceptoren in de genotsgebieden van de hersenen van de vrouwtjesprairiewoelmuizen worden geblokkeerd, de woelmuizen minder gehecht zijn aan hun partner. Wanneer oxytocine in de hersenen van vrouwtjesprairiewoelmuizen wordt geïnjecteerd, vormen ze snel een band met de partner die op dat moment bij hen is. Net als vrouwtjesprairiewoelmuizen hebben vrouwen oxytocine nodig om een band te vormen met hun partner. De hoeveelheid oxytocine die door de oxytocinereceptoren van de vrouw wordt opgenomen, hangt af van de unieke chemische eigenschappen van haar genen en hormonen. Hebben sommigen van ons meer receptoren, of in elk geval receptoren die meer kunnen opnemen? Dat kan. Zouden vrouwen gentherapie willen die hen helpt bij de vorming van een hechte band met een man? Als dat nodig is, kun je dan nog wel van liefde spreken? Het wordt ingewikkeld.

In de neurowetenschap proberen we op dit moment puur op basis van hersenscans en neurochemisch onderzoek vast te stellen wat er in de hoofden van mensen omgaat, en dat is net alsof we de wereldmarkt bekijken via een satelliet die in een baan rond de aarde draait. We kunnen patronen opmaken uit de boten, gebouwen en andere vormen van activiteit die we waarnemen, maar we kennen de details niet. Op een dag weten we misschien voldoende over genen en hormonen om te begrijpen waarom sommige mensen verliefd worden en hun leven lang trouw blijven... en waarom anderen zo onbetrouwbaar zijn als de pest.

Hoe worden je hersenen groter als je verliefd bent?

Liefde is de uitdrukking van twee karakters, en wel zodanig dat elk de ander omvat, dat elk wordt verrijkt door de ander.

– Felix Adler

In zijn boek *I Am a Strange Loop* schrijft de cognitief wetenschapper Douglas Hofstadter dat twee verliefde mensen zich elkaar eigen maken en een gezamenlijke gemoedstoestand creëren die hun individuele persoonlijkheden overlapt en uitbreidt. In wezen vorm je een 'wij', een samenvoeging van de opvattingen, smaak, gewoontes, ervaringen, kennis, doelstellingen en dromen van je partner met die van jezelf. Je kunt deze identiteit, de 'wij', zien als een patroon van neuronen in je brein. Het is een mentale voorstelling van je relatie. Dat is een van de redenen waarom het zo verdraaid moeilijk is om uit elkaar te gaan. Je 'doodt' het patroon, de 'wij' en het neurale netwerk van associaties en beloningen die het ondersteunt. Als je ooit een moeilijke scheiding hebt meegemaakt, weet je dat zoiets aanvoelt als moord. En dat is het in zeker opzicht ook.

Neurowetenschappers opperen dat het deel van de hersenen dat een uiterst belangrijke rol speelt bij de mentale voorstelling van een relatie de angular gyrus in de pariëtaalkwab is. Zie de angular gyrus maar als een brug tussen je hersenen en de buitenwereld. Deze neuronenbundel helpt je nieuwe zintuiglijke ervaringen te verwerken in de context van eerdere ervaringen. Hij stelt je in staat om een abstracte voorstelling te maken van concepten, voorwerpen en ideeën. Zonder je angular gyrus zou je je niet voldoende van je mentale toestand kunnen losmaken om je er bewust van te zijn. Je zou niets meer snappen van metaforen en abstracte begrippen (je zou niet weten wat 'hij reikt naar de maan' betekent) en niet meer in staat zijn woorden te lezen en deze naar de innerlijke taal van je brein te vertalen. Gezien de rol die de angular gyrus speelt bij het ons eigen maken van de wereld, denkt men ook dat hij een belangrijke rol speelt in de liefde.

De neurowetenschappers Stephanie Ortigue van de Universiteit van Californië in Santa Barbara en haar collega's Scott Grafton van Darthmouth en Francesco Bianchi-Demicheli van het Academisch Ziekenhuis van Genève richtten zich bij hun onderzoek onder andere op de angular gyrus. Het team maakte fMRI-scans van de hersenen van bijna veertig vrouwen die al lange tijd verliefd waren op hun vriend of echtgenoot. Ze volgden hun hersenactiviteit tijdens een test waarbij ze woorden moesten waarnemen. (Er werden alleen vrouwen getest.) Vóór elke prikkel kregen de vrouwen in een subliminale flits de naam van hun partner of van een platonische vriend te zien. De flits van de naam van de partner veroorzaakte een duidelijk verschil in hersenactiviteit, die weer van invloed was op de score van de test.

Toen de onderzoekers de fMRI bekeken nadat de vrouwen de naam van hun partner voorbij hadden zien flitsen, zagen ze dat de angular gyrus actief was, samen met de insula, die helpt bij het verwerken van emotionele ervaringen, en de gebieden van de hersenen die in verband worden gebracht met beloning en motivatie, de nucleus caudatus en het ventraal tegmentum. De onderzoekers menen dat het zien van de naam van de partner, die vertaald werd door de angular gyrus, mogelijk een mentale voorstelling van de relatie opriep en hogere gedachteprocessen veroorzaakte en associaties opriep die te maken hebben met hevig verliefd zijn. Tegelijkertijd werden de circuits in de hersenen die te maken hebben met emotie en motivatie geactiveerd. Deze hersengebieden werden alleen geactiveerd door een subliminale flits van de naam van de partner, niet de naam van een vriend. Toen deze gebieden gelijktijdig opflitsten als een 'liefdegerelateerd netwerk', dachten de vrouwen sneller en presteerden ze beter bij de test. Het interessante is dat hoe verliefder een vrouw was op haar partner, hoe hoger ze scoorde. Liefde, lijkt het wel, is een enorme drijfveer.

De neurowetenschap van de liefde bevindt zich nog in een vroeg, speculatief stadium. Niemand weet of je hersenen in het dagelijkse leven echt beter presteren als je verliefd bent, alhoewel het wel een duidelijk effect lijkt te hebben op de manier waarop verliefde mensen informatie verwerken. Mogelijk roept verliefdheid krachtige, onbewuste associaties op die van invloed zijn op hoe je de wereld waarneemt en hoe je erop reageert. Misschien motiveert verliefdheid je op onverwachte manieren. Zie verliefdheid als een uitbreiding van jezelf, als een manier waarop je je het externe eigen maakt. En dan vormen jij en je partner, de 'wij' die jullie delen, en de verdere wereld alle een deel van een netwerk dat groter wordt naarmate je liefde groeit.

Dankwoord

Ik ben veel dank verschuldigd aan alle onderzoekers die me met hun experimenten inspireerden om dit boek te schrijven. In het bijzonder dank ik de onderzoekers die de tijd namen om mijn eindeloze vragen te beantwoorden, verbeterde versies te sturen en/of relevante delen van het manuscript te lezen: Stephanie Ortigue, Peter Frost, Gordon Gallup Jr., Christine Garver-Apgar, Meghan Provost, Suma Jacob, Meredith Chivers, Charles Wysocki, Randy Thornhill, Stuart Brody, Manfred Milinski, Sari van Anders, Sandy Pentland, Jorge Simão, Jan Havlíček, Debra Lieberman, Peter Gray, Ben Jones, Nicholas Guéguen, Claus Wedekind, Lee Cronk, Galit Yovel, Bruno Laeng, Nancy Kanwisher, Arthur Aron en Monica Moore. Het spreekt voor zich dat eventuele fouten of omissies in dit boek geheel voor mijn rekening komen.

Ik wil vooral mijn redacteur Danielle Perez bedanken, niet alleen omdat ze dit boek meteen een goed idee vond, maar ook voor al haar uitstekende correcties en suggesties gedurende het hele proces. Ik wil ook Belina Huey, Sue Warga, Barb Burg, Chris Artis, Catherine Leonardo, Bonnie Ammer en Fabrizio LaRocca bedanken. Bijzondere dank en waardering voor mijn agent, Rick Broadhead.

Dank aan Katherine Larson en Kelly Clayton omdat ze me toestemming gaven verzen uit hun gedichten te citeren. Veel dank aan Zenaide voor haar emotionele steun en enthousiasme voor dit boek, en aan andere vrienden voor hun verhalen over hun afspraakjes, en aan mijn ouders voor hun steun (en omdat ik hun huis in Vermont mocht gebruiken).

Mijn grootste dank gaat uit naar mijn man, Peter, die tegen me zegt dat hij meer van brunettes houdt en mijn dopaminegehalte altijd doet stijgen.

Bronnen

INTRODUCTIE

Buss, D. M., Shackelford, T. K. (2008). Attractive women want it all: Good genes, economic investment, parenting proclivities, and emotional commitment. *Evol Psychol*, *6*(1), 134-46.

Eastwick, P. W., & Finkel, E. J. (2008). Sex differences in mate preference revisited: Do people know what they initially desire in a romantic partner? *J Pers Soc Psychol*, *94*(2), 245-64.

1 EERST HET GEZICHT

Waarom lijken mensen aantrekkelijker als we ze diep in de ogen kijken?

Rubin, Z. (1970). Measurement of romantic love. *J Pers Soc Psychol*, *16*(2), 265-73.

Kellerman, J. L., Lewis, J., & Laird, J. D. (1989). Looking and loving: The effects of mutual gaze on feelings of romantic love. *J Res Pers*, 23, 145-61.

Williams, G. P., & Kleinke, C. L. (1993). Effects of mutual gaze and touch on attraction, mood, and cardiovascular activity. *J Res Pers*, *27*(2), 170-83.

Aron, A., Melinant, E., e.a. (1997). The experimental generation of interpersonal closeness: A procedure and some preliminary findings. *Pers Soc Psychol Bull*, 23(4), 363-72.

Adams, R. B., Jr., & Kleck, R. E. (2003). Perceived gaze direction and the processing of facial displays of emotion. *Psychol Sci*, *14*(6), 644-47.

Adams, R. B., Jr., & Kleck, R. E. (2005). Effects of direct and averted gaze on the perception of facially communicated emotion. *Emotion*, *5*(1), 3-11.

Mason, M. F., Tatkow, E. P., & Macrae, C. N. (2005). The look of love: Gaze shifts and person perception. *Psychol Sci*, *16*(3), 236-39.

Berman, L. (2007). Looking for love? Eyes have it. Jan 22. *Chicago Sun-Times.*
Conway, C. A., Jones, B. C., DeBruine, L. M., & Little, A. C. (2008). Evidence for adaptive design in human gaze preference. *Proc Biol Sci, 275*(1630), 63-69.

Waarom houden mannen meer van grote pupillen?

Hess, E. H., & Polt, J. M. (1960). Pupil size as related to interest value of visual stimuli. *Science, 132*, 349-50.
Hess, E. H., Seltzer, A. L., & Shlien, J. M. (1965). Pupil response of hetero- and homosexual males to pictures of men and women: A pilot study. *J Abnorm Psychol, 70*, 165-68.
Tombs, S., & Silverman, I. (2004). Pupillometry. *Evol Hum Behav, 25*, 221-28.
Laeng, B., & Falkenberg, L. (2007). Women's pupillary responses to sexually significant others during the hormonal cycle. *Horm Behav, 52*(4), 520-30.

Wat maakt een gezicht knap?

Langlois, J. (1990). Attractive faces are only average. *Psychol Sci, 1*, 115-21.
Perrett, D. I., Lee, K. J., Penton-Voak, I., Rowland, D., Yoshikawa, S., Burt, D. M., e.a. (1998). Effects of sexual dimorphism on facial attractiveness. *Nature, 394*(6696), 884-87.
Slater, A., Von der Schulenberg, C., Brown, E., e.a. (1998). Newborn infants prefer attractive faces. *Infant Behav Dev, 21*(2), 345-54.
Penton-Voak, I. S., Jones, B. C., Little, A. C., Baker, S., Tiddeman, B., Burt, D. M., e.a. (2001). Symmetry, sexual dimorphism in facial proportions and male facial attractiveness. *Proc Biol Sci, 268*(1476), 1617-23.
Rhodes, G., Lee, K., Palermo, R., e.a. (2005). Attractiveness of own-race, other-race, and mixed-race faces. *Perception, 34*, 319-40.
Rhodes, G. (2006). The evolutionary psychology of facial beauty. *Annu Rev Psychol, 57*, 199-226.
Thornhill, R., Gangestad, S. W., & Comer, R. (2006). Facial sexual dimorphism, developmental stability, and susceptibility to disease in men and women. *Evol Hum Behav, 27*(2), 131-44.

Hoe lang hebben we nodig om te bepalen of iemand sexy is?

Kanwisher, N., Stanley, D., & Harris, A. (1999). The fusiform face area is selective for faces not animals. *Neuroreport, 10*(1), 183-87.

Olson, I. R., & Marshuetz, C. (2005). Facial attractiveness is appraised in a glance. *Emotion, 5*(4), 498-502.

Kanwisher, N., & Yovel, G. (2006). The fusiform face area: A cortical region specialized for the perception of faces. *Philos Trans R Soc Lond B Biol Sci, 361*(1476), 2109-28.

Kniffin, K. M., & Wilson, D. S. (2004). The effect of nonphysical traits of the perception of physical attractiveness. *Evol Hum Behav, 25*, 88101.

Swami, V., Greven, C., & Furnham, A. (2007). More than just skin-deep? A pilot study integrating physical and non-physical factors in the perception of physical attractiveness. *Perso Individ Dif, 42*, 563-72.

Cloutier, J., Heatherton, T. F., Whalen, P. J., & Kelley, W. M. (2008). Are attractive people rewarding? Sex differences in the neural substrates of facial attractiveness. *J Cogn Neurosci, 20*, 941-51.

Voel je je meer aangetrokken tot mensen die op je lijken?

Jedlicka, D. (1984). A test of the psychoanalytic theory of mate selection. *J Soc Psychol, 112*, 295-99.

Bereczkei, T., Gyuris, P., & Weisfeld, G. E. (2004). Sexual imprinting in human mate choice. *Proc Biol Sci, 271*(1544), 1129-34.

Wiszewska, A., Pawlowski, B., & Boothroyd, L. (2007). Father-daughter relationship as a moderator of sexual imprinting: A facialmetric study. *Evol Hum Behav, 28*(4), 248-52.

Kiezen vrouwen een echtgenoot die op hun vader lijkt?

Roney, J. R., Hanson, K. N., Durante, K. M., & Maestripieri, D. (2006). Reading men's faces: Women's mate attractiveness judgments track men's testosterone and interest in infants. *Proc Biol Sci, 273*(1598), 2169-75.

Voel je je meer aangetrokken tot oudere gezichten als je oudere ouders hebt?

Perrett, D. I., Penton-Voak, I. S., Little, A. C., Tiddeman, B. P., Burt, D. M., Schmidt, N., e.a. (2002). Facial attractiveness judgments reflect learning of parental age characteristics. *Proc Biol Sci, 269*(1494), 873-80.

Waarom houden blauwogige mannen meer van blauwogige vrouwen?

Anderson, K. G. (2006). How well does paternity confidence match actual paternity? Evidence from worldwide nonpaternity rates. *Curr Anthropol*, *47*(3), 513-20.

Laeng, B., Mathisen, R., & Johnsen, J.-A. (2007). Why do blue-eyed men prefer women with the same eye color? *Behav Ecol*, *61*(3), 371-84.

2 VOLG JE NEUS

Wat zijn feromonen en komen ze voor bij mensen?

Wysocki, C. J., & Preti, G. (2004). Facts, fallacies, fears, and frustrations with human pheromones. *Anat Rec A Discov Mol Cell Evol Biol*, *281*(1), 1201-11.

Grammer, K., Fink, B., & Neave, N. (2005). Human pheromones and sexual attraction. *Eur J Obstet Gynecol Reprod Biol*, *118*(2), 135-42.

Waarom vind je sommige mannen lekkerder ruiken dan andere?

Wedekind, C., Seebeck, T., Bettens, F., & Paepke, A. J. (1995). MHC-dependent mate preferences in humans. *Proc Biol Sci*, *260*(1359), 245-49.

Ober, C., Weitkamp, L. R., Cox, N., Dytch, H., Kostyu, D., & Elias, S. (1997). HLA and mate choice in humans. *Am J Hum Genet*, *61*(3), 497-504.

Rikowski, A., & Grammer, K. (1999). Human body odour, symmetry and attractiveness. *Proc Biol Sci*, *266*(1422), 869-74.

Wedekind, C., & Penn, D. (2000). MHC genes, body odours, and odour preferences. *Nephrol Dial Transplant*, *15*(9), 1269-71.

Havlíček, J., Roberts, S. C., & Flegr, J. (2005). Women's preference for dominant male odour: Effects of menstrual cycle and relationship status. *Biol Lett*, *1*(3), 256-59.

Santos, P. S., Schinemann, J. A., Gabardo, J., & Bicalho Mda, G. (2005). New evidence that the MHC influences odor perception in humans: A study with 58 Southern Brazilian students. *Horm Behav*, *47*(4), 38488.

Milinski, M. (2006). The major histocompatibility complex, sexual selection, and mate choice. *Annu Rev Evol Syst*, *37*, 159-86.

Waarom is de kans groot dat je een man bedriegt als je niet van zijn geur houdt?

Ober, C., Hyslop, T., & Hauck, W. W. (1999). Inbreeding effects on fertility in humans: Evidence for reproductive compensation. *Am J Hum Genet*, *64*(1), 225-31.

Grammer, K., Fink, B., & Neave, N. (2005). Human pheromones and sexual attraction. *Eur J Obstet Gynecol Reprod Biol*, *118*(2), 135-42.

Garver-Apgar, C. E., Gangestad, S. W., Thornhill, R., Miller, R. D., & Olp, J. J. (2006). Major histocompatibility complex alleles, sexual responsivity, and unfaithfulness in romantic couples. *Psychol Sci*, *17*(10), 830-35.

Milinski, M. (2006). The major histocompatibility complex, sexual selection, and mate choice. *Annu Rev Evol Syst*, *37*, 159-86.

Hoe komt het dat je vrolijk wordt van de geur van mannenzweet?

Jacob, S., Kinnunen, L. H., Metz, J., Cooper, M., & McClintock, M. K. (2001). Sustained human chemosignal unconsciously alters brain function. *Neuroreport*, *12*(11), 2391-94.

Lundstrom, J. N., Goncalves, M., Esteves, F., & Olsson, M. J. (2003). Psychological effects of subthreshold exposure to the putative human pheromone 4,16-androstadien-3-one. *Horm Behav*, *44*(5), 395-401.

Preti, G., Wysocki, C. J., Barnhart, K. T., Sondheimer, S. J., & Leyden, J. J. (2003). Male axillary extracts contain pheromones that affect pulsatile secretion of luteinizing hormone and mood in women recipients. *Biol Reprod*, *68*(6), 2107-13.

Bensafi, M., Tsutsui, T., Khan, R., Levenson, R. W., & Sobel, N. (2004). Sniffing a human sex-steroid derived compound affects mood and autonomic arousal in a dose-dependent manner. *Psychoneuroendocrinology*, *29*(10), 1290-99.

Lundstrom, J. N., & Olsson, M. J. (2005). Subthreshold amounts of social odorant affect mood, but not behavior, in heterosexual women when tested by a male, but not a female, experimenter. *Biol Psychol*, *70*(3), 197-204.

Jacob, T. J., Wang, L., Jaffer, S., & McPhee, S. (2006). Changes in the odor quality of androstadienone during exposure-induced sensitization. *Chem Senses*, *31*(1), 3-8.

Keller, A., Zhuang, H., Chi, Q., Vosshall, L. B., & Matsunami, H. (2007). Genetic variation in a human odorant receptor alters odour perception. *Nature*, *449*(7161), 468-72.

Wyart, C., Webster, W. W., Chen, J. H., Wilson, S. R., McClary, A., Khan, R. M., e.a. (2007). Smelling a single component of male sweat alters levels of cortisol in *women*. *J Neurosci*, *27*(6), 1261-65.

Heeft de lichaamsgeur van vrouwen enig effect op mannen?

Platek, S. M., Burch, R. L., & Gallup, G. B. (2001). Sex differences in olfactory self-recognition. *Physiol Behav, 73*(4), 535-40.

Singh, D., & Bronstad, P. M. (2001). Female body odour is a potential cue to ovulation. *Proc Biol Sci, 268*(1469), 797-801.

Kuukasjarvi, S., Eriksson, C. J., e.a. (2004). Attractiveness of women's body odors over menstrual cycle: The role of oral contraceptives and receiver sex. *Behav Ecol, 15*(4), 579-84.

Havlíček, J., Dvorakova, R., e.a. (2006). Non-advertised does not mean concealed: body odour changes across the human menstrual cycle. *Ethology, 112*, 81-90.

Kun je op basis van iemands geur iets zeggen over zijn of haar seksuele voorkeur?

Martins, Y., Preti, G., Crabtree, C. R., Runyan, T., Vainius, A. A., & Wysocki, C., J. (2005). Preference for human body odors is influenced by gender and sexual orientation. *Psychol Sci, 16*(9), 694-701.

Savic, I., Berglund, H., & Lindstrom, P. (2005). Brain response to putative pheromones in homosexual men. *Proc Nati Acad Sci U S A, 102*(20), 7356-61.

Berglund, H., Lindstrom, P., & Savic, I. (2006). Brain response to putative pheromones in lesbian women. *Proc Natl Acad Sci U S A, 103*(21), 8269-74.

Hoe komt het dat je geslachtsdrift toeneemt als je in de buurt bent van een vrouw die borstvoeding geeft?

McClintock, M. K. (1971). Menstrual synchrony and suppression. *Nature, 229*(5282), 244-45.

Jacob, S., Spencer, N. A., Bullivant, S. B., Sellergren, S. A., Mennella, J. A., & McClintock, M. K. (2004). Effects of breastfeeding chemosignals on the human menstrual cycle. *Hum Reprod, 19*(2), 422-29.

Spencer, N. A., McClintock, M. K., Sellergren, S. A., Bullivant, S., Jacob, S., & Mennella, J. A. (2004). Social chemosignals from breastfeeding women increase sexual motivation. *Horm Behav, 46*(3), 362-70.

Wat zegt je parfum over je?

Milinski, M., & Wedekind, C. (2001). Evidence for MHC-correlated perfume preferences in humans. *Behav Ecol, 12*(2), 140-49.

Milinski, M. (2006). The major histocompatibility complex, sexual selection, and mate choice. *Annu Rev Evol Syst*, *37*, 159-86.

Kun je opgewonden raken door de geur van eten of een parfum?

Hirsch, A., & Gruss, J. (1999). Human male sexual response to olfactory stimuli. *J Neurol Orthop Med Surg* *19*(1), 514-19.

Graham, C. A., Janssen, E., & Sanders, S. A. (2000). Effects of fragrance on female sexual arousal and mood across the menstrual cycle. *Psyckophysiology*, *37*(1), 76-84.

Herz, R., Beland, S., e.a. (2004). Changing odor hedonic perception through emotional associations in humans. *Int J Comp Psych*, *17*(4), 315-38.

Werkt een dieet waarbij je alleen vlees mag eten als een afknapper?

Havlíček, J., & Lenochova, P. (2006). The effect of meat consumption on body odor attractiveness. *Chem Senses*, *31*(8), 747-52.

Waarom lijk je minder knap op een plek waar het stinkt?

Demattè, M. L., Osterbauer, R., & Spence, C. (2007). Olfactory cues modulate facial attractiveness. *Chem Senses*, *32*(6), 603-10.

3 EEN KLINKENDE KEUZE

Waarom krijgen mannen met een lage stem meer kinderen?

Thornhill, R., Gangestad, S. W., & Comer, R. (1995). Human female orgasm and mate fluctuating asymmetry. *Anim Behav*, *50*(6), 1601-15.

Collins, S. A. (2000). Men's voices and women's choices. *Anim Behav*, *60*(6), 773-80.

Hughes, S., Dispenza, F., e.a. (2004). Ratings of voice attractiveness predict sexual behavior and body configuration. *Evol Hum Behav*, *25*, 295-304.

Bruckert, L., Lienard, J. S., Lacroix, A., Kreutzer, M., & Leboucher, G. (2006). Women use voice parameters to assess men's characteristics. *Proc Biol Sci*, *273*(1582), 83-89.

Evans, S., Neave, N., & Wakelin, D. (2006). Relationships between vocal characteristics and body size and shape in human males: An evolutionary explanation for a deep male voice. *Biol Psychol*, *72*(2), 160-63.

Apicella, C. L., Feinberg, D. R., & Marlowe, F. W. (2007). Voice pitch predicts reproductive success in male hunter-gatherers. *Biol Lett, 3*(6), 682-84.

Puts, D. A., Hodges, C. R., e.a. (2007). Men's voices as dominance signals: Vocal fundamental and formant frequencies influence dominance attributions among men. *Evol Hum Behav, 28*, 340-44.

Feinberg, D. R., DeBruine, L. M., Jones, B. C., & Little, A. C. (2008). Correlated preferences for men's facial and vocal masculinity. *Evol Hum Behav, 29*(4), 233-41.

Waarom houden mannen meer van vrouwen met een hoge stem?

Hughes, S., Dispenza, F., e.a. (2004). Ratings of voice attractiveness predict sexual behavior and body configuration. *Evol Hum Behav, 25*, 295-304.

Feinberg, D. R., Jones, B. C., e.a. (2005). The voice and face of a woman: One ornament that signals quality? *Evol Hum Behav, 26*, 398-408.

Feinberg, D. R., Jones, B. C., Law Smith, M. J., Moore, F. R., DeBruine, L. M., Cornwell, R. E., e.a. (2006). Menstrual cycle, trait estrogen level, and masculinity preferences in the human voice. *Horm Behav, 49*(2), 215-22.

Jones, B. C., Feinberg, D. R., DeBruine, L. M., Little, A. C., & Vukovic, J. (2008). Integrating cues of social interest and voice pitch in men's preferences for women's voices. *Biol Lett, 4*(2), 192-94.

Hoe verraadt je verbale 'lichaamstaal' dat je je tot iemand aangetrokken voelt?

Pentland, A. S. (2005). Socially aware computation and communication. *Computer*, March 63-69.

Kun je aan de klank van iemands stem horen of hij of zij homoseksueel is?

Jacobs, G., Smyth, R., & Rogers, H. (2001). Language and sexuality: Searching for phonetic correlates of gay- and straight-sounding male voices. *Toronto Working Papers in Linguistics, 18*, 46-64.

Pierrehumbert, J. B., Bent, T., Munson, B., Bradlow, A. R., & Bailey, J. M. (2004). The influence of sexual orientation on vowel production. *J Acoust Soc Am, 116*(4 Pt 1), 1905-08.

Is de klank van je naam van invloed op wat anderen van je uiterlijk vinden?

Erwin, P. G. (1993). First names and perceptions of physical attractiveness. *J Psychol, 127*(6), 625-31.

Hopkin, M. (2004). Name game increases sex appeal. *News@Nature* Aug 10. http://www.npg.nature.com., gelezen op 10 juli, 2007.

Perfors, A. (2004). What's in a name? The effect of sounds symbolism on perception of facial attractiveness. Paper presented at CogSci 2004, Aug 5-7; Chicago, Ill.

4 PIKANTE DELEN

Waarom is lang haar sexy?

Muscarella, F., & Cunningham, M. (1996). The evolutionary significance and social perception of male pattern baldness and facial hair. *Ethol Sociobiol*, *17*(2), 99-117.

Hinsz, V. B., Matz, D. C., & Patience, R. A. (2001). Does women's hair signal reproductive potential? J *Exp Soc Psychol*, *37*, 166-72.

Mesko, N., & Bereczkei, T. (2004). Hairstyle as an adaptive means of displaying phenotypic quality. *Hum Nat*, *15*(3), 251-70.

Houden mannen echt meer van blond?

Thelen, T. H. (1983). Minority type human mate preference. *Soc Biol*, *30*(2), 162-80.

Rich, M. K., & Cash, T. F. (1993). The American image of beauty: media representations of hair color for four decades. *Sex Roles*, *29*, 113-24.

Frost, P. (2006). European hair and eye color: A case of frequency-dependent sexual selection? *Evol Hum Behav*, *27*, 85-103.

Hitsch, G. J., Hortaçsu, A., & Ariely, D. (2006). What makes you click? Mate preferences and matching outcomes in online dating. MIT Sloan Research Paper no. 4603-06.

Sorokowski, P. (2006). Do men prefer blondes? The influence of hair colour on the perception of age and attractiveness of women. *Studia Psychologiczne*, *44*(3), 77-88.

Bry, C., Follenfant, A., & Meyer, T. (2007). Blonde like me: When self-construals moderate stereotype priming effects on intellectual performance. *J Exp Soc Psychol*, *44*(3), 751-57.

Hebben lange mannen knappere vriendinnen?

Pawlowski, B., Dunbar, R. I., & Lipowicz, A. (2000). Tall men have more reproductive success. *Nature, 403*(6766), 156.

Nettle, D. (2002). Height and reproductive success in a cohort of British men. *Hum Nature, 13*, 473-91.

Nettle, D. (2002). Women's height, reproductive success, and the evolution of sexual dimorphism in modern humans. *Proc Biol Sci, 269*, 1919-23.

Pawlowski, B., & Jasieńska, G. (2005). Women's preferences for sexual dimorphism in height depend on menstrual cycle phase and expected duration of relationship. *Biol Psychol, 70*(1), 38-43.

Hitsch, G. J., Hortaçsu, Ali, & Ariely, Dan (2006). What makes you click? Mate preferences and matching outcomes in online dating. MIT Sloan Research Paper no. 4603-06.

Waarom zijn hoge hakken sexy?

Pokrywka, L., Cabric, M., e.a. (2006). Body mass index and waist:hip ratio are not enough to characterize female attractiveness. *Perception, 35*(12), 1693-97.

Swami, V., Einon, D., e.a. (2006). The leg-to-body ratio as a human aesthetic criterion. *Body Image, 3*(4), 317-23.

Sorokowski, P., & Pawlowski, B. (2008). Adaptive preferences for leg length in a potential partner. *Evol Hum Behav, 29*(2), 86-91.

Wat wil je 'wiegel' in je manier van lopen zeggen?

Johnson, K. L., & Tassinary, L. G. (2007). Compatibility of basic social perceptions determines perceived attractiveness. *Proc Natl Acad Sci U S A, 104*(12), 5246-51.

Provost, M. P., Quinsey, V. L., & Troje, N. F. (2007). Differences in gait across the menstrual cycle and their attractiveness to men. *Arch Sex Behav.*

Provost, M. P., Troke, N., & Quinsey, V. (2008). Short-term mating strategies and attraction to masculinity in point-light walkers. *Evol Hum Behav, 29*, 65-69.

Waarom zijn rondingen sexy?

Singh, D. (1993). Adaptive significance of female physical attractiveness: Role of waist-to-hip ratio. *J Pers Soc Psychol, 65*(2), 293-307.

Singh, D. (1994). Ideal female body shape: Role of body weight and waist-to-hip ratio. *Int J Eat Disord, 16*(3), 283-88.

Singh, D. (1994). Waist-to-hip ratio and judgment of attractiveness and healthiness of female figures by male and female physicians. *Int J Obes Relat Metab Disord*, *18*(11), 731-37.

Singh, D. (2002). Female mate value at a glance: Relationship of waist-to-hip ratio to health, fecundity and attractiveness. *Neuro Endocrinol Lett*, *23 Suppl 4*, 81-91.

Jasieńska, G., Ziomkiewicz, A., Ellison, P. T., Lipson, S. F., & Thune, I. (2004). Large breasts and narrow waists indicate high reproductive potential in women. *Proc Biol Sci*, *271*(1545), 1213-17.

Lassek, W. D., & Gaulin, S. J. (2008). Waist-hip ratio and cognitive ability: Is gluteofemoral fat a privileged store of neurodevelopmental resources? *Evol Hum Behav*, *29*(2), 26-34.

Waarom houden mannen van grote borsten?

Morris, D. (1967). *The Naked Ape: A Zoologist's Study of the Human Animal.* New York: Bantam Books.

Cant, J. (1981). Hypothesis for the evolution of human breasts and buttocks. *The American Naturalist*, *117*(2), 199-204.

Møller, A. P., Soler, M., & Thornhill, R. (1995). Breast asymmetry, sexual selection and human reproductive success. *Ethol Sociobiol*, *16*, 207-19.

Jasieńska, G., Ziomkiewicz, A., Ellison, P. T., Lipson, S. F., & Thune, I. (2004). Large breasts and narrow waists indicate high reproductive potential in women. *Proc Biol Sci*, *271*(1545), 1213-17.

Scutt, D., Lancaster, G. A., & Manning, J. T. (2006). Breast asymmetry and predisposition to breast cancer. *Breast Cancer Res*, *8*(2), R14.

Waarom hebben vrouwen het gevoel dat ze per se broodmager moeten zijn?

Singh, D. (1993). Adaptive significance of female physical attractiveness: Role of waist-to-hip ratio. J *Pers Soc Psychol*, *65*(2), 293-307.

Singh, D. (1994). Ideal female body shape: Role of body weight and waist-to-hip ratio. *Int J Eat Disord*, *16*(3), 283-88.

Singh, D. (1994). Waist-to-hip ratio and judgment of attractiveness and healthiness of female figures by male and female physicians. *Int J Obes Relat Metab Disord*, *18*(11), 731-37.

Singh, D. (1994). Body fat distribution and perception of desirable female body

shape by young black men and women. *Int J Eat Disord*, *16*(3), 289-94.
Singh, D. (1995). Female judgment of male attractiveness and desirability for relationships: Role of waist-to-hip ratio and financial status. *J Pers Soc Psychol*, *69*(6), 1089-1101.
Etcoff, N. (1999). *Survival of the Prettiest.* New York: Doubleday.
Tovée, M. J., Maisey, D. S., Emery, J. L., & Cornelissen, P. L. (1999). Visual cues to female physical attractiveness. *Proc Biol Sci*, *266*(1415), 211-18.
Pope, H. G., Jr., Gruber, A., e.a. (2000). Body image perception among men in three countries. *Am J Psych*, *157*(8), 1297-1301.
Singh, D. (2002). Female mate value at a glance: Relationship of waist-to-hip ratio to health, fecundity and attractiveness. *Neuro Endocrinol Lett*, *23 Suppl 4*, 81-91.
Frederick, D. A., Fessler, D. M., & Haselton, M. G. (2005). Do representations of male muscularity differ in men's and women's magazines? *Body Image*, *2*(1), 81-86.
Swami, V., & Tovée, M. J. (2005). Female physical attractiveness in Britain and Malaysia. *Body Image*, *2*, 115-28.
Swami, V., & Tovée, M. J. (2006). Does hunger influence judgments of female physical attractiveness? *Br J Psychol*, *97*(Pt 3), 353-63.
Swami, V., & Tovée, M. J. (2007). Perceptions of female body weight and shape among indigenous and urban Europeans. *Scand J Psychol*, *48*(1), 43-50.

Waarom hebben mannen het gevoel dat ze per se gespierd moeten zijn?
Frederick, D. A., Fessler, D. M., & Haselton, M. G. (2005). Do representations of male muscularity differ in men's and women's magazines? *Body Image*, *2*(1), 81-86.
Yang, C. F., Gray, P., & Pope, H. G., Jr. (2005). Male body image in Taiwan versus the West: Yanggang Zhiqi meets the Adonis complex. *Am J Psychiatry*, *162*(2), 263-69.
Frederick, D. A., & Haselton, M. G. (2007). Why is muscularity sexy?: tests of the fitness indicator hypothesis. *Pers Soc Psychol/Bull 33*(8), *1167-83*.

Waarom houden hongerige mannen meer van zwaardere vrouwen?
Pettijohn, T. F., II, & Jungeberg, B. J. (2004). *Playboy Playmate* curves: changes in facial and body feature preferences across social and ecocomic conditions. *Pers Soc Psychol/Bull*, *30*(9), 1186-97.

Nelson, L. D., & Morrison, E. L. (2005). The symptoms of resource scarcity: judgments of food and finances influence preferences for potential partners. *Psychol Sci*, *16*(2), 167-73.

Swami, V., & Tovée, M. J. (2006). Does hunger influence judgments of female physical attractiveness? *Br J Psychol*, *97*(Pt 3), 353-63.

Little, A. C., Cohen, D. L., & Jones, B. C. (2007). Human preferences for facial masculinity change with relationship type and environmental harshness. *Behav Evol Sociobiol*, *61*, 967-73.

Swami, V., Greven, C., & Furnham, A. (2007). More than fust skin-deep? A pilot study integrating physical and non-physical factors in the perception of physical attractiveness. *Pers Individ Dif*, *42*, 563-72.

Waarom zouden zo veel mannen willen dat ze en grotere penis hadden?

Ponchietti, R., Mondaini, N., Bonafe, M., Di Loro, F., Biscioni, S., & Masieri, L. (2001). Penile length and circumference: A study on 3.300 young Italian males. *Eur Urol*, *39*(2), 183-86.

Francken, A. B., van de Wiel, H. B., van Driel, M. F., & Weijmar Schultz, W. C. (2002). What importance do women attribute to the size of the penis? *Eur Urol*, *42*(5), 426-31.

Lever, J., Frederick, D. A., e.a. (2006). Does size matter? Men's and women's views on penis size across the lifespan. *Psychol Men & Mascul*, *7*(3), 129-43.

Gaan mannen met grotere geslachtsdelen eerder vreemd?

Simmons, L. W., Firman, R. C., e.a. (2004). Human sperm competition: Testis size, sperm production, and rates of extrapair competition. *Anim Behav*, *68*, 297-302.

Wat is het nut van schaamhaar?

Harris Interactive (2006). Vagisil Women's Health Center Survey. Feb 2-6.

AskMen.com. Great Males Survey (2005). Retrieved April 20, 2008, from http://www.askmen.com/media-kit/survey/survey-index.html.

Waarom zijn er dagen waarop mannen zich bijzonder tot je aangetrokken lijken te voelen?

Bullivant, S. B., Sellergren, S. A., Stern, K., Spencer, N. A., Jacob, S., Mennella, J. A., e.a. (2004). Women's sexual experience during the menstrual cycle: Identification of the sexual phase by noninvasive measurement of luteinizing hormone. *J Sex Res*, *41*(1), 82-93.

Roberts, S. C., Havlíček, J., Flegr, J., Hruskova, M., Little, A. C., Jones, B. C., e.a. (2004). Female facial attractiveness increases during the fertile phase of the menstrual cycle. *Proc Biol Sci*, *271 Suppl 5*, S270-72.

Jones, B. C., Perrett, D. I., Little, A. C., Boothroyd, L., Cornwell, R. E., Feinberg, D. R., e.a. (2005). Menstrual cycle, pregnancy and oral contraceptive use alter attraction to apparent health in faces. *Proc Biol Sci*, *272*(1561), 347-54.

Gizewski, E. R., Krause, E., Karama, S., Baars, A., Senf, W., & Forsting, M. (2006). There are differences in cerebral activation between females in distinct menstrual phases during viewing of erotic stimuli: A fMRI study. *Exp Brain Res*, *174*(1), 101-8.

Smith, M. J., Perrett, D. I., Jones, B. C., Cornwell, R. E., Moore, F. R., Feinberg, D. R., e.a. (2006). Facial appearance is a cue to oestrogen levels in women. *Proc Biol Sci*, *273*(1583), 135-40.

Haselton, M. G. (2007). Male sexual attractiveness predicts differential ovulatory shifts in female extra-pair attraction and male mate retention. *Evol Hum Behav*, *27*, 247-58.

Miller, G. F., Tybur, J. M., & Jordan, B. D. (2007). Ovulatory cycle effects on tip earnings by lap dancers: Economic evidence for human estrus? *Evol Hum Behav* *28*(6), 375-81.

Waarom voel je je soms tot een macho aangetrokken, ook al is hij niet je type?

Little, A. C., Jones, B. C., Penton-Voak, I. S., Burt, D. M., & Perrett, D. I. (2002). Partnership status and the temporal context of relationships influence human female preferences for sexual dimorphism in male face shape. *Proc Biol Sci*, *269*(1496), 1095-1100.

Gangestad, S. W., Simpson, J. A., Cousins, A. J., Garver-Apgar, C. E., & Christensen, P. N. (2004). Women's preferences for male behavioral displays change across the menstrual cycle. *Psychol Sci*, *15*(3), 203-7.

Havlíček, J., Roberts, S. C., & Flegr, J. (2005). Women's preference for dominant male odour: Effects of menstrual cycle and relationship status. *Biol Lett, 1*(3), 256-59.

Cornwell, R. E., Law Smith, M. J., Boothroyd, L. G., Moore, F. R., Davis, H. P., Stirrat, M., e.a. (2006). Reproductive strategy, sexual development and attraction to facial characteristics. *Philos Trans R Soc Lond B Biol Sci, 361*(1476), 2143-54.

Pillsworth, E. G., & Haselton, M. G. (2006). Male sexual attractiveness predicts differential ovulatory shifts in extra-pair attraction and male mate retention. *Evol Hum Behav, 27*, 247-58.

Gangestad, S. W., Garver-Apgar, C. E., Simpson, J. A., & Cousins, A. J. (2007). Changes in women's mate preferences across the ovulatory *cycle. J Pers Soc Psychol, 92*(1), 151-63.

Little, A. C., & Perrett, D. I. (2007). Using composite images to assess accuracy in personality attribution to faces. *Br J Psychol, 98*(Pt 1), 111-26.

Roney, J. R., & Simmons, Z. L. (2008). Women's estradiol predicts preference for facial cues of men's testosterone. *Horm Behav, 53*(1), 14-19.

Waarom worden mensen niet bronstig, zoals andere dieren?

Hrdy, S. B. (1977). Infanticide as a primate reproductive strategy. *Am Sci, 65*(1), 40-49.

Alexander, R. D., & Noonan, K. (1979). Concealment of ovulation, parental care, and human social evolution. In N. A. Chagnon & W. Irons (Eds.), *Evolutionary Biology and Human Social Behavior*, 436-53. North Scituate, MA: Duxbury.

Hrdy, S. B. (1990). Sex bias in nature and in history. *Yearbook of Physical Anthropology, 33*, 25-37.

Diamond, J. (1997). *Why Is Sex Fun? The Evolution of Human Sexuality.* New York: Basic Books.

Sillén-Tullberg, B., & Møller, A. (1993). The relationship between concealed ovulation and mating systems in anthropoid primaten. *Am Nat, 141*, 1-25.

Hoe beïnvloeden de seizoenen je seksleven?

Eriksson, A. W., & Fellman, J. (2000). Seasonal variation of livebirths, stillbirths, extramarital births and twin maternities in Switzerland. *Twin Res, 3*(4), 189-201.

Andersson, A. M., Carlsen, E., Petersen, J. H., & Skakkebaek, N. E. (2003). Variation in levels of serum inhibin B, testosterone, estradiol, luteinizing hormone, follicle-stimulating hormone, and sex hormonebinding globulin in monthly samples from healthy men during a 17-month period: Possible effects of seasons. *J Clin Endocrinol Metab*, *88*(2), 932-37.

James, M. (2005). Summertime mystery: More born, fewer die in August. Gelezen 3 maart, 2008, op
http://abcnews.go.com/Health/Science/story?id=945911.

van Anders, S. M., Hampson, E., & Watson, N. V. (2006). Seasonality, waist-to-hip ratio, and salivary testosterone. *Psychoneuroendocrinology*, *31*(7), 895-99.

Macdowall W., & Wellings, K. (2008). Summer nights: A review of the evidence of seasonal variations in sexual health indications among young people. *Health Ed*, *108*(1), 40-53.

Wat zegt iemands vingerratio over die persoon?

Manning, J. T., Scutt, D., Wilson, J., & Lewis-Jones, D. I. (1998). The ratio of 2nd to 4th digit length: A predictor of sperm numbers and concentrations of testosterone, luteinizing hormone and oestrogen. *Hum Reprod*, *13*(11), 3000-3004.

Manning, J. T., Barley, L., Walton, J., Lewis-Jones, D. I., Trivers, R. L., Singh, D., e.a. (2000). The 2nd: 4th digit ratio, sexual dimorphism, population differences, and reproductive success: Evidence for sexually antagonistic genes? *Evol Hum Behav*, *21*(3), 163-83.

Manning, J. T. (2002). The ratio of 2nd to 4th digit length and performance in skiing. *J Sports Med Phys Fitness*, *42*(4), 446-50.

Fink, B., Neave, N., & Manning, J. T. (2003). Second to fourth digit ratio, body mass index, waist-to-hip ratio, and waist-to-chest ratio: Their relationships in heterosexual men and women. *Ann Hum Biol*, *30*(6), 728-38.

Fink, B., Grammer, K., Mitteroecker, P., Gunz, P., Schaefer, K., Bookstein, F. L., e.a. (2005). Second to fourth digit ratio and face shape. *Proc Biol Sci*, *272*(1576), 1995-2001.

Manning, J. T., Fink, B., Neave, N., & Caswell, N. (2005). Photocopies yield lower digit ratios (2D:4D) than direct finger measurements. *Arch Sex Behav*, *34*(3), 329-33.

Honekopp, J., Manning, J. T., & Muller, C. (2006). Digit ratio (2D:4D) and phy-

sical fitness in males and females: Evidence for effects of prenatal androgens on sexually selected traits. *Horm Behav*, 49(4), 545-49.
Honekopp, J., Voracek, M., & Manning, J. T. (2006). 2nd to 4th digit ratio (2D:4D) and number of sex partners: Evidence for effects of prenatal testosterone in men. *Psychoneuroendocrinology*, 31(1), 30-37.
Kraemer, B., Noll, T., Delsignore, A., Milos, G., Schnyder, U., & Hepp, U. (2006). Fingerlength ratio (2D:4D) and dimensions of sexual orientation. *Neuropsychobiology*, 53(4), 210-14.
Manning, J. T., Morris, L., & Caswell, N. (2007). Endurance running and digit ratio (2D:4D): Implications for fetal testosterone effects on running speed and vascular health. *Am J Hum Biol*, 19(3), 416-21.
Peters, M., Manning, J. T., & Reimers, S. (2007). The effects of sex, sexual orientation, and digit ratio (2D:4D) on mental rotation performance. *Arch Sex Behav*, 36(2), 251-60.

Waarom verliezen mannen hun oordeelsvermogen en kunnen ze geen beslissingen meer nemen als ze mooie vrouwen zien?

Wilson, M., & Daly, M. (2004). Do pretty women inspire men to discount the future? *Proc Biol Sci*, *271 Suppl 4*, S177-79.
Ariely, D., & Lowenstein, G. (2006). The heat of the moment: The effect of sexual arousal on sexual decision making. *J Behav Decis Making*, 19(2), 87-98.
Van den Bergh, B., & Dewitte, S. (2006). Digit ratio (2D:4D) moderates the impact of sexual cues on men's decisions in ultimatum games. *Proc Biol Sci*, 273(1597), 2091-95.

Waarom vindt men je aantrekkelijker als je iets gevaarlijks of opwindends doet?

Dutton, D. G., & Aron, A. P. (1974). Some evidence for heightened sexual attraction under conditions of high anxiety. *J Pers Soc Psychol*, 30(4), 510-17.
Meston, C. M., & Frohlich, P. F. (2003). Love at first fright: Partner salience moderates roller-coaster-induced excitation transfer. *Arch Sex Behav*, 32(6), 537-44.

Waarom vind je een man leuker en vertrouw je hem meer als je intiem met hem bent geweest (ook al hebben jullie alleen maar geknuffeld)?

Young, L. J., & Wang, Z. (2004). The neurobiology of pair bonding. *Nat Neurosci*, 7(10), 1048-54.

Grewen, K. M., Girdler, S. S., Amico, J., & Light, K. C. (2005). Effects of partner support on resting oxytocin, cortisol, norepinephrine, and blood pressure before and after warm partner contact. *Psychosom Med, 67*(4), 531-38.

Kosfeld, M., Heinrichs, M., Zak, P. J., Fischbacher, U., & Fehr, E. (2005). Oxytocin increases trust in humans. *Nature, 435*(7042), 673-76.

Fisher, H. E., Aron, A., & Brown, L. L. (2006). Romantic love: A mammalian brain system for mate choice. *Philos Trans R Soc Lond B Biol Sci, 361*(1476), 2173-86.

Waarom worden mannen relaxter als ze een relatie hebben?

Mazur, A. (1995). Biosocial models of deviant behaviour among male army veterans. *Biol Psychol, 41*(3), 271-93.

Mazur, A., & Booth, A. (1998). Testosterone and dominance in men. *Behav Brain Sci, 21*(3), 353-63; discussion 363-97.

Storey, A. E., Walsh, C. J., Quinton, R. L., & Wynne-Edwards, K. E. (2000). Hormonal correlates of paternal responsiveness in new and expectant fathers. *Evol Hum Behav, 21*(2), 79-95.

Burnham, T. C., Chapman, J. F., Gray, P. B., McIntyre, M. H., Lipson, S. F., & Ellison, P. T. (2003). Men in committed, romantic relationships have lower testosterone. *Horm Behav, 44*(2), 119-22.

Gray, P. B. (2003). Marriage, parenting, and testosterone variation among Kenyan Swahili men. *Am J Phys Anthropol, 122*(3), 279-86.

Gray, P. B., Campbell, B. C., Marlowe, F. W., Lipson, S. F., & Ellison, P. T. (2004). Social variables predict between-subject but not day-to-day variation in the testosterone of US men. *Psychoneuroendocrinology, 29*(9), 1153-62.

Gray, P. B., Yang, C. F., & Pope, H. G., Jr. (2006). Fathers have lower salivary testosterone levels than unmarried men and married non-fathers in Beijing, China. *Proc Biol Sci, 273*(1584), 333-39.

McIntyre, M., Gangestad, S. W., Gray, P. B., Chapman, J. F., Burnham, T. C., O'Rourke, M. T., e.a. (2006). Romantic involvement often reduces men's testosterone levels but not always: The moderating role of extrapair sexual interest. *J Pers Soc Psychol, 91*(4), 642-51.

Wanneer voel je je het meest toegewijd aan je partner?

Fisher, M. L. (2004). Female intrasexual competition decreases female facial attractiveness. *Proc Biol Sci, 271 Suppl 5*, S283-85.

DeBruine, L. M., Jones, B. C., e.a. (2005). Women's attractiveness judgments of self-resembling faces change across the menstrual cycle. *Horm Behav*, *47*(4), 379-83.

Jones, B. C., Little, A. C., Boothroyd, L., DeBruine, L. M., Feinberg, D. R., Smith, M. J., e.a. (2005). Commitment to relationships and preferences for femininity and apparent health in faces are strongest on days of the menstrual cycle when progesterone level is high. *Horm Behav*, *48*(3), 283-90.

6 TEKENS EN SIGNALEN

Wat voor lichaamstaal gebruiken vrouwen om belangstelling uit te drukken?

Moore, M. M. (1985). Nonverbal courtship patterns in women: Rejection signaling. *Semiotica*, *118* (3/4), 201-14.

Moore, M. M. (1985). Nonverbal courtship patterns in women: Context and consequences. *Ethol Sociobiol*, *6*, 236-46.

Wat is het sterkste signaal dat je kunt gebruiken om iemands aandacht te trekken?

Strack, F., Martin, L. L., & Stepper, S. (1988). Inhibiting and facilitating conditions of the human smile: A nonobtrusive test of the facial feedback hypothesis. *J Pers Soc Psychol*, *54*(5), 768-77.

Dabbs, J. M., Jr. (1997). Testosterone, smiling, and facial appearance. *J Nonverbal Behav*, *21*(1), 45-55.

Adams, R. B., Jr., & Kleck, R. E. (2003). Perceived gaze direction and the processing of facial displays of emotion. *Psychol Sci*, *14*(6), 644-47.

Jones, B. C., DeBruine, L. M., Little, A. C. (2006). Integrating gaze direction and expression in preference for attractive faces. *Psychol Sci*, *17*(7), 588-91.

Winston, J. S., O'Doherty, J., Kilner, J. M., Perrett, D. I., & Dolan, R. J. (2007). Brain systems for assessing facial attractiveness. *Neuropsychologia*, *45*(1), 195-206.

Conway, C. A., Jones, B. C., DeBruine, L. M. (2008). Evidence for adaptive design in human gaze preference. *Proc Biol Sci*, *275*(1630), 63-69.

Wat maakt een glimlach aantrekkelijk?

Strack, F., Martin, L. L., & Stepper, S. (1988). Inhibiting and facilitating conditions of the human smile: A nonobtrusive test of the facial feedback hypothesis. *J Pers Soc Psychol*, *54*(5), 768-77.

Frank, M. G., Ekman, P., & Friesen, W. V. (1993). Behavioral markers and recognizability of the smile of enjoyment, *J Pers Soc Psychol*, *64*(1), 83-93.
Dabbs, J. M., Jr. (1997). Testosterone, smiling, and facial appearance. *J Nonverbal Behav*, *21*(1), 45-55.

Waarom denken mannen dat je op ze valt terwijl je alleen maar aardig doet?
Abbey, A. (1987). Misperceptions of friendly behavior as sexual interest. *J Pers Soc Psychol*, *42*, 830-38.
Haselton, M. G., & Buss, D. M. (2000). Error management theory: A new perspective on biases in cross-sex mind reading. *J Pers Soc Psychol*, *78*(1), 81-91.
Haselton, M. G. (2003). The sexual overperception bias: Evidence of a systematic bias in men from a survey of naturally occurring events. J Res *Pers*, *37*, 34-47.
Henningsen, D. (2004). Flirting with meaning: An examination of miscommunication in flirting interactions. *Sex Roles*, *50*(7/8), 481-99.
Hamann, S., Herman, R. A., Nolan, C. L., & Wallen, K. (2004). Men and women differ in amygdala response to visual sexual stimuli. *Nat Neurosci*, *7*(4), 411-16.
Levesque, M. (2006). Toward an understanding of gender differences in inferring sexual interest. *Psychol Women Quart*, *30*, 150-58.

Wat voor lichaamstaal gebruiken mannen om je aandacht te trekken?
Renninger, L., Wade, J., & Grammer, K. (2004). Getting that female glance: Patterns and consequences of male nonverbal behavior in courtship consequences. *Evol Human Behav* *25*(6), 416-31.

Hoe overredend is een aanraking?
Chapell, M. S., Beltran, W., Santanello, M., Takahashi, M., Bantom, S. R., Donovan, J. S., e.a. (1999). Men and women holding hands: II. Whose hand is uppermost? *Percept Mot Skills*, *89*(2), 537-49.
Guéguen, N. (2007). Courtship compliance: The effect of touch on women's behavior. *Soc Influence*, *2*, 81-97.

Wat schuilt er achter de versierbabbels waar mannen mee komen?
Bale, C., & Morrison, R. (2006). Chat-up lines as male sexual displays. *Pers Indiv Dif*, *40*, 655-64.

Cooper, M., O'Donnell, D. O., e.a. (2007). Chat-up lines as male displays: Effects of content, sex, and personality. *Pers Indiv Dif; 43*, 1075-85.

Waarom is blozen sexy?

Shields, S., Mallory, M. E., e.a. (1990). The experience and symptoms of blushing as a function of age and reported frequency of blushing. *J Nonverbal Behav, 14*(3), 171-87.

Changizi, M. A., Zhang, Q., & Shimojo, S. (2006). Bare skin, blood and the evolution of primate colour vision. *Biol Lett, 2*(2), 217-21.

Waarom vinden mensen je aardiger als je ze nabootst?

Chartrand, T. L., & Bargh, J. A. (1999). The chameleon effect: The perception-behavior link and social interaction. *J Pers Soc Psychol, 76*(6), 893-910.

Neumann, R., & Strack, F. (2000). "Mood contagion": The automatic transfer of mood between persons. *J Pers Soc Psychol, 79*(2), 211-23.

Cheng, C. M., & Chartrand, T. L. (2003). Self-monitoring without awareness: Using mimicry as a nonconscious affiliation strategy. *J Pers Soc Psychol, 85*(6), 1170-79.

Lakin, J. L., & Chartrand, T. L. (2003). Using nonconscious behavioral mimicry to create affiliation and rapport. *Psychol Sci, 14*(4), 334-39.

van Baaren, R. B., Holland, R. W., Kawakami, K., & van Knippenberg, A. (2004). Mimicry and prosocial behavior. *Psychol Sci, 15*(1), 71-74.

Lee, T. W., Josephs, o., Dolan, R. J., & Critchley, H. D. (2006). Imitating expressions: Emotion-specific neural substrates in facial mimicry. *Soc Cogn Affect Neurosci, 1*(2), 122-35.

Waarom buig je je hoofd naar rechts als je zoent?

Nicholls, M. E., Clode, D., Wood, S. J., & Wood, A. G. (1999). Laterality of expression in portraiture: Putting your best cheek forward. *Proc Biol Sci, 266*(1428), 1517-22.

Güntürkün, O. (2003). Human behaviour: Adult persistence of headturning asymmetry. *Nature, 421*(6924), 711.

Nicholls, M. E., Ellis, B. E., Clement, J. G., & Yoshino, M. (2004). Detecting hemifacial asymmetries in emotional expression with three-dimensional computerized image analysis. *Proc Biol Sci, 271*(1540), 663-68.

Barrett, D., Greenwood, J. G., & McCullagh, J. F. (2006). Kissing laterality and handedness. *Laterality, 11*(6), 573-79.

Waarom tongzoenen we?

Singh, D., & Bronstad, P. M. (2001). Female body odour is a potential cue to ovulation. *Proc Biol Sci, 268*(1469), 797-801.
Kimata, H. (2006). Kissing selectively decreases allergen-specific IgE production in atopic patients. *J Psychosom Res, 60*(5), 545-47.
Hughes, S. M., Harrison, M.A., & Gallup, G. G., Jr. (2007). Sex differences in romantic kissing among college students. *Evol Psychol, 5*(3), 612-31.

7 SEKS EN VERLEIDING

Waarom hebben mannen meer vluchtige seks?

Clarke, R., & Hatfield, E. (1989). Gender differences in receptivity to sexual offers. *J Psychol Human Sex, 2*, 39-55.
Buss, D. M., & Schmitt, D. P. (1993). Sexual strategies theory: An evolutionary perspective on human mating. *Psychol Rev, 100*(2), 204-32.
Schmitt, D. P., Alcalay, L., Allik, J., Ault, L., Austers, I., Bennett, K. L., e.a. (2003). Universal sex differences in the desire for sexual variety: Tests from 52 nations, 6 continente, and 13 islands. *J Pers Soc Psychol, 85*(1), 85-104.
Li, N. P., & Kenrick, D. T. (2006). Sex similarities and differences in preferences for short-term mates: What, whether, and why. *J Pers Soc Psychol, 90*(3), 468-89.

Waarom zijn er minder biseksuele mannen dan vrouwen?

Chivers, M. L., Rieger, G., Latty, E., & Bailey, J. M. (2004). A sex difference in the specificity of sexual arousal. *Psychol Sci, 15*(11), 736-44.
Rieger, G., Chivers, M. L., & Bailey, J. M. (2005). Sexual arousal patterns of bisexual men. *Psychol Sci, 16*(8), 579-84.
Lippa, R. A. (2006). Is high sex drive associated with increased sexual attraction to both sexes? It depends on whether you are male or female. *Psychol Sci, 17*(1), 46-52.
Lippa, R. A. (2007). The relation between sex drive and sexual attraction to men and women: A cross-national study of heterosexual, bisexual, and homosexual men and women. *Arch Sex Behav, 36*(2), 209-22.

Raken mannen meer opgewonden door porno dan vrouwen?

Wilson, G. D. (1987). Male-female differences in sexual activity, enjoyment, and fantasies. *J Pers Ind Dif; 8*(1), 125-27.

Holstege, G., Georgiadis, J. R., Paans, A. M., Meiners, L. C., van der Graaf, F. H., & Reinders, A. A. (2003). Brain activation during hu-man male ejaculation. *J Neurosci, 23*(27), 9185-93.

Canli, T., & Gabrieli, J. D. (2004). Imaging gender differences in sexual arousal. *Nat Neurosci, 7*(4), 325-26.

Chivers, M. L., Rieger, G., Latty, E., & Bailey, J. M. (2004). A sex difference in the specificity of sexual arousal. *Psychol Sci, 15*(11), 736-44.

Hamann, S., Herman, R. A., Nolan, C. L., & Wallen, K. (2004). Men and women differ in amygdala response to visual sexual stimuli. *Nat Neurosci, 7*(4), 411-16.

Khamai, R. (2006). Women become aroused as quickly as men. *New Scientist*; 2 October.

Kan een romantische film de juiste sfeer voor liefde scheppen?

Schultheiss, o. C., Wirth, M. M., & Stanton, S. J. (2004). Effects of affiliation and power motivation arousal on salivary progesterone and testosterone. *Horm Behav, 46*(5), 592-99.

Zijn goede dansers ook goed in bed?

Thornhill, R., & Gangestad, S. W. (1994). Human fluctuating asymmetry and sexual behavior. *Psychol Sci, 5*(3), 297-302.

Thornhill, R., Gangestad, S. W., & Comer, R. (1995). Human female orgasm and mate fluctuating asymmetry. *Anim Behav, 50*(6), 1601-1615.

Brown, W. M., Cronk, L., Grochow, K., Jacobson, A., Liu, C. K., Popovic, Z., e.a. (2005). Dance reveals symmetry especially in young men. *Nature, 438*(7071), *1148-50.*

Vinden vrouwen chocola lekkerder dan seks?

Salonia, A., Fabbri, F., Zanni, G., Scavini, M., Fantini, G. V., Briganti, A., e.a. (2006). Chocolate and women's sexual health: An intriguing correlation. *J Sex Med, 3*(3), 476-82.

Hoe beïnvloedt alcohol je seksleven?

Steele, C. M., & Josephs, R. A. (1990). Alcohol myopia: Its prized and dangerous effects. *Am Psychol, 45*(8), 921-33.

Lindman, R. E., Koskelainen, B., & Eriksson, C. J. P. (1999). Drinking, menstrual cycle, and female sexuality: A diary study. *Alcoholism, 23*(1), 169-73.

Kan sperma je gelukkiger maken?

Gallup, G. G., Jr., Burch, R. L., & Platek, S. M. (2002). Does semen have antidepressant propertjes? *Arch Sex Behav, 31*(3), 289-93.

Burch, R. L., & Gallup, G. (2006). *The Psychobiology of Human Semen.* New York: Cambridge University Press.

Waarom komen vrouwen klaar?

Thornhill, R., Gangestad, S. W., & Comer, R. (1995). Human female orgasm and mate fluctuating asymmetry. *Anim Behav, 50*(6), 1601-15.

Singh, D., Meyer, W., Zambarano, R. J., & Hurlbert, D. F. (1998). Frequency and timing of coital orgasm in women desirous of becoming pregnant. *Arch Sex Behav, 27*(1), 15-29.

Baker, R., & Bellis, M. (1993). Human sperm competition: Ejaculate adjustment by males and the function of masturbation. *Anim Behav, 46*(5), 861-85.

Zijn orgasmes genetisch bepaald?

Dawood, K., Kirk, K. M., Bailey, J. M., Andrews, P. W., & Martin, N. G. (2005). Genetic and environmental influences on the frequency of orgasm in women. *Twin Res Hum Genet, 8*(1), 27-33.

Bereiken vrouwen echt hun seksuele piek als ze in de dertig zijn?

Baumeister, R. F. (2000). Gender differences in erotic plasticity: The female sex drive as socially flexible and responsive. *Psychol Bull, 126*(3), 347-74; discussion 347-89.

Schmitt, D. P., Shackelford, T. K., & Buss, D. (2002). Is there an early-30s peak in female sexual desire? Cross-sectional evidence from the United States and Canada. *Can J Hum Sex, 11*(1), 1-18.

Waarom geeft gemeenschap meer bevrediging dan masturbatie?

Komisaruk, B. R., & Whipple, B. (1998). Love as sensory stimulation: Physiological consequences of its deprivation and expression. *Psychoneuroendocrinology, 23*(8), 927-44.

Komisaruk, B. R., Whipple, B., Crawford, A., Liu, W. C., Kalnin, A., & Mosier, K. (2004). Brain activation during vaginocervical self-stimulation and orgasm in women with complete spinal cord injury: fMRI evidence of mediation by the vagus nerves. *Brain Res, 1024*(1-2), 77-88.

Brody, S. (2006). Blood pressure reactivity to stress is better for people who recently had penile-vaginal intercourse than for people who had other or no sexual activity. *Biol Psychol, 71*(2), 214-22.

Brody, S., & Kruger, T. H. (2006). The post-orgasmic prolactin increase following intercourse is greater than following masturbation and suggests greater satiety. *Biol Psychol, 71*(3), 312-15.

Ervaren mannen en vrouwen een orgasme op dezelfde manier?

Vance, E. B., & Wagner, N. N. (1976). Written descriptions of orgasm: A study of sex differences. *Arch Sex Behav, 5*(1), 87-98.

Bolen, J. G. (1980). The male orgasm: Pelvic contractions measured by anal probe. *Arch Sex Behav, 9(6)*, 508-21.

Mah, K., & Binik, Y. M. (2001). The nature of human orgasm: A critical review of major trends. *Clin Psychol Rev, 21*(6), 823-56.

Komisaruk, B. R., Whipple, B., Crawford, A., Liu, W. C., Kalnin, A., & Mosier, K. (2004). Brain activation during vaginocervical self-stimulation and orgasm in women with complete spinal cord in-jury: fMRI evidence of mediation by the vagus nerves. *Brain Res, 1024*(1-2), 77-88.

Holstege, G., Georgiadis, J. R., Paans, A. M., Meiners, L. C., van der Graaf, F. H., & Reinders, A. A. (2003). Brain activation during human male ejaculation. *J Neurosci, 23*(27), 9185-93.

Bianchi-Demicheli, F., & Ortigue, S. (2007). Toward an understanding of the cerebral substraten of woman's orgasm. *Neuropsychologia, 45*(12), 2645-59.

Ortigue, S., Grafton, S. T., & Bianchi-Demicheli, F. (2007). Correlation between insula activation and self-reported quality of orgasm in women. *Neuroimage, 37*(2), 551-60.

Waarom masturberen mensen met een bevredigend seksleven nog?

Janus, S., & Janus, C. (1993). *The Janus Report on Sexual Behavior.* New York: Wiley.

Baker, R., & Bellis, M. (1993). Human sperm competition: Ejaculate adjustment by males and the function of masturbation. *Anim Behav 46*(5), 861-85.

Das, A. (2007). Masturbation in the United States. *J Sex Marital Ther, 33*(4), 301-17.

Waarom voel je je niet seksueel aangetrokken tot mensen met wie je bent opgegroeid?

Shepher, J. (1971). Mate selection among second generation kibbutz adolescents and adults: Incest avoidance and negative imprinting. *Arch Sex Behav, 1*, 293-307.

Wolf, A. P. (1995). *Sexual Attraction and Childhood Association: A Chinese Brief for Edward Westermarck.* Stanford, CA: Stanford Univ Press.

Lieberman, D., Tooby, J., & Cosmides, L. (2003). Does morality have a biological basis? An empirical test of the factors governing moral sentiments relating to incest. *Proc Biol Sci, 270*(1517), 819-26.

Lieberman, D., Tooby, J., & Cosmides, L. (2007). The architecture of human kin detection. *Nature, 445*(7129), 727-31.

8 HOE WE DENKEN ALS WE DATEN

Wat vinden vrouwen en mannen belangrijk in een partner?

Buss, D. M. (1989). Sex differences in human mate preferences: Evolutionary hypotheses tested in 37 cultures. *Behav Brain Sci, 12*, 1-49.

Buss, D. M. (2000). Desires in human mating. *Ann N Y Acad Sci, 907*, 39-49.

Buss, D. M., & Shackelford, T. K. (2008). Attractive women want it all: Good genes, economic investment, parenting proclivities, and emotional commitment. *Evol Psychol, 6*(1), 134-46.

McNulty, J. K., Neff, L. A., & Karney, B. R. (2008). Beyond initial attraction: Physical attractiveness in newlywed marriage. *J Fam Psych, 22*(1); 135-43.

Pawlowski, B., & Jasieńska, G. (2008). Women's body morphology and preference for sexual partners' characteristics. *Evol Hum Behav, 29*(1), 19-25.

Wat voor geheime voorkeuren kunnen we opmaken uit gegevens van datingsites?
Hitsch, G. J., Hortaçsu, A., & Ariely, D. (2006). What makes you click? Mate preferences and matching outcomes in online dating. MIT Sloan Research Paper no. 4603-6.
Fisman, R., Iyengar, S., Kamenica, E., & Simonson, I. (2006). Racial preference in dating: Evidence from a speed dating experience. Working paper; Columbia Business School.
Hancock, J., Toma, C., e.a. (2007). The truth about lying in online dating profiles. *Computer/Human Interaction*; May.

Waarom zouden alleenstaande mannen meer uitgeven en alleenstaande vrouwen meer vrijwilligerswerk doen?
Roney, J. R. (2003). Effects of visual exposure to the opposite sex: Cognitive aspects of mate attraction in human males. *Pers Soc Psychol Bull*, *29*(3), 393-404.
Griskevicius, V., Tybur, J. M., Sundie, J. M., Cialdini, R. B., Miller, G. F., & Kenrick, D. T. (2007). Blatant benevolence and conspicuous consumption: When romantic motives elicit strategic costly signals. *J Pers Soc Psychol*, *93*(1), 85-102.
Haselton, M. G., Buss, D. M., Oubaid, V., & Angleitner, A. (2005). Sex, lies, and strategic interference: The psychology of deception between the sexes. *Pers Soc Psychol Bull*, *31*(1), 3-23.

Waarom geven mannen vrouwen luxe etentjes en vakanties in plaats van nuttige cadeaus?
Sozou, P. D., & Seymour, R. M. (2005). Costly but worthless gifts facilitate courtship. *Proc Biol Sci*, *272*(1575), 1877-84.

Waarom helpt creativiteit mannen aan een wip
Buss, D. M., & Barnes, M. (1986). Preferences in human mate selection. *J Pers Soc Psychol*, *50*(3), 559-80.
Miller, G. (2001). *The Mating Mind: How Sexual Choice Shaped the Evolution of Human Nature.* New York: Anchor.
Li, N. P., Bailey, J. M., Kenrick, D. T. (2002). The necessities and luxuries of mate preferences. *J Pers Soc Psychol*, *82*, 947-55.
Nettle, D., & Clegg, H. (2006). Schizotypy, creativity, and mating success in humans. *Proc Biol Sci*, *97*(P 2), 177-90.

Anderson, K. G. (2006). How well does paternity confidence match actual paternity? Evidence from worldwide nonpaternity rates. *Curr Anthropol, 47*(3), 513-20.
Haselton, M. G. (2007). Male sexual attractiveness predicts differential ovulatory shifts in female extra-pair attraction and male mate retention. *Evol Hum Behav, 27*, 247-58.

Waarom zijn er niet meer mannelijke muzen?

Buss, D. M., & Barnes, M. (1986). Preferences in human mate selection. *J Pers Soc Psychol, 50*(3), 559-80.
Miller, G. (2001). *The Mating Mind: How Sexual Choice Shaped the Evolution of Human Nature.* New York: Anchor.
Griskevicius, V., Tybur, J. M., Sundie, J. M., Cialdini, R. B., Miller, G. F., & Kenrick, D. T. (2007). Blatant benevolence and conspicuous consumption: When romantic motives elicit strategic costly signals. *J Pers Soc Psychol, 93*(1), 85-102.

Waarom is humor zo opwindend?

Fraley, B., & Aron, A. (2004). The effect of a shared humorous experience on closeness in initial encounters. *Pers Relationship, 11*, 61-78.
Azim, E., Mobbs, D., Jo, B., Menon, V., & Reiss, A. L. (2005). Sex differences in brain activation elicited by humor. *Proc Natl Acad Sci U S A, 102*(45), 16496-501.
Bazzini, D., Stack, E., e.a. (2007). The effect of reminiscing about laughter on relationship satisfaction. *Motiv Emotion, 31*(1), 25-34.

Waarom voel je je meer aangetrokken tot kieskeurige mensen (en zij tot jou)?

Eastwick, P. W., Finkel, E. J., e.a. (2007). Selective versus unselective romantic desire: not all reciprocity is created equal. *Psychol Sci 18*(4), 317-19.
Jones, B. C., DeBruine, L. M., Little, A. C., Burriss, R. P., & Feinberg, D. R. (2007). Social transmission of face preferences among humans. *Proc Biol Sci, 274*(1611), 899-903.
Little, A. C., Burriss, R., e.a. (2008). Social influence in human face preference: Men and women are influenced more for long-term than short-term attractiveness decisions. *Evol Hum Behav, 29*(2), 140-46.

Waarom lijken mensen sexier wanneer anderen een oogje op hen hebben?

Brown, G. R., & Fawcett, T. W. (2005). Sexual selection: Copycat mating in birds. *Curr Biol, 15*(16), R626-28.

Swaddle, J. P., Cathey, M. G., Correll, M., & Hodkinson, B. P. (2005). Socially transmitted mate preferences in a monogamous bird: A non-genetic mechanism of sexual selection. *Proc Biol Sci, 272*(1567), 1053-58.

Jones, B. C., DeBruine, L. M., Little, A. C., Burriss, R. P., & Feinberg, D. R. (2007). Social transmission of face preferences among humans. *Proc Biol Sci, 274*(1611), 899-903.

Little, A. C., Burriss, R., e.a. (2008). Social influence in human face preference: Men and women are influenced more for long-term than short-term attractiveness decisions. *Evol Hum Behav, 29*(2), 140-46.

Houdt een man minder van je nadat hij naar (andere) mooie vrouwen heft gekeken?

Kenrick, D. T., & Gutierres, S. E. (1980). Contrast effects and judgments of physical attractiveness. *J Pers Soc Psychol, 38*, 131-41.

Kenrick, D. T., Gutierres, S., & Goldberg, L. (1989). Influence of popular erotica on judgments of strangers and mates. *J Exp Soc Psychol, 25*, 159-67.

Kenrick, D. T., Neuberg, S. L., Zierk, K. L., & Krones, J. M. (1994). Evolution and social cognition: Contrast effects as a function of sex, dominance, and physical attractiveness. *Pers Soc Psychol Bull, 20*, 210-17.

Kanazawa, S., & Still, M. C. (2000). Teaching may be hazardous to your marriage. *Evol Hum Behav, 21*(3), 185-90.

Mishra, S., Clark, A., & Daly, M. (2007). One woman's behavior affects the attractiveness of others. *Evol Hum Behav, 28*, 145-49.

Waarom moet je bij een eerste afspraakje niet alles over jezelf verklappen?

Gibbs, J., Ellison, N., & Heino, R. (2006). Self-presentation in online personals. *Commun Res, 33*(2), 152-77.

Norton, M. I., Frost, J. H., & Ariely, D. (2007). Less is more: The lure of ambiguity, or why familiarity breeds contempt. *J Pers Soc Psychol, 92*(1), 97-105.

Waarom overschat je je concurrenten?

Hill, S. E. (2007). Overestimation bias in mate competition. *Evol Hum Behav, 28*, 118-23.

Met hoeveel mensen moet je daten voordat je de 'ware' ontmoet?

Brooks, M. (2000). What's love got to do with it? *New Scientist.* Oct 28. Simão, J., & Todd, P. M. (2003). Emergent patterns of mate choice in human populations. *Artif Life*, 9(4), 403-17.

Todd, P. M. (2007). Coevolved cognitive mechanisms in mate search: Making decisions in a decision-shaped world. In J. P. Forgas, M. G. Haselton, & W. von Hippel (red.), *Evolution and the Social Mind: Evolutionary Psychology and Social Cognition.* New York: Psychology Press.

9 WAT LIEFDE MET HET BREIN DOET

Wat verandert er in je hersenen als je hartstochelijk verliefd bent?

Fisher, H., Aron, A., Mashek, D., Li, H., Strong, G., & Brown, L. L. (2002). The neural mechanisms of mate choice: A hypothesis. *Neuro Endocrinol Lett, 23 Suppl* 4, 92-97.

Marazziti, D., & Canale, D. (2004). Hormonal changes when falling in love. *Psychoneuroendocrinology*, 29(7), 931-36.

Aron, A., Fisher, H., Mashek, D. J., Strong, G., Li, H., & Brown, L. L.(2005). Reward, motivation, and emotion systems associated with early-stage intense romantic *love. J Neurophysiol*, 94, 327-37.

Fisher, H., Aron, A., & Brown, L. L. (2005). Romantic love: An fMRI study of a neural mechanism for mate choice. *J Comp Neurol*, 493(1), 58-62.

Fisher, H. E., Aron, A., & Brown, L. L. (2006). Romantic love: A mammalian brain system for mate choice. *Philos Trans R Soc Lond B Biol Sci*, 361(1476), 2173-86.

Fisher, H., & Thomson, J. A., Jr. (2006). "Lust, romance, attachment: Do the side effects of serotonin-enhancing antidepressants jeopardize romantic love, marriage, and fertility?" In Platek, S., Keenan, J., & Shackelford, T. (red.), *Evolutionary Cognitive Neuroscience.* Cambridge, MA: MIT Press.

Waarom vind je je partner zo geweldig, zelfs al vindt niemand anders dat?

Murray, S. L., Holmes, J. G., & Griffin, D. W. (1996). The self-fulfilling nature of positive illusions in romantic relationships: Love is not blind, but prescient. *J Pers Soc Psychol*, 71(6), 1155-80.

Gagne, F. M., & Lydon, J. E. (2004). Bias and accuracy in close relationships: An

integrative review. *Pers Soc Psychol Rev*, *8*(4), 322-38.
Geher, G., & Bloodworth, R. (2005). Motivational underpinnings of romantic partner perceptions. *J Soc Pers Relat*, *22*(2), 255-81.

Waarom ga je in de loop van de tijd steeds meer op je partner lijken?

Zajonc, R. B., Adelmann, P. K., e.a. (1987). Convergence in the physical appearance of spouses. *Motiv Emotion*, *11*(4), 335-46.

Maakt verliefdheid je blind voor je verliefdheid van anderen?

Aloni, M., & Bernieri, F. (2004). Is love blind? The effects of experience and infatuation in the perception of *love*. *J Nonverbal Behav*, *28*(4), 287-310.

Zijn mensen van nature monogaam?

Fisher, H. E., Aron, A., Mashek, D., Li, H., & Brown, L. L. (2002). Defining the brain systems of lust, romantic attraction, and attachment. *Arch Sex Behav*, *31*(5), 413-19.
Dupanloup, I., Pereira, L., Bertorelle, G., Calafell, F., Prata, M. J., Amorim, A., e.a. (2003). A recent shift from polygyny to monogamy in humans is suggested by the analysis of worldwide Y-chromosome diversity. *J Mol Evol*, *57*(1), 85-97.

Waarom versterkt afwezigheid de liefde van mannen?

Thornhill, R., Gangestad, S. W., & Comer, R. (1995). Human female orgasm and mate fluctuating asymmetry. Anim *Behav*, *50*(6), 1601-15.
Singh, D., Meyer, W., Zambarano, R. J., & Hurlbert, D. F. (1998). Frequency and timing of coital orgasm in women desirous of becoming pregnant. *Arch Sex Behav*, *27*(1), 15-29.
Shackelford, T. K. (2002). Psychological adaptation to human sperm competition. *Evol Hum Behav*, *23*, 123-38.
Baker, R., & Bellis, M. (1993). Human sperm competition: Ejaculate adjustment by males and the function of masturbation. *Anim Behav*, *46*(5), 861-85.
Shackelford, T. K., Goetz, A. T., McKibbin, W. F., & Starratt, V. G. (2007). Absence makes the adaptations grow fonder: Proportion of time apart from partner, male sexual psychology, and sperm competition in humans (*Homo sapiens*). *J Comp Psychol*, *121*(2), 214-20.
Buss, D. M., & Shackelford, T. K. (1997). From vigilance to violence: Mate reten-

tion tactics in married couples. *J Pers Soc Psychol, 72*(2), 346-61.
Buss, D. M. (2002). Human mate guarding. *Neuro Endocrinol Lett, 23 Suppl*, 4, 23-29.
Pietrzak, R., Laird, J. D., Stevens, D. A., & Thompson, N. S. (2002). Sex differences in human jealousy. *Evol Hum Behav, 23*, 83-94.
Pillsworth, E. G., Haselton, M. G., & Buss, D. M. (2004). Ovulatory shifts in female sexual desire. *J Sex Res, 41*(1), 55-65.
Kilgallon, S. J., & Simmons, L. (2005). Image content influences men's semen quality. *Biol Lett, 1*(3), 253-55.
Pillsworth, E. G., & Haselton, M. G. (2006). Male sexual attractiveness predicts differential ovulatory shifts in extra-pair attraction and male mate retention. *Evol Hum Behav, 27*, 247-58.
Gallup, G. G., & Burch, R. L. (2006). Semen displacement as a sperm competition strategy. *Hum Nat, 17*(3), 253-64.

Zorgen je genen ervoor dat je trouw bent of juist overspelig?

Fisher, H., Aron, A., Mashek, D., Li, H., Strong, G., & Brown, L. L. (2002). The neural mechanisms of mate choice: A hypothesis. *Neuro Endocrinol Lett, 23 Suppl* 4, 92-97.
Lim, M. M., Murphy, A. Z., & Young, L. J. (2004). Ventral striatopallidal oxytocin and vasopressin V l a receptors in the monogamous prairie vole (*Microtus ochrogaster*). *J Comp Neurol, 468*(4), 555-70.
Lim, M. M., Wang, Z., Olazabal, D. E., Ren, X., Terwilliger, E. F., & Young, L. J. (2004). Enhanced partner preference in a promiscuous species by manipulating the expression of a single gene. *Nature, 429*(6993), 754-57.
Young, L. J., & Wang, Z. (2004). The neurobiology of pair bonding. *Nat Neurosci, 7*(10), 1048-54.
Fisher, H. E., Aron, A., & Brown, L. L. (2006). Romantic love: A mammalian brain system for mate choice. *Philos Trans R Soc Lond B Biol Sci, 361*(1476), 2173-86.
Zeki, S. (2007). The neurobiology of love. *FEBS Lett, 581*(14), 2575-79.

Hoe worden je hersenen groter als je verliefd bent?

Ortigue, S., Bianchi-Demicheli, F., Hamilton, A. F., & Grafton, S. T. (2007). The neural basis of love as a subliminal prime: An eventrelated functional magnetic resonance imaging study. *J Cogn Neurosci, 19*(7), 1218-30.

– ZILVER LEESTIP –

Veronika Immler & Antje Steinhäuser
ALLES WAT EEN VROUW MOET WETEN

Dat vrouwen altijd alles beter weten is natuurlijk al lang bekend, maar na het lezen van dit boek zal niemand daar meer aan twijfelen. Wetenswaardigheden zoals wie de beruchtste vrouwelijke criminelen zijn, wat de populairste babynamen zijn, hoe de lotto werkt, wat de heeltijden zijn van verschillende piercings en hoe je een toilet moet ontstoppen passeren de revue. *Alles wat een vrouw moet weten* is een *must have* voor elke vrouw (en man!)

Veronika Immler (1968) werkte als architect. Ze schreef dit boek samen met freelance redacteur Antje Steinhäuser.

RAINBOW ZILVER 429
ISBN 978 90 417 6254 2

– ZILVER LEESTIP –

Ariane Meijer
HET MANNEN ABC

Welkom in de dramatische wereld van het daten! In *Het mannen ABC* toont Ariane Meijer in een reeks korte verhalen haar hilarische en soms cynische kijk op mannen én de vrouwen die voor hen vallen. Aan de hand van het alfabet beschrijft zij het verloop van een date met 26 mannelijke archetypen. Op welk type man val jij? Is dat de lekker playboy, de impotente dichter of de zweverige new age man? De keuze die je maakt zegt misschien meer over jou dan over hem.
Het mannen ABC is een heerlijke verhalenbundel om bij te lachen, of misschien ook om bij te huilen, en die zeer herkenbaar is voor alle vrouwen van deze tijd.

Ariane Meijer is juriste en was onder meer werkzaam als model, presentatrice en actrice. Afgelopen jaren werkte zij als columniste en schrijfster. In 2007 verscheen haar eerste literaire thriller *Koud-Zuid*, gevolgd door *Wit Goud* (2008) en *Zwart Zaad* (2009).

RAINBOW ZILVER 393
ISBN 978 90 417 6209 2

IN RAINBOW ZILVER POCKETS® ZIJN LEVERBAAR

Cecelia Ahern — Kon je me maar zien!
Cecelia Ahern — De plek van de verloren dingen
Cecelia Ahern — Voor altijd
Miriam Ali — Uit naam van mijn dochters
Sameem Ali — Ontheemd
Donya Al-Nahi — Heldin van de woestijn
Donya Al-Nahi — Niemand komt aan mijn kinderen
Sherry Argov — De ideale vrouw is een bitch!
Sherry Argov — Waarom mannen een bitch trouwen!
Ayşe — Een bruid van thuis
Ben van Balen — Ik heb zoiets van
Ben van Balen — Ik zeg: doen!
Emily Barr — Bedrieglijk
Emily Barr — Klasgenoten
Maeve Binchy — De avondschool
Maeve Binchy — Het hart op de tong
Maeve Binchy — Het huis op Tara Road
Maeve Binchy — De spiegel van het meer
Maeve Binchy — Wit bloeit de meidoorn
Kevin Brooks — Candy
Dan Buettner — Het geheim van langer leven
James Lee Burke — Regengoden
Aysel Çalışkan — De nootjes van het huwelijk
Tracy Chevalier — Meisje met de parel
Stephanie Clement — Meditatie voor beginners
Jackie Collins — Dodelijke omhelzing
Jackie Collins — Gevaarlijke kus
Jackie Collins — Lady Lucky
Jackie Collins — Lovers & Players
Jackie Collins — Zoete wraak
Michael Connelly — Blind vertrouwen
Michael Connelly — Echo Park
Michael Connelly — Het laatste oordeel
Michael Connelly — Ongrijpbaar
Sabine Dardenne — Ik was twaalf en ik fietste naar school
Jeffery Deaver — Brandend ijs
Jeffery Deaver — De illusionist
Luisa Dillner — Waarom vrouwen op foute mannen vallen
Lesley Downer — De laatste concubine
Heidi W. Durrow — Het meisje dat uit de lucht viel
Katie Fforde — Keukengeheimen
Katie Fforde — Kunst en vliegwerk
Katie Fforde — Reddende engel
Katie Fforde — Stoute schoenen
Joy Fielding — Fatale schoonheid
Tess Franke — De inwijding
Caitlin Friedman & Kimberly Yorio — De baas zijn zonder een bitch te worden
Nanette Gartrell — Zo zeg je nee!
Yoyo van Gemerde — Lust & lollypops
Nicci Gerrard — In het maanlicht